Antoni

La casa s

C000076860

DUBLÍN , NOV. 2001

ESTE LIBRO ES SIMPLEMENTE
PARA AGRADECER SU TRABAJO
POR HACERME MENOS TEDIOSO EL MUNDO
DE LA BUROCRACIA, CON SU AMABILIDAD.

Gracias, Carmen.

Manuel Gallego

Documento

Antonio Gala

La casa sosegada

~

PLANETA

© Antonio Gala, 1998
© Editorial Planeta, S. A., 1998
    Córcega, 273-279, 08008 Barcelona
    (España)
Diseño de la cubierta: Compañía de Diseño
(foto © María Espeus)
Primera edición: setiembre de 1998
Depósito Legal: B. 8.919-1998
ISBN 84-08-02481-7
Composición: Fort, S. A.
Impresión: Liberduplex, S. L.
Encuadernación: Encuadernaciones
Roma, S. L.
Printed in Spain - Impreso en España

Índice

EL LUBRICÁN

Es el lubricán: la hora en que se confunde el perro con el lobo, el lobo con el can. Anochece. Es la hora de la tregua. Todo en la naturaleza se dispone al descanso. La luz que enfrenta a unos seres con otros ha cesado; ha cesado la lucha; sólo quienes se desenvuelven en la noche se están incorporando. Los humanos, en las ciudades más o menos grandes, con sus coches a cuestas, con sus efímeras dichas o desdichas a cuestas, aún están de camino; pero es un camino de vuelta. El sol se dejó vencer sin excesiva resistencia; unas nubes, entre suaves reflejos, pueblan todavía el cielo de formas imprecisas. Quienes trabajaron fuera de sus casas vuelven a ellas. Una casa es el lugar donde a uno se le espera, o en donde uno espera, a esta hora apacible, las visitas más próximas.

Al acercarse, adivinan encendidas las habitaciones. Todo está en orden. Los niños, si los hay, dentro de poco se retirarán. Un suspiro de calma llenará los pasillos, el cuarto de estar; se posará sobre la mesa del comedor dispuesta. En el rincón preferido, bajo la apaciguada luz de una pantalla, el sofá o el sillón ofrecerán sus brazos. La costumbre, con maternales manos de enfermera, nos tocará la frente; nos despojará de la chaqueta y del calzado; nos quitará las armas de la guerra de que venimos... Anochece. Antes o después de cenar, se abre un momento para la reflexión, para la charla, para la honda mirada comprensiva. No discutamos; no gritemos; no nos arrebatemos el turno en la conversación; no nos apasionemos como si en ella nos fuera la vida. Cerremos los ojos y miremos. Miremos con intensidad, pero con paz. Quizá consigamos entonces escuchar una música. Una música compartida y solemne: es la canción de cada anochecer, que solemos empeñarnos en desoír.

Fuera se ha quedado la agresividad y la competitividad que nos devora como un cáncer. Cerca sólo permanecen la intimidad, la certeza de algún pequeño gozo, del sorprendente placer cotidiano, del habitual milagro de estar vivos que poco agradecemos, y el de estar —si es así— en compañía. Junto a nosotros, los menudos valores que nadie se atrevería a cotizar en bolsa. Sobre todo, el acuerdo con uno mismo y el olvido, a veces tan difícil, de los desacuerdos que el día ha provocado. Lejos, el virus del oro, que enrigidece nuestras arterias y nos infarta el corazón, y el de la palabra amenazadora. Dejémoslos fluir: ni el oro ni la palabra se inventaron para destruirnos, sino para vincularnos y embellecernos. Que no creen un mal poso en nosotros. Cuanto no sea esencial, cuanto no sea rotundamente nuestro (tanto que sin ello dejaríamos de ser quienes somos) debe desaparecer a esta hora. Quédese el perfume, pero no la flor seca...

Abandonados, en confianza, sin testigos que testimonien mañana en contra nuestra, sólo entre los amigos por quienes somos entendidos o con quienes podremos llegar siempre a entendernos. Ligeros y seguros, sacudidos los trabajos que nos agotan. Liberados, sin cuidarnos de almacenar para mañana; sin cargar con el abrumador peso de las cosas. Ágiles, es decir, alegres. Convencidos de que la verdadera seguridad es la aceptación de la inseguridad sobre la que nuestra vida se construye. Tranquilos y aliados. Porque el ser humano no nació hiriente: sus facciones, sus extremidades, su cuerpo entero están redondeados para no herir; endurecidos sólo para defenderse de agresiones pequeñas. Se acopla un cuerpo a otro; se compenetra sin necesidad de penetrarse. Nada es dañino ahora y aquí. Las batallas exteriores quedan fuera, con el golpe y con la palabra amarga. La palabra y el cuerpo se adaptarán, complacidos y placenteros, como se adaptan una fuente o un río.

Aquí podrá hacerse todo lo que se sienta de verdad; cuanto se desee decir de verdad podrá ser dicho. No hay precios, no hay ofensas: en consecuencia, todo es bueno. Dentro del hogar, al anochecer, habitamos en el ojo del huracán. Persisten alrededor la ambición, las tormentas, las corrupciones, los duros fantasmas del día y de la noche; pero aquí hemos obtenido la serenidad. Una serenidad empapada de vida, que es movimiento interior: no quietud, no pasividad. De ahí que sea imprescindible, antes o después de cenar, antes o después de ver un poco de televisión o de leer un libro, reflexionar un rato, dar un momento gracias, detenerse a cambiar impresiones, a renovar las fuerzas, a beber un largo sorbo de agua limpia.

Se ha hecho el silencio. Apenas percibimos las sonoras esquirlas de otras vidas. Por fin se hizo el silencio. Por fin está la casa sosegada.

11 de junio de 1995

UNA PAREJA

Los veo acercarse. Avanzan despacio y en silencio. Forman una pareja ya no joven. O quizá lo son un poco todavía: hay algo en ambos que los rejuvenece. ¿Pasaron para ellos los días del amor? Es posible; pero ¿por qué llamar amor sólo a aquel sentimiento del principio? ¿Por qué llamar amor sólo a aquella urgente vehemencia? Yo siento aquí sus ecos. Como esas vidas, invisibles en el aire, hasta que un rayo de sol nos las muestra en suspenso. Un modo suave de entenderse sin palabras, una comprensión, una complicidad... Acaso sea que sus vidas engendraron más vidas, y eso engendró a su vez una comunicación inextinguible.

Estoy seguro de que, con alguna frecuencia, lo añoran por separado; incluso, en ocasiones, lo comentan entre ellos. Hablo del primer instante de su enamoramiento. Hoy se echan a reír si alguien, que fue testigo, hace alusión a él; sin embargo, este gesto de la mano que le quita importancia, este encogerse de hombros, este «tonterías de jóvenes» que dicen en voz baja, ¿qué significarán? Fue un flechazo. Todo amor lo es un poco. Todo amor es un extraño milagro que parte en dos la vida con su cuchillo de oro. Empieza una nueva manera de respirar, de mirar este mundo, de complacerse en él. Lo anterior era gris; acaso luego lo posterior también, cuando hayan huido los primeros tiempos de luz y de calor, de absorción de uno en otro. Quizá tuvo razón quien dijo que la felicidad es gris: sin altibajos, sin colores chillones, sin cumbres y sin simas. O acaso en ello consista la serenidad. Descienden los amantes de su monte Tabor; descienden a la planicie de los días iguales. ¿Y eso querrá decir que el amor concluyó? ¿Cuánto tiene que ver el amor con la felicidad? ¿Y con la desdicha? ¿O será mejor pensar que tiene que ver con la tensión de la vida en sí misma, de la que es el más hermoso de los arrabales?

Hay objetivos susceptibles de alcanzarse: uno se los propone y los consigue. Enamorarse, no. Por mucho esfuerzo que se haga. Ni siquiera nadie puede hablar de semejante cosa sino desde su experiencia, y casi balbuceando. Y además es muy fácil engañarse: uno cree estar enamorado y no es verdad, no fue verdad. Tan cierto como que cada época le hace la guerra al amor, le pone trabas, facilita su derrota. Y es muy posible también no tropezarse con la persona justa, que impaciente en algún sitio nos espera. Y está la torpeza para hacérselo saber si la encontramos. Y la tentación de conformarse con la rutina y con la inercia de lo ya conocido: el trabajo, la familia, los amigos, las aficiones. «¿Para qué más?», se pregunta el rozado apenas por el amor. «¿Para qué empezar un camino tan sorprendente, tan peligroso, tan desconocido, que suele terminar tan mal. Qué pereza emprenderlo.» ...Sí; casi todo se le opone al amor.

Porque el enamorado se abre a un insólito mundo; va a vivir en otra vida; va a compartir la suya. Despierta de un letargo. Se enternece en todos los sentidos. Se enfrenta a la aparente seguridad de sus esquemas y sus coordenadas. El enamorado es un vaso medio lleno que aspira a llenarse del todo; pero ha de conseguirlo con el líquido de otro vaso que apareció junto a él. Por tanto ha de vaciarse hasta de su última gota. Y qué temor a tal vacío: al momento en que, después de volcarse entero, no sienta aún la plenitud que habrá de proporcionarle el otro líquido. Es un juego que conviene jugar a ciegas, con toda fe y con toda esperanza, con una sabia y abandonada inconsciencia... A cambio, amar y ser amado es un privilegio: es la gloria del mundo. Una vida vivida por dos protagonistas. El yo exaltado para parecer mejor —para serlo— a los ojos del tú: reconocidos los defectos, para que el tú acepte con pleno consentimiento y sin engaños. E iniciar así, al mismo paso, la diaria e interminable tarea del amor, su dorada batalla entre aliados.

Compartir. Compartir. Porque el tramo de vida que no fue compartido se reducirá sólo a un tema de conversación, de celos o disgustos. («... Herir tu pensamiento, / trasponer el umbral de tu mirada, / ser tú: ser tú de otra manera. Abrirte / como una flor la infancia, y aspirar / su aroma y devorarla.») ¿No habrá ningún amor perfecto? Quizá nada hay perfecto. Los amantes no nacieron gemelos: cada uno tuvo una infancia, una espera, un éxtasis, un trayecto para acercarse al otro. Y también un trayecto para distanciarse, porque la muerte acecha con mayor eficacia que el amor. Aunque el amor haga creer en la inmortalidad, en una forma de inmortalidad: la que consiste en ser recordado y permanecer dentro del corazón de alguien, exaltado y embellecido mientras ese corazón lata.

Los veo acercarse. Forman una pareja ya no joven. ¿Pasaron para ellos las horas del amor? No, no. ¿Qué importa que sólo les queden unos cuantos recuerdos comunes, unas canciones que los emocionaron a la vez y todavía tararean, unos paisajes por los que transcurrieron, unos hijos que se fueron de su lado o que se irán? ¿Qué importa todo si, cuando se miran fijamente, sin poderlo evitar, sonríen a hurtadillas?

18 de junio de 1995

LA ÚLTIMA PALABRA

Este hombre no siempre estuvo solo. Quizá tampoco lo está ahora. Quien anduvo en verdadera compañía no se queda verdaderamente solo. ¿O será la soledad perder aquella compañía verdadera? El hombre está leyendo las canciones del alma en la *Noche oscura*. «Con ansias en amores inflamada, / oh dichosa aventura, / salí sin ser notada, / estando ya mi casa sosegada.» Salir de sí parece la postrer condición: olvidarse, mirarse en los espejos y no verse, ver sólo a quienes palpitaron un día en el más apretado alrededor. Hoy los espejos se niegan a reflejar las acciones de este hombre. Mira hacia atrás y ve lo que le importa. ¿Y delante ya no? Ahora, sentado a la mesa en la alta sala abuhardillada, recuerda otras mesas en las que trabajó. No lejos se hallan todas. La del convento de la Encarnación de Ávila, perdurable e incómoda igual que un buen propósito; sobre ella, un vaso con una rosa y una rama de olivo. En el piso más bajo, la inglesa, tampoco confortable, sobre la que escribió amorosas palabras conocidas. La de ahora, amplia y desordenada lo mismo que su vida... La luz entra por todas partes despidiéndose. Pronto empezará a caer con lentitud. ¿Dónde fue tanto ruido como hubo en torno suyo? ¿Dónde los cuerpos que ciñó con diferente intensidad? ¿Por qué permanecen entre sus dedos las caricias?

Este hombre mira por encima de sí mismo y ve una madurez anterior a la de hoy y fundida, sin embargo, con ella. No tiene idea de los caminos por los que fue haciéndose mayor. Le queda todo al alcance de la mano, o sea, al alcance de la memoria. Pero ¿para qué sirve recordar? Él no es un cultivador de recuerdos; no conserva sus lutos. ¿O no será recordar esto que hace, sino contemplar sólo? Su contradicha juventud, tan luminosa a ojos ajenos, y más allá, su dura adolescencia y su infancia secreta. Lo siente todo dentro de sí, pujando y empujando. Todo podría ser de nuevo acariciado, si alargara la mano que no alarga, como acaricia a veces los fetiches que a su espalda reposan: la uña del jaguar, la turquesa engastada, la mano de Fátima, la figa, el búho, el fascinante pájaro de cristal... (Los fetiches que diferentes cariños le fueron regalando.) Todo podría ser de nuevo acariciado como acaricia a veces, mientras le habla en voz baja, el conjunto de plantas silenciosas de al lado: la maranta, la kentia, el crotón, la clivia, el ficus, el indecible tronco de la felicidad...

¿Es ésta la hora más difícil? Cada día sucede. Y cada vida. El sol apenas roza ya la tapia del jardín. Los árboles mueven sus ramas, sacudiendo con ellas las incipientes sombras. Pronto el hombre bajará al dormitorio. Deja resbalar su mirada por las cosas. Teme hacer inventario antes de que la noche se declare. Fue amado, y eso es todo. ¿Es eso todo? Lo agradece. Quizá ahí resida la prueba más valiosa de que no perdió el tiempo que le fue concedido... «¿Dónde va el tiempo cuando de veras lo perdemos?», se pregunta. No va; se queda oprimiéndonos como una carga dura, exigiendo sus avaros réditos. A veces oye risas, compases, pasos apresurados que suben la escalera o que se alejan... No hay nadie. No había nadie. La tarde transcurre, moribunda e impertérrita, camino de la noche, «a oscuras y segura». Una extraña presencia, cada vez más notable y menos incógnita, asciende desde fuera «por la secreta escala, disfrazada». No es el hombre que sale, que escapa de sí mismo, que emborrona sus huellas: es el final de todo. De un día a otro oirá tocar una mano invisible en los cristales. Oirá tocar campanas como antes las oía; pero no sabrá dónde, y no serán a gloria.

«A oscuras y segura.» Da la luz. Quedan en sombra los rincones, los elevados entrepaños de las librerías, el maderamen de los techos, los pliegues más recónditos del alma. ¿Amanecerá? «Los días se repiten, no la vida.» Este hombre, en realidad, no es esperado, no tiene que ir a parte alguna. Con docilidad regresa cada día a sí mismo y espera en su interior. Pero ¿qué espera todavía? No sabe qué, si no es la muerte. Ve la rosa y la rama del olivo. En su corazón aletea una sonrisa. «Otra vez, otra vez.» Siente su vida íntegra —es decir, la vida íntegra— triunfar en su interior, ensimismado y libre. También la vida amanece cada día: entera y eterna mientras dura. Y quizá aún después... «Oh dichosa ventura, / a oscuras y en celada, / estando ya mi casa sosegada.»

Es de noche. El hombre cierra el libro de canciones del alma. Lanza una mirada, como un adiós, en torno suyo. Salvo su mesa, todo lo rige un orden minucioso. ¿Acaso la serenidad será enemiga del amor? ¿Será enemiga acaso del futuro? Nada concluye nunca. La luz sólo se va para poder volver. Dios no se ha reservado la última palabra. La reina de este mundo —de este ancho mundo íntimo que habita cada hombre— es siempre la esperanza.

25 de junio de 1995

LOS RECUERDOS

A veces te asaltan, te acosan, te derriban, te inmovilizan sobre el suelo; o se desprenden de las altas y poderosas ramas del olvido como enmascarados seres enemigos. A veces, por el contrario, aparecen igual que impuntuales invitados, tropezando y balbuceando, cuando ya habías dejado de esperarlos, y solicitan permiso para entrar. A veces están dentro de ti, brotan, crecen, se invisten de facciones, modales y actitudes conocidos, aunque borrosos ya, se incorporan frente a ti y te miran, con rencor o con delicadeza, de hito en hito... Tú sabes quiénes son: son los recuerdos... Entre el recuerdo y la memoria hay mucha diferencia: el primero es la depuración de la segunda; cuenta con ella como el tesoro cuenta con su isla misteriosa, como el cuerpo con su alma. La memoria es una vasta extensión casi desértica, o desértica, donde a veces se divisa un oasis húmedo y verde o una amenaza cruel. Ambos la puntúan, la vivifican, la hacen móvil y nuestra, implacable o ternísima.

Recuerdas, sí. Te pasas la vida recordando. Cuanto hoy haces de nuevo será mañana un recuerdo tan sólo. Pero ¿qué es lo que recuerdas y cómo? En tan entramada y continua tarea, ¿qué es lo que predomina?: ¿lo que fue en realidad? ¿Y qué es la realidad? ¿Sigue siendo real lo que pasó? ¿O será más real lo que tú creíste que pasó, o lo que tú querrías que hubiese sucedido? El fraude de la realidad es compensado ahora en el recuerdo, y te encuentras en paz, no ya timado, no defraudado ya, no malquerido... O acaso tú no entendiste lo que sucedió entonces, y no más que una parte de los hechos llegó a tu comprensión... Qué difícil es todo. Ahora te esfuerzas por recordar en ocasiones, por aquilatar con un escrupuloso seguimiento los pasos que otros dieron o tú diste. Y en otras ocasiones te esfuerzas por apretar los ojos e ignorar. Pero no eres tú el dueño de los recuerdos. Ellos se acercan o huyen a su antojo. Se reflejan en un espejo en que el vaho del tiempo emborrona los perfiles; cuando deseas percibirlos mejor, frotas con tu mano la superficie que fue brillante, y sólo ves tus ojos acechando.

Los viejos viven de recuerdos, se dice. En los viejos la esperanza retrocede, se dice. Hay un bien que se niega a los jóvenes: el agridulce tesoro de la nostalgia. Los jóvenes no han disfrutado de tiempo suficiente para lograr aquello que luego tendrán que echar de menos. No han perdido nada o han perdido muy poco: en sus almas no cabe la añoranza, el sutil sentimiento de girar la mirada a aquello que se tuvo y no se tiene... Se dice, y no es cierto del todo. La vejez no está desgajada de la madurez; ni la madurez, de la juventud; ni ésta, de la infancia más frágil. Avanzamos como la vanguardia de un ejército que debe conquistar tierras hostiles, desconocidas por lo menos. La edad y la experiencia son nuestra única impedimenta: ¿y de qué están formadas la experiencia y la edad? Avanzamos, so pena de morir, obligatoriamente. Y la avanzadilla no cesa de estar en contacto con aquella primera retaguardia que aún persiste en el lugar donde se abrió la marcha: el origen de todo, la lágrima inicial, el inicial sollozo, la primera bocanada de aire que inspiramos y nos hizo llorar para que los pulmones se abriesen a su faena indispensable. Es tal vaivén de vanguardia a retaguardia, a través de las líneas de combate, lo que nos hace quienes somos, lo que nos hace como somos.

De ahí que haya días en que te empeñes en recordar algo muy vago, de lo que sólo sabes que es trascendental. Algo que resolvería el enigma del mundo y de tu vida: un secreto anterior quizá a la vida, que compartiste con ella antes de llegar a aquellos brazos que inauguraron la luz. Y de ahí que haya días también en que el recuerdo sea como un telón de teatro que se eleva y deja ver el escenario entero iluminado... Nunca paseaste con un amor cogido de la mano. ¿Te remuerde por ello la conciencia?... ¿Se es otro al recordar? ¿Se mira con frialdad aquello que ocurrió, sin tomar ya partido? ¿No resucitan y queman los mordiscos más hondos del dolor? ¿No duelen hoy sino como un eco, como la historia que una voz nos contara? ¿Justifica la distancia todo lo acontecido?... El recuerdo tiene más aroma que un gran bosque de lilas en flor: lo aseguran los chinos: qué denso y perceptible aroma desde lejos. Ningún dolor más grande que recordar nuestro tiempo feliz en la desdicha, escribió Dante en el *Infierno.* Todo es verdad; lo contrario también. El pasado no vuelve al evocarlo. Nadie puede aspirar a revivir ni amores, ni placeres, ni tormentos siquiera: otros recuerdos, en aluvión, han deformado aquéllos. El olvido no existe, pero tampoco la constante presencia. El recuerdo da por supuesta su irrealidad: hay que apoyar o deshacer recuerdos con recuerdos. Igual que un museo de ciencias naturales reconstruye un antediluviano animal con unos cuantos huesos, tú intentas hoy reconstruir tu vida. No es así, no es así: la vida se construye y se destruye. Nada más. Y hay que seguir viviendo.

2 de julio de 1995

LA LECCIÓN DEL JARDÍN

Faltan varias horas para el anochecer. El calor enturbia todavía los perfiles. Todo duerme al sol último de la primavera. Bajo a la huerta a través del jardín, y siento que me estaban esperando. Me rodea la naturaleza, no manipulada en exceso, una vez más, y una vez más me ofrece su lección. Todo es presente aquí: el origen y la profecía, el recuerdo y el proyecto se manifiestan íntegros. Vivir en el futuro es acaso lo que más desconsuela: imaginar aquello que sucederá dentro de poco o mucho. El don único del hombre es hoy, pero con demasiada frecuencia aparta su vista al ayer o al mañana. De ahí que, envuelto en la naturaleza, ella le contagie su inconsciente sabiduría, su silencio interior, la tranquila luminosidad que se refleja con plenitud en cada hoja, en cada pétalo, en cada brizna de hierba.

Para percibir lo que percibo no se precisa esfuerzo alguno. Más, cualquier esfuerzo sería perjudicial: quebrantaría esta paz, imperturbable aun bajo la amenaza de rayos, de sequías, de inundaciones, incendios o tormentas. El esfuerzo aquí, como en el alma humana, no engendra crecimiento. Al crecimiento sólo conduce la espontaneidad. Lo mejor de la vida no es posible lograrlo por la fuerza. Puede obligársenos a comer, no a sentir apetito: incluso a hacer los gestos del amor, pero no a amar. Es lo que aquí contemplo: los cambios se verifican en el sosiego, el abandono, la falta de codicia y de ansiedad y de rivalidades, la privación de éxitos y fracasos, de necedades y egolatrías, la ausencia de temor, del temor que protagoniza el espíritu de hoy. Temor de no conseguir la felicidad o de perderla; temor a los más próximos, al incumplimiento de las palabras, a la insatisfacción, a la pequeñez propia. Temor, temores... Quien pretende conseguir la dicha parte desde una avidez que la imposibilita, o desde un egoísmo que lo enfrenta a los otros, o de una competitividad que lo descorazona.

Cruza una paloma sola blanca el aire verde, cálido y dorado. Sin motivo aparente. Como la rosa que admiro ensimismada en el extremo de su tallo, siempre dispuesta a perfumar. Comprendo que son poseedoras —o son pruebas quizá— de la sabiduría verdadera. Aquella de la que nosotros somos una prueba también: no la que procede de nuestro cerebro, sino la que rige los órganos considerados inferiores: el distribuidor de la sangre que traza su ronda acostumbrada, el aparato digestivo que cumple su continua función, los desatendidos pulmones que se hinchan y contraen, la minuciosa inmunización que nos preserva al margen de una voluntad que nada sabe... Todo, mientras nuestra elevada mente se ocupa de lo que llamamos realizarnos, planear, sentir amores o aflicciones, guerrear, soñar, arriesgarnos por ideales puros o por sucias codicias. ¿Y será gracias a este cerebro, mantenido por esa inconsciente sabiduría, por lo que nos oponemos tanto a la naturaleza? Por lo que la violentamos y la esquilmamos, por lo que la contradecimos y la destruimos. ¿Será gracias a este cerebro, tan opuesto al jardín, por el que nos convertiremos en superhombres dejando para ello de ser hombres?

Hemos crecido en casi todo: en la duración de la vida, en la velocidad, en los medios de comunicación, en el bienestar, aunque no todos los pueblos, ni muchísimo menos, en la misma medida. Pero ¿a costa de qué esfuerzo, a costa de qué renunciaciones? ¿No estaremos perdiendo, o no habremos perdido, la sencillez de esta paloma que vuela y va y retorna, y de esta rosa inmóvil? ¿Acaso puede perfeccionarse la naturaleza si se va en contra de ella? ¿No estará avanzando el ser humano en contra de sí mismo? Porque de esta tácita jerarquía a la que asisto también él forma parte, y vive en ella. ¿Pone la competencia de manifiesto lo mejor de nosotros, o pone de manifiesto lo peor, pues que nos lleva a odiar? Un odio íntimo y suicida, en cuanto que nos deja a expensas de los competidores, olvidando nuestras auténticas necesidades y nuestros estrictos límites; un odio a los demás, en cuanto que nos es imprescindible triunfar a costa suya. Ningún progreso logrará el ser humano si el ser humano mismo no progresa. Ningún progreso será bueno si no está inmerso en él el corazón.

He ahí la paloma conforme con lo que es. He ahí la rosa. Satisfechas las dos, no aspiran a ser algo distinto. No desean, ni por tal causa se consumen, mayor blancura ni mayor perfume. Su gracia reside sólo en ser ellas, y así: en la conformidad de que quizá únicamente gocen los niños. La violencia y la intolerancia de los hombres pierden junto a ellas todo su sentido. Los celos y la envidia no caben entre estos setos y estos arriates. Por menuda que sea, cualquier mejora a que se aspire tiene que partir de la personal aceptación, y tiene que pasar por la comprensión de cada uno a sí mismo. Es decir, por la liberación de todo deseo de transformarse en algo diferente de lo que es cada uno. La perfección sólo tiene un camino: el camino que corresponde a quien se perfecciona. Por eso, al atravesar este jardín me pregunto una vez más quién soy yo. Y me siento cercano a la paloma y a la rosa.

9 de julio de 1995

18

LA GOLONDRINA

Cuando se descerrajó el aguacero, hacía muchos meses que una seca reinaba sobre el campo. Primero oyó tamborilear los dedos del agua sobre la tierra ávida; se recreó en su música. Luego, desde la ventana, vio el paisaje empañado, sumergido casi... No; no era un aguacero: la lluvia persistía. Contra el empedrado de la pérgola repiqueteaba alegremente. Se lavaban los polvorientos árboles: los naranjos, los caquis, los membrillos. Se alzaban los surcos al encuentro de la hermosa visita. Los pájaros, en silencio, se habían retirado. Las hojas más lozanas se daban a la vida, desperezadas y entusiastas; las resecas, sacudidas, se desprendían de las ramas. Vio bajo las tipuanas una alfombra mostaza; bajo los jacarandás, una violeta; bajo los densos ficus, amarilla. «Toda vida nueva supone el costo de otras vidas antiguas» —se dijo—. Al pie de la ventana, las flores de pasión sostenían, entre sus atributos, un sorbo que dejaban verterse para recoger otro. Jazmines vencidos y geranios tachonaban los paseos del jardín...

Trató de seguir un hilo concreto de lluvia: su larga trayectoria desde las nubes oscuras y cerradas hasta el charco donde salpicaba al golpear. No lo consiguió. Hubo de conformarse con seguir el trazado de una gota en el cristal de la ventana. Todo era así de efímero: por un instante, inconfundible; luego, fundido con el resto. Todo: los rastros de la lluvia, el paso de las nubes sin huellas ni contornos, el tapiz de las flores desprendidas, el tapiz de las hojas, la tierra misma, él mismo... «También nosotros somos distintos, exclusivos, personales, hasta que tal vanidad desaparece como una pompa de jabón, perfecta e irisada mientras no sople un niño contra ella. Una verde corriente de pronto nos inunda, nos absorbe, nos rinde y arrebata...» Pero se reprochó: «No reflexiones, mira. Limítate a observar, ajeno a ti. Siente. Fúndete cuanto puedas con lo que tienes por delante. Esa gota solitaria que otra gota arrastrará en seguida; esa segunda, como un río minúsculo, incorporándose a otra gota inferior. Que las cosas te hablen: óyelas. De la vida, de la muerte, del gozo... Abandónate. Piérdete. Mira.»

Cuando un par de horas después la lluvia se detuvo, llamó a sus perros y paseó por el carril en cuesta que sube hacia la entrada. Todo aparecía sonriente y aseado. Un aroma a barniz abrillantaba el aire. Quizá procedía de las salvias del borde, o de los cipreses y el tomillo. Las colas de los perros batían la tarde con especial orgullo. El paisaje se inauguraba. El hombre se abandonó a la experiencia del presente. Todo fue ya presente dentro de él. No recordó ni la experiencia de la tromba recién cesada; ni deseó que se repitiera; ni pensó en evitarla si se repetía... El tiempo entonces dio de sí como un elástico que alguien estirara. Y se detuvo. Y olió a lo que debe de oler la eternidad...

Cayó la noche imperceptible. Regresó la lluvia con su húmeda melodía. El campo sin luna era, entero, una canción. En pocas ocasiones había sentido él tan sosegado su espíritu. Se demoró en la perfumada canción sin palabras. Después acostó a sus perros y subió al dormitorio. Al correr una cortina sintió los primeros aletazos. Descendieron desde la barra y las anillas. Por la ventana abierta, una golondrina se había refugiado allí. Aterrada —y él imaginó que jadeante— revoloteaba entre las vigas. Arrastraba las alas por el techo sin sitio alguno en el que descansar. Se troceó el tiempo y se alargó. Se le hizo interminable. El ave se posaba con dificultad, apenas un segundo, sobre el marco de un cuadro, sobre la alta pantalla de la mesa de noche. Y volvía a volar, mostrando el plumaje blanco bajo el negro azulado de su cuerpo menudo y lleno de pavor. Y volvía a tropezar con las alas puntiagudas y la cola ahorquillada. Él, abierta de par en par la ventana, la invitaba a salir, le hablaba, y con ello sin duda la empavorecía aún más. Sacudiendo el pijama, pretendía conducirla a la salida. El pájaro comenzó a emitir un grito lastimero. A cada momento con mayor frecuencia. «Mi corazón —se dijo— está agitado. Seguramente late tanto como el de la golondrina.»

¿Había perdido el hombre el sosiego del día? ¿La angustia de un pájaro bastaba para hundir su serenidad? «No trina —se dijo—, se queja. El trino no quiere decir nada: complace sólo, embellece sólo, no tiene más fin que ése. Esto, sin embargo, es un sollozo. ¿A quién va dirigido?... Calla —se interrumpió—, y mira.» Apagó la luz del dormitorio, la luz del vestidor, y se sentó a esperar a un lado de la cama. La golondrina, en círculos, llenaba la habitación con su canto. «No; no es un canto —se dijo—. ¿O sí lo es?... ¿Qué importa? Escucha. Mira. Huele la tierra a través de la ventana. Saborea el mundo mojado. Toca el hilo de estas sábanas... Cuando escuches el trino, o el lamento, de un pájaro y sepas que oyes un milagro; cuando mires un árbol bajo la lluvia y estés viendo un milagro, será que por fin has visto realmente y has oído.»

Cesó la queja de la golondrina. Sus alas rasgaron el aire al escapar. La noche, fuera, la absorbió también. «Como a todo» —se dijo el hombre—. Y dio la luz.

16 de julio de 1995

TODAS LAS RELIGIONES

Para haber un Dios sólo (en esto están de acuerdo las principales fes) quizá se ofrezcan demasiadas maneras de adorarlo. Y quizá todas serían buenas si se mantuviesen en sus justos límites, uno de los cuales es que acaso Dios no pretenda ser adorado. Porque ninguna creencia religiosa es la afirmación de una realidad, sino la dudosa aproximación a un misterio. Se ha dicho —y es verdad— que cualquier religión es un dedo señalando a la luna. Hay quien mira el dedo, y nada más; hay quien lo chupa como un niño el biberón; hay quien mira la luna y no la entiende; hay quien saca a otros los ojos con el dedo. A los que superan la metáfora, frecuentemente se les tacha de blasfemos y, a poder ser, se les quema. El misterio que las religiones, en el mejor de los casos, tratan de explicar excede del humano raciocinio. Basta mirar al cielo; no al de las promesas: al más modesto que tenemos encima. Andrómeda, por ejemplo, es una galaxia espiral semejante a la nuestra que no está, en comparación con otras, lejos. Su luz, sin embargo, a 300 000 kilómetros por segundo, tarda dos millones de años en llegarnos. Y la forman 100 000 millones de soles, muchos de ellos más grandes que el que a nosotros nos alumbra. Ante esta desmesura, ¿quién osa hablar de Dios? El hombre sabe cada día más del cosmos (y menos de sí mismo); pero ¿qué ha aprendido de Dios en los milenios que ya vivió en la Tierra? Toda palabra, toda imagen que se empleen referidas a él son más una falacia que un retrato. Si vemos un cartel indicador que señala los kilómetros que quedan para llegar a Burgos, no podemos por ese mero hecho decir que conocemos Burgos. Carteles indicadores son sólo las creencias religiosas.

¿Quién divagará en serio sobre la existencia de Dios? ¿Quién ayudará a un pez a que descubra el océano en que nada? Mientras una religión aquiete al hombre, lo mantenga en paz con sus semejantes y ordene su espíritu para que se sienta acompañado, sea bienvenida. Si le enseña lo suficiente para odiar, pero no lo bastante para amar, estaremos perdidos. Hay un exceso de sectas enemigas hiriéndose mutuamente, no en sus *sentimientos religiosos* (algún lector se sentirá herido en ellos por mis palabras), sino en sus integrismos y en sus dogmatismos. Nadie honesto se encontrará autorizado para santificar la observancia ciega de la ley. Si el judío es el pueblo elegido por Dios; si la salvación consiste en obedecer a Mahoma, su único profeta; si fuera de la Iglesia católica no hay más que condenación, ¿en qué quedamos? No extraña que un hombre santo deseace prender fuego al templo: la gente así se ocuparía más del Señor que de sus habitaciones.

¿A qué se dedican los administradores del misterio? A vender agua a la vera de un río. Cuando los caminantes descubran el río se acabó su negocio. ¿Qué guía espiritual será eficaz si está lleno de perplejidades y contradicciones? Ningún guía puede arrogarse la misión de legislar, sino la de inspirar; no la de conducir, sino la de despertar. Porque, ¿qué nos aclara sobre Dios? La teología es cosa de los hombres; algo para andar por casa y entretenerse un poco. A Dios se le conoce abriendo los ojos, como se conoce la luz; abriendo los oídos, como se conoce la música. Por eso quien emprende su búsqueda no ha de renunciar a ningún esplendor de este mundo; quizá a lo único que haya de renunciar sea precisamente a una fe determinada.

¿Quién se atreve a hablar de felicidad eterna a seres que ni siquiera imaginan qué es la felicidad? No sorprende que se sepa tan poquito del cielo y tanto del infierno: la fuerza de la costumbre nos hace ser expertos en los dolores duraderos. Referirse a recompensas y castigos es entrar en el juego humano más maligno: el de la avidez y del temor, el de la compraventa; es convertir a Dios en un contable tenebroso de culpabilidades. Probablemente lo divino de veras sólo se halle en lo ordinario y en lo cotidiano. Quizá la santidad es un misterio tan grande como Dios, y cuanto mayor sea, a la manera de la oscuridad, se verá menos, y, a la manera de la belleza, sólo será verdadera cuando carezca de la consciencia de sí misma. De ahí que yo no esté nada convencido de que la gran cuestión sea si hay vida tras la muerte, sino si hay vida durante la vida. En eso, en vivir, reside la primera obligación de cualquier ser. Los que desdeñan esta vida son los que más desean que haya otra eterna; por eso suelen pecar de crueldad, porque están dispuestos a cualquier sacrificio, ajeno sobre todo. Si Dios y el cielo existen, están aquí y ahora. Si no somos capaces de percibirlos ahora y aquí, tampoco podremos percibirlos después.

La experiencia de Dios es la ausencia de uno mismo: el sueño sólo se cuenta cuando se ha despertado. Como la muerte, Dios no está cuando yo estoy; y yo voy, no obstante, camino de él en él. Al rayo de luz no hay quien lo capture con la mano; sólo un espejo lo tomará y lo reflejará. Tal es la razón de que las religiones sean innecesarias: nos predican el difícil modo de entrar en una casa cuyas puertas están de par en par abiertas; nos hacen temer que se apague la luz de nuestra vela cuando gozosas voces cantan a pleno día. Que el buen Dios las perdone.

23 de julio de 1995

LA RAZA INHUMANA

Acabamos de cenar. Digo acabamos porque los tres toman un resopón conmigo. Cuando le doy a uno un bordecito de carne o de pescado, los otros dos no se impacientan: saben que, aunque se mude el orden, será igual: habrá para los tres. Me siento en un sofá y saltan a él. *Zagal* es muy celoso. No por más joven: antes de que tuviese uso de razón ya era celoso. Me mira muy de cerca, con las patas apoyadas en mi pecho. Yo sé lo que me pide. Paso la mano por su cabeza; él la yergue ofreciéndome la garganta. Se la acaricio. Acaricio a *Zahira* y a *Zegrí*. Los dos son muy mayores; tienen catorce años y medio; nacieron el mismo día y a la misma hora del golpe de Estado o lo que fuera aquello. *Zegrí* está completamente sordo; para llamarlo, tengo que gritar la i final como si me hubiera vuelto loco. *Zahira* estuvo enferma ayer: con fiebre y muchos dengues. *Zagal* es un chulazo moreno de ojos pardos. Los de los mayores son azulosos: el cristalino se les ha enturbiado con las cataratas. Igual que a *Troylo*. Me pregunto cómo me verán: lejano quizá, casi desconocido... No; por fortuna los perros tienen mejor sentido que nosotros: nos presienten, nos adivinan. Somos nosotros los que tememos que su sordera o su ceguera los aleje. Nosotros somos tontos.

Entre otras cosas, porque nos consideramos los únicos que sufren. Hasta en ese extremo tan poco grato es engreído el hombre. Como si los animales no tuviesen sentimientos: no sólo en su físico, sino en su alma. ¿Alma de andar por casa? Sí; como la nuestra. Nos sigue sorprendiendo que haya sicólogos de perros o la moda de los tratamientos siquiátricos de animales. ¿Es que no vemos cómo padecen las perrillas sus partos sicológicos? (La esbelta y principesca *Zahira* tuvo uno hace nada.) Uno de los peores ratos de mi vida lo pasé ante el vídeo de un laboratorio de vivisección de una universidad norteamericana. Trataban de mostrarme los avances de una investigación. Sólo pude ver —tardé poco en salirme— el inconcebible suplicio, la angustia, el infinito abandono y la impotencia de aquellos babuinos en que se hurgaba, con los cráneos abiertos, y amarrados, pinchados, troceados...

En el último mes de mayo tuve mi caída en el camino de Damasco. Fue durante una corrida de toros. Estaba, indebidamente, en el callejón. Tenía el toro al alcance de la mano. Le chorreaba la sangre por un costado hasta la pezuña. La estocada lo había degollado y vomitaba sangre también. Pero no doblaba. El diestro, poco diestro, lo descabelló seis o siete veces. Mugía el toro de dolor, bramaba de dolor, llenaba el aire, clamaba al cielo en vano. Los peones lo mareaban con los capotes. Y de repente miró hacia mí. Con la inocencia de todos los animales reflejada en los ojos, pero también con una imploración. Era la querella contra la injusticia inexplicable, la súplica frente a la innecesaria crueldad. Sentí que, garganta arriba, me subía un sollozo. Dobló el toro. Humilló la cabeza, tan bella y tan noble, entre las patas. Se entregó al cachetero. No quiso saber más.

Como no quieren saber más los delfines y las ballenas que se suicidan. Porque han alcanzado el límite de todas las preguntas. ¿O es que creemos que no se hacen preguntas los perros que sus amos abandonan, incapaces de aceptar el salvaje hecho, empestillados en volver al sitio en que perdieron lo que amaban, con la certeza de que vendrán a buscarlos, hasta que los aplasta un coche, o mueren por el gas y por la pena en alguna perrera? ¿Es que creemos que no se hacen preguntas los novillos y las vaquillas de las atroces fiestas de los pueblos, las cabras despeñadas, los conejos perseguidos por automóviles que los deslumbran y los matan, los gallos degollados por alguien con los ojos vendados mientras los asistentes ríen, las fieras enjauladas en los escalofriantes zoológicos, donde aprenden lo que es el aburrimiento y la melancolía, las gallinas o las vacas o las codornices de las granjas a las que obligan con corrientes y luces destanteadoras a comer o a poner o a engordar? ¿Es que creemos que no se hacen preguntas las aves llevadas al mercado en manojos cabeza abajo, o los cerdos y las terneras y los corderos hacinados entre barrotes donde viajan el doble de los que caben, o los pájaros cuyo gozoso mundo libre se ciñe a una grillera que les desgarra las alas cuando intentan moverlas, o los zorros acosados por jinetes siniestros de rojas casacas?

Los humanos, cuanto más inteligentes y comprensivos, más

respetan a los animales. Todos procedemos de la misma raíz, y no estamos nada seguros de haber progresado, desde hace millones de años, por el camino que debíamos. Dos tipos de educación hay: la que enseña a ganarse la vida y la que enseña a vivir y a dejar vivir. La primera es egoísta y no sirve para mucho. Porque los seres vivos, *todos,* somos como un espejo: si nos ponen por delante amor, reflejamos amor; si no, no tenemos nada que reflejar.

Acuesto a mis perrillos. Les doy las buenas noches. Los acaricio una vez más. Sé que están convencidos de volverme a ver mañana. No obstante, suspiran. Si no fuese por el sueño, una noche sin mí se les haría demasiado larga. Lo sé bien: nos parecemos mucho. Quizá eso sea la noche: estar sin quien se ama.

30 de julio de 1995

EL CHÓFER

Podría pensarse que cumplir años es el mejor aprendizaje. Pero ¿consiste la experiencia en algo más que una contabilidad, llevada mal y a lápiz, sobre unos datos que no volverán nunca a repetirse? Lo único que se aprende al cumplir años es a desconfiar de tal aprendizaje. Se aprende a comprobar cómo la vida —o lo que así llamamos, que parece exigir el paso del tiempo— juega con nosotros, nos engaña al modo de esos pájaros que anidan en un lugar distinto de aquel en el que cantan para despistar a los depredadores; cómo la vida, intachable prestidigitadora, saca palomas de la chistera que nada contenía, o hace desaparecer en ella cien pañuelos de seda que alegraban el aire. Nos cuesta convencernos de que no somos nosotros quienes decidimos; de que nuestro comportamiento no es, al menos relativamente, libre; de que en último término no hemos elegido nuestro propio camino, ni el ritmo ni el compás de nuestro paso. Y sin embargo, cada día más a menudo, sospechamos que es la vida la que nos lleva del ronzal.

Creímos que esta casa y su plácido jardín los construimos para habitar en ellos con un amor que nos enajenaba. Sus muros, sus ventanas, las vigas de sus techos, la recién plantada madreselva, iban a ser testigos y cómplices de la historia que suponíamos, por fin, interminable. ¿Quién nos habría persuadido entonces de que tal sentimiento era el dorado cebo de la vida para llevarnos al terreno por ella apetecido? Aquel amor nunca estuvo en esta casa, no traspasó sus puertas, nunca pisó la vistosa pradera del jardín, no oyó a los mirlos, no se estremeció con los primeros soplos de invierno alguno ni respiró la fresca y verde brisa con que se despiden los días del verano. Fue la vida quien montó estas paredes para que viviéramos entre ellas con otras gentes que nos deparaba, trabajando en lo que ella quiso y previó... Yo sé de alguno que tiene la convicción de que no avanzará si no lo llevan; de que cada línea que escribe no está signada por él mismo; de que los acontecimientos que irrumpen cerca de él o dentro de su corazón han sido precedidos por unos heraldos minuciosos a los que desatiende hasta que la vida, con invisible mano, le toma la cara y se la gira con fuerza al punto por el que aparece lo que acostumbramos a llamar destino.

Los fuegos que prendimos, las expresiones de dicha o de aflicción, las especias con que aliñamos nuestros insulsos alimentos, no son otra cosa que señales indicadoras con que la vida nos va conduciendo hasta su meta, que rara vez coincide con la nuestra. La muerte de alguien que era nuestra vida (la vida que tocábamos) iba a destruirnos; nunca nos destruyó. Por ella nos vigorizamos, y el llanto nos sirvió de colirio para ver más lejos que antes, y emprendimos ejercicios más difíciles, y acometimos empresas que hasta aquel momento no habían entrado en nuestros cálculos... ¿Qué sabemos de nada? ¿Qué sabemos siquiera de nosotros? Aquel perrillo designado como instrumento de una reconciliación, cuyas gracias y cuyas exigencias iban a remediar una crisis de amantes, terminó por no remediar nada: el amor concluyó; se deshizo la pareja; el perrillo sirvió para destinatario de unas charlas que leyó —y que lee aún con ternura— mucha gente. ¿Qué podemos saber si sólo «lo fugitivo permanece y dura», y lo que calificamos de accesorio sobrevive a los pilares más solemnes?

Los tempranos tormentos, los escándalos de pusilánimes que

provocamos en nuestra turbada adolescencia, el cruel rompimiento con nombres y amistades y proyectos, ¿qué fin tenían, aparte de machacar nuestras defensas? No obstante, ellos nos condujeron a la soledad interior, que sería a partir de ahí la guarida desde la que contemplaríamos el mundo. El fracaso que nos hizo pensar que jamás levantaríamos cabeza fue el primer gesto, el decisivo, que hicimos para comenzar nuestro ya demorado cumplimiento. Qué inútil oponerse a la no sé si recta o zigzagueante voluntad de la vida. Todo le vale a ella: cualquier despojo, cualquier desecho, cualquier aparente nadería. De todo, con su arte pobre, con su arte mínima, saca provecho, y levanta la esbelta y tersa rosa no vaticinada.

Para comprenderlo hay que estar ya de vuelta. (Si es que alguien, mientras vive, está de vuelta de la vida.) A veces nos juzgamos a punto de tocar con los dedos la verdad. «No hay pasado ni futuro —nos decimos—: está lo que ha de estar y lo que ha de ser es. Nada tiene el tiempo que ver con nuestro empeño, con lo que más importa de nosotros. De lo que se quiere no hay distancia que separe. Termina la noche y hay ya luz. El mundo y nosotros somos la misma cosa que cada día hermosea. La vida no es vida hasta que se la ama y se es por ella amado; después ya no existe la muerte.» Pero nos lo decimos con la boca pequeña. Es más seguro esperar que se nos siga conduciendo. La vida es el chófer del coche en que alegres montamos, al que decimos la dirección deseada. No advertimos que, como un taxista abusivo, nos lleva por donde quiere adonde quiere. Sin siquiera mirarnos por el espejo retrovisor para ver la expresión que ponemos.

6 de agosto de 1995

AQUEL ESCRITOR

Escribir no es un lujo, sino una necesidad; un oficio modesto y molesto; más que una vocación, un destino. Alguien que escribiera pudiendo dedicarse a otra cosa no estaría en sus cabales. ¿Por qué iba nadie a sentirse orgulloso de ser escritor? Uno escribe para mirar en torno y contar lo que ve, no lo que cree ver, ni lo que le conviene. Pero ser siempre testigo cansa. Porque vivir es meterse en la vida hasta los dientes, no contarla; aunque se cuente no en vez de vivir, sino para tratar de vivir más o para revivir. Aquel escritor distinguía entre los sentimientos profundos de satisfacción, que son los que coinciden con los de un obrero que cumple su trabajo, y los sentimientos externos y accesorios, provocados por los elogios, las aprobaciones, los aplausos. De ahí que, fatigado y algo aturdido por su último éxito, decidiera irse al campo. Él sabía que el secreto gusano del fracaso roe el mismo fruto que el éxito consagra: uno y otro no son incompatibles. Y él era su mejor juez. (Opinaba que, si los críticos de cualquier arte tuviesen serio sentido crítico, cambiarían de profesión.) «El único capaz de internarse y ahondar en la creación es el propio creador.»

Se fue al campo con la intención de abrir los ojos y los oídos y de cerrar la boca. «Para un escritor no es prudente hablar en demasía: así se gasta el tesoro en calderilla.» Y durante el viaje, quien conducía le contó aquella historia. Se trataba en ella de un autobús lleno de turistas, probablemente norteamericanos. Atravesaba un maravilloso panorama tras otro. La naturaleza se ofrecía como un don de belleza. Pero los turistas habían corrido las cortinillas. Unos por evitar el sol; otros, por dormitar un poco y estar más despejados en la ciudad siguiente; otros, para que no estorbase el exterior la interesante conversación que con los vecinos mantenía. «Qué espanto», murmuró el escritor. Y se embebeció del todo en el paisaje.

Al llegar a su destino ya era de noche. «Es más fácil el viaje que la llegada», se dijo. «Mientras te mueves, la ilusión te sostiene; en la meta has de enfrentarte con la realidad, y no siempre se acierta con la forma de hacerlo. Qué intrincado, lo sé por experiencia, el camino hacia la verdad.» «Ni intrincado ni simple —se dijo poco después, entre un olor a dama de noche y a jazmín que adensaba las sombras del novilunio—. Ni simple ni intrincado, porque no hay tal camino. No se va a la verdad: es un trayecto que no existe.

Cuando dejamos de movernos tan de prisa, estamos dentro de ella.» Y el escritor permaneció inmóvil debajo de la noche, y respiró con fuerza, y se sintió reconfortado.

Esa noche durmió de un tirón hasta media mañana. Y entonces vio el rutilante mundo, el alto mundo: los cielos pulidos, la luz dura y hialina del verano, los árboles misericordiosos, la porción de júbilo de las flores, los pájaros trazando sus infantiles vuelos en la pizarra transparente del día azul y oro. Y se olvidó de aquello que lo había cansado y de que huía... Pero a la tarde se interrogó a sí mismo: «¿Cuándo llegará el auténtico descanso? ¿Quizá sólo es la muerte?» «No; no es necesario —creyó oír una voz—. Llegará cuando veas.» «A eso he venido.» «Pues mira. ¿Qué es lo que ves?» Anochecía. Teñía el sol con su resplandeciente zumo de rosa y de naranja el resplandor del universo. «Veo lo que describí esta tarde: las flores entrecerradas, el saludo de los árboles a la luz que resbala, las estrellas tan tersas y la afilada luna.» Sintió que la voz le interrumpía: «¿Seguro que lo ves en la realidad? ¿No serán palabras tuyas sólo, pensamientos tuyos, árboles y estrellas y flores de papel?» «Quizá padezca una deformación profesional» —se dijo el escritor entristecido.

Aquella noche soñó que habitaba en el país de Alicia: inverosímil, cabeza abajo y lleno de temibles e inútiles carreras. «Si aspiras a vivir tú, deja que mueran las palabras. En ti ellas sustituyen al color, al saber, a los aromas. Te mueres de hambre porque sólo ves naturalezas muertas muy bien pintadas, pero nadie te ofrece de comer. Un menú no es un banquete; saber la fórmula del agua no saciará tu sed; deshojar la rosa y comprobar la inserción de los pétalos y del polen no te explicará sus innumerables párpados y su sencilla majestad perfumada. Adéntrate en la vida como se adentra uno en el mar, y esfuérzate con suavidad en comprender: el espeso zumbido de las abejas en torno a la cúpula del árbol, el rumor del aire que se desgarra entre las ramas... El peligro de las palabras es muy grande. En apariencia ellas son tu única fortuna, pero no es cierto. No te dejes embaucar ni hipnotizar por ellas; que no se interpongan entre la vida y tú; que no te deslumbren y te cieguen ante la realidad. La realidad no está ahí para que tú la traduzcas: no precisa que nadie la traduzca. La música no es la partitura. Las olas no son nada sin el mar...»

Había amanecido. Al escritor, después del insuficiente y admonitorio sueño, le dolía la cabeza. No podía pensar. Estaba solo. Se asomó a la azotea. El mundo acababa también de despertarse. Él vio que era uno, y siempre renovado, y real, y total. Y se mostraba en todo su fulgor. Lo sintió sin necesidad de pensar ni de contarlo... Fue cuando cayó en la cuenta de que todo, por fin, empezaba a estar bien.

13 de agosto de 1995

EL MIEDO

La mayor parte de los males que le suceden al hombre —los más importantes por lo menos— le suceden por miedo. El corazón humano está lleno de angustias y pavores. Si alguien que no sabe nadar se cae al agua, se asusta y se debate y se contrae y, en consecuencia, se hunde; se desespera por mantenerse a flote y, en consecuencia, se ahoga. Si perdiera el miedo, su cuerpo por sí solo ascendería hasta la superficie. El miedo es un lastre que nos aterra (en su doble sentido), que nos empequeñece y nos devora. No sé dónde he leído esta vieja fábula india. Había un ratón que le pidió a un mago que lo salvase de su pánico a los gatos. Fue complacido y transformado en gato. Pero comenzó a tener miedo del perro; para salvarlo, a instancias suyas, el mago lo transformó en perro. Pero, como perro, temía a la pantera, y el mago lo convirtió en pantera, con lo cual comenzó a temer al cazador. El mago entonces lo volvió de nuevo ratón. «Porque al que tiene alma de ratón —le dijo— nadie le quita el miedo.»

Así es en general el hombre. Tiene miedo a perderse; tiene miedo a perder. Y apenas en su vida hace otra cosa. Pierde el dulce y blando almohadón de su infancia; pierde o no alcanza el ideal de su juventud; pierde los amigos más íntimos y los más tiernos amores que lo acompañaron; pierde las facultades por las que fue querido y admirado, y va así, paso a paso, hacia la muerte, donde él mismo se pierde. Y llega a ella sin haber vivido de puro miedo. La vida fue para él algo que acaecía mientras estuvo distraído evitando un daño o una catástrofe. De ahí que sólo hagan en realidad el bien los que, además de las otras cosas, perdieron el miedo a la muerte, que es lo mismo que decir los que perdieron el miedo a la vida. Hay hombres que hacen tanto esfuerzo por alejar la muerte y olvidarla que descuidan el principal precepto: el de estar vivos. Y en lugar de sazonar la vida con el aprendizaje y la alegría, la amargan con quejas y quebrantos, convocando a la tristeza a anidar, como una cigüeña negra sobre su tejado.

«¿Qué es el amor?», le preguntaron cierto día a un maestro. «La ausencia absoluta de miedos», respondió. «¿Y a qué es a lo que le tenemos miedo?», le preguntaron. «Al amor», contestó el maestro, y suspiró. Quienes se empecinan en adquirir y mantener cosas pequeñas se transforman en minúsculos escriños, en pobres monederos, en llaveros colgados en espera de que una mano avara los utilice y los cuelgue de nuevo. Se contentan con poco, y aun ese poco les será arrebatado. Para perder el miedo no es necesario cambiar el mundo, sino cambiar nuestro propio corazón: ensancharlo y escucharlo después. Nunca es imprescindible cambiar aquello que se ve y se teme, sino la forma en que se ve. La derrota y el fracaso forman parte esencial de nuestra vida. Si no aprendemos a verlos con perspectiva desde lo alto, nos amedrentarán, porque estaremos debatiéndonos entre ellos como el que no sabía nadar y cayó al agua.

Justamente es la calidad del agua lo que debemos adquirir: limpia, sumisa, dócil a la forma del recipiente en que se vierte; pero también irresistible: no sólo cuando produce una avenida, sino en su constante y activo gota a gota; no sólo cuando es río, sino cuando se separa de él y riega un campo. Es tal indiferencia del agua ante el destino a que se aplique lo que la hace fertilizante y generosa. Cuando nos ocurre lo contrario a nosotros es porque no advertimos que las cosas no se poseen; al revés, si somos incapaces de desprendimiento, por ellas seremos poseídos. Las cosas, para que nos beneficien, como el agua, han de dejarse en libertad. Si tratas de apretarla entre las manos, resbalará el agua por los dedos; si tratas de incorporártela, salvo que la bebas, te empapará la ropa. El corazón del hombre que no teme es igual que un espejo: no apresa nada, no rechaza nada; todo lo recibe, pero no lo conserva.

Nadie conseguirá ser feliz si está atribulado por el miedo. Para serlo es necesario ser valiente, liberarse de inseguridades, de preocupación y de tensiones. Pero existen muchos hombres que ni siquiera se dan cuenta de que son infelices, tan embargados por su miedo viven. El que añora aquello de que carece en lugar de afirmarse en lo logrado por modesto que sea, no es feliz. El que cree que sólo lo será mudando su situación o a quienes lo rodean, no lo llegará a ser, porque busca fuera lo que se encuentra dentro de él. El que juzga que cuando se realicen todos sus deseos será feliz, yerra: el temor a que no se realicen lo mantiene frustrado y encogido. ¿Cómo va a ser dichoso el acobardado por la amenaza de perder el objeto de su ansiedad, o de no conseguirlo, o de que se interponga otro, u otro se lo arrebate? Miedos, miedos, miedos. Para acercarse a la felicidad es imprescindible romper las ataduras del miedo, al contrario de lo que normalmente hacemos: creer que la felicidad consiste en aferrarnos a ellas. La atadura de impresionar en favor nuestro a los demás; la atadura de ganar dinero; la atadura de mantener el estatus; la del éxito en el trabajo y en el mundo... Y mientras nos preocupamos de que no se nos escapen nuestras ataduras, se nos escapa la vida: lo único que realmente tenemos. A eso se llama hacer un pan como unas hostias.

20 de agosto de 1995

¿DÓNDE ESTÁN LAS LLAVES?

Tienen la piel curtida por mil vientos, las manos ensanchadas por cables y por cabos. Andan con las piernas un tanto separadas como para moverse por una cubierta que no pisarán más. Son los jubilados de la mar. Pero no de la vida; y su vida, durante más de cuarenta años, fue la mar. Ésa es la razón de que, con calor o con frío, arriben cada día al puerto pesquero, vayan y vengan por él, oteen el horizonte, comenten el estado de las aguas que tantas veces los vieron amarrar y desamarrar... Porque su imaginación es una Penélope que desteje el pasado y lo trae al presente y lo vuelve a llevar como un oleaje inevitable. «Yo me embarqué con doce años, hizo sesenta ahora. En mi casa hacía falta, y me embarqué. Mi familia fue siempre pescadora. Hoy los muchachos ya llegan enseñados (aunque en la pesca y en la mar la práctica lo es todo); entonces aprendíamos en el barco. Nos destetaban con salitre. Los estudios de ahora no sé si sirven para mucho...»

Vienen y van sobre los adoquines de la orilla, cerca del bajo pretil y de las cajas de madera donde se distribuirá la pesca que otros traigan. No les perturba el sol ni la lluvia ni el fuerte golpe de las olas. «Ahora los pesqueros no son de madera. Eran demasiado caros y costaba mantenerlos. Ahora son de chapa. Todo es distinto. El oficio sigue siendo duro, pero antes lo era más... Mis hijos son aún pescadores. En mis tiempos, todo el mundo: ¿qué hacer si no? No había otro trabajo: este pueblo no tiene más que el agua para ganar la vida... Hoy los padres quieren que sus hijos estudien. Lo comprendo. Sin embargo, tengo yo un nieto que, en cuanto sale del colegio, viene con su aparejo a pescar peces chicos, o a tumbarse en las redes, o a meter las narices en las capturas del atardecer. Ése tiene mi casta. Sus ojos son como los de la gente de la mar... Es un destino: se acepta y sanseacabó. Lo del dinero, dé más o dé menos, es otra cosa. Entonces lo ganábamos bien. Sin sábados ni domingos ni vacaciones, pero bien. Era la ley...»

Se cruzan unos con otros. Se saludan. Cambian de grupo, vocean, gesticulan. «¿Te acuerdas de cuando estuvimos, con aquel patrón loco, en Terranova?» «¿Y en el Gran Sol?» «Yo me acuerdo más de África. Hemos pasado lo nuestro y lo de los demás. Porque no íbamos a hacer turismo, no. Pero que nos quiten lo bailado... Algunas aventuras no se pueden contar, ¿verdad? Todavía tu costilla podría romperte las de hueso si yo le contara lo que hiciste en Dakar.» «Fue en Monrovia.» «Fue en Dakar.»

«Fuese donde fuese, déjalo. Cosas de jóvenes. Nuestras mujeres ahora están tranquilas. Saben que, cuando cierran la puerta de la casa, nos tienen dentro a su abrigo. Y también nosotros estamos bien tranquilos ahora, con tiempo hasta para pensar, tomándonos las cosas como vienen.»

Se les fugan los ojos a la mar. «Hoy está algo picada.» Echan un cigarrito. Ríen sin saber por qué; se golpean unos a otros; luego se meten las manos en los bolsillos y enmudecen unos minutos. «Nadie sabe el sacrificio que es estar embarcado. Era el sino: yo no me quejo. De eso vivimos yo y mis hijos y mi mujer. Bien estuvo. Y hoy paseando aquí, al sol, y oliendo la sal desde la barrera.» «Y a más, que en un barco no hay enemigos. Todos se necesitan; todos tienen que echar una mano. Por eso seguimos amigos ahora aquí, desde el mediodía hasta el anochecer. Une mucho la mar.» «Hay amigos que se quedaron en ella para siempre. Hoy los barcos son mucho más seguros, más grandes y mejor equipados. Y se pesca muchísimo más con eso de la tecnología: el radar y la sonda y las facilidades... Se pesca más y queda menos pesca. Antes éramos compañeros hasta de los franceses y los noruegos. Luego se han ido agriando las cosas con *esto es mío* y *de aquí tú no pasas*. El ambiente ha cambiado... Y nosotros también.» «Yo no tanto. En verano aún pesco cerca de la costa. Voy en el bote de mi hijo, que es un deporte para él, al chipirón más que nada. Y le llevo la pesca a la mujer, o la regalo. Pescar por gusto es muy bonito: eres tu patrón y tu marinero. Cuando me jubilé aún hacía trabajos de palangre. Por ayudarme a no hacer nada: también a eso se aprende...»

Cae suavemente el sol. Se desparrama el grupo. «Qué bien ahora, sin agobios, sin riesgos. Con alguna estrechez, pero más vale esto que aquel sinvivir de las familias... Ahora iremos a la Cofradía: a jugar a las cartas o al parchís, qué tontería, y a tomar un café, y a charlar. Sobre todo, a charlar. De las fatigas que hemos pasado juntos. Y de los buenos ratos también, qué coño.» Se acercan despacio, como si no quisieran dejar la vera de la mar. Se han encendido las luces. «Para embarcar, lo que se dice embarcar, ya no estoy. Pero no me importaría hacer la campaña de la anchoa. Es menos fatigosa y empieza en estos días.» Antes de entrar en la

Hermandad de Pescadores se vuelven todos. El sol, incandescente como un ascua, se deja hundir. Se oye casi su chisporroteo. Los jubilados miran al horizonte. Tienen los ojos azules de añoranza. Un grupo de niñas canta: «¿Dónde están las llaves, matarile...? En el fondo del mar...» «Ahora vivimos tranquilos», repiten los jubilados. Y entran, juntos, a seguir recordando.

27 de agosto de 1995

GUARDAR SILENCIO

Se dice que los cordobeses hablan poco: no sé; no estoy seguro. Manolete, el torero, era desde luego un hombre taciturno. A su vuelta de una temporada en América, que había seguido a otra, muy activa, española, se refugió en una finca de la Sierra con su hombre de confianza. Solos los dos, en absoluto silencio, transcurrieron tres días. El cuarto, a la hora del desayuno, el mozo de espadas que, aunque cordobés también, reventaba por hablar, dijo en voz baja: «Qué bien estamos aquí, Manuel, los dos solitos.» «Mejor estaríamos callaos», respondió el maestro. El mozo suspiró y retiró el servicio.

Esta civilización industrial que toleramos, o que aplaudimos y nos enorgullece, ha convertido el ruido en el aire que respiramos y el ambiente en el que nos movemos. Se considera natural habitar en ciudades desde las que despegan atronadores aviones, o pasear por aceras y parques asediados por motos que aceleran sin silenciador, por coches y camiones que frenan o liberan sus tubos de escape, por martillos pilones que rompen nuestros tímpanos. Nos parece obligado concurrir a salas de fiesta o discotecas donde vemos gesticular a nuestros interlocutores, en medio de la batahola, sin que nos enteremos de lo que tratan de comunicarnos. Nuestros contemporáneos, en buena parte, afirman soberbiamente su personalidad con la algarabía que producen, y sustituyen sus reflexiones por estridencias que les ahorran pensar. A nuestro alrededor cunde y se eleva una estrepitosa conjura contra el silencio: el más sutil, el más delicado de los dones.

Creo que fue Schopenhauer, menos pesimista y más exacto de lo que de entrada se podría imaginar, quien escribió que la cantidad de ruido que alguien es capaz de soportar sin perturbarse está en función inversa a la de su capacidad mental y, en consecuencia, es válido considerar aquélla como buena medida de ésta. En tal sentido, uno se pregunta a qué extremos de pequeñez han llegado nuestras inteligencias. Si inteligencia proviene de *inter lego,* o sea, de elegir entre lo que se nos ofrece, será preciso que para elegir sopesemos primero, captemos, observemos. Y con mucha dificultad se conseguirá ver y calibrar entre semejante barahúnda. A veces me acuerdo del Ovidio de las *Metamorfosis* cuando asegura con firmeza que al hombre le fue dada una boca sublime y el mandato de mirar a los cielos. Quizá para que esa boca se cerrase y permitiese captar a los oídos «la música callada» de las esferas.

Claro, que hoy son otras las músicas que rigen. Unas músicas que imponen su sólida presencia, rompiendo la invisibilidad que era su sustancia e incluso el principio de la impenetrabilidad de los cuerpos, porque llegan a interponerse entre los que danzan a su son, constituyendo así una especie de parejas de tres. Pero incluso entre la que llamamos música clásica hay notables divergencias. Las pausas, igual que en poesía, igual que en una conversación medianamente humana, tienen su trascendencia en música: subrayan la melodía y la completan. Opinar que con la música se abdica del silencio es una insensatez. Los hay en Mozart, sublimes con frecuencia; en Beethoven los hay. Precisamente si la música de «este teutón llamado Wagner» me pesa a mí en exceso es porque carece de silencios: habla siempre, nos inunda, nos impide respirar con sosiego, es decir, nos abruma.

El silencio verdadero, el interior, al que favorece el de fuera, es, más aún que la ausencia de sonidos, el enmudecimiento del yo de cada uno. Ese yo que grita sin cesar con voces de codicia, de ambición, de desvelo, de manía por el esfuerzo, la ganancia y el triunfo. Ese yo exigente y medroso a la vez, como un niño malcriado perdido entre tinieblas, que nos veda prestar atención incluso a las más inmediatas solicitudes del cuerpo, cuyo infalible instinto salva a los animales. ¿Nos preguntamos acaso qué nos pediría nuestro cuerpo si lo dejáramos hablar? ¿Cómo nos frenaría en la pendenciera y embarullada carrera de las vanidades, los apegos enemigos y los fatuos deseos? Y, sin embargo, para que el auténtico silencio interior aparezca basta con ser consciente o procurarlo al menos; basta con escucharnos: escuchar a nuestro espíritu, sí, pero también a nuestro cuerpo. En la naturaleza se mezclan de manera admirable sigilo y armonía. Cuanto más jovial es ésta más profundo es aquél. Ningún sonido natural altera la ejemplar partitura del silencio que envuelve el universo; al contrario, para percibir como es debido este silencio tienen que oírse aquellas notas. ¿Por qué, pues, no escuchamos el mudo y más próximo lenguaje de nuestro corazón? Si fuésemos conscientes de cada pensamiento, de cada sentir, de cada distracción, de cada impulso, imposible que dejáramos de percibirlo y de aceptar que nos envolviera con su leve cañamazo, en el que todo se borda y se trama y se urde.

Por desgracia, el silencio —el interior y el exterior— se ha transformado en una cara mercancía de lujo que nos es imprescindible adquirir con dinero y con notable esfuerzo. Para paladear a su través con más intensidad la fruta del amor, del estudio, del sueño, del ensueño, del Dios único posible. Sí; porque hasta para buscar a Dios el hombre razona, se agita, teoriza, discute, se extravierte demasiado. Cuánto alboroto forma la pobre criatura, sin caer en la cuenta de que la voz de Dios es el silencio, y el silencio, el camino más rápido y directo para acceder a su íntimo rumor.

3 de septiembre de 1995

ELLA FINGE DORMIR

Ella duerme —finge dormir— junto a un marido al que no ama. ¿Lo amó al principio? No; aquello no fue amor —se responde—: eran jóvenes y estaba harta de vivir con sus padres. Siempre tuvo ella un alma poética que se estrelló contra *la dura realidad* de un marido trabajador y burdo y de unos hijos egoístas que, en cuanto no la necesitaron, no la miraron más. Aquello no fue amor. Sucedió que ella estaba, de antemano, *enamorada del amor...* Por eso algunas amigas, y desde luego sus cuñadas, la han tachado de cursi en tantas ocasiones. ¿Qué sabrán ellas? Finge dormir una noche más. Ha pretextado, sin que nadie le preguntara nada y antes de que nada le pidieran, una jaqueca. Ya no se acuerda de cuántas noches, durante los primeros tiempos, mordiéndose los labios, trató de sugerir a su marido que se demorase en los preparativos del amor (lo que él entiende por amor) para participar ella también. Incluso ha olvidado cómo después, también mordiéndose los labios que no le mordía nadie, deseaba que todo terminase rápidamente para que los contactos que no la enardecían cesasen y quedarse sola otra vez y más o menos sucia... Ahora no tiene qué pedir ni qué dar a su marido, tumbado junto a ella espalda contra espalda.

Ella posee un secreto. Si alguien la observase, percibiría el cambio; pero nadie la observa con bastante atención. A ella la había invadido la desgana de la casa, el desdén por la monótona rutina de limpiezas, de cenas y de almuerzos, el asco por la vulgaridad que convirtió su vida en un grotesco cenicero... Ella, por fin, se ha enamorado. De alguien medio famoso, que sale en las revistas, al que ve de cuando en cuando por televisión y oye por la radio. Ella no lo conoce, por supuesto. Su amor es platónico: no pasa de desear la posesión de su amado y todo el bien para él. O quizá ni eso: es un amor casto. Ella quiere dormir, porque sabe que en sueños se retuerce entre los brazos de su amor platónico, mientras se susurran uno a otro expresiones que a su marido —y dueño— no se le hubiese ocurrido ni imaginar. «Mi corazón desvalido que ha saltado de gozo de repente... Esta alma colmada de desdicha hasta que tú viniste... Las más tristes palabras que, por ir dirigidas a ti, se visten de alegría...»

Ella finge dormir. Escribe cartas a su amor, que él no contesta. Ella sabe que recibe muchas, pero sabe también que las suyas no se parecen en nada a las demás... De pronto recuerda que alguien, esta mañana, pronunció a gritos la palabra *desorden*. Puede que la casa no esté muy arreglada. «El orden perfecto haría del mundo un cementerio —se dice—. El amor ha de traer consigo cierto desbarajuste.» Y recuerda la frase con la que cerraba la carta de este atardecer, que enviará mañana: «Mi corazón fue lo primero que huyó hacia ti; al resto de mi cuerpo y de mi alma le fue fácil seguirlo.» Siempre tuvo un alma poética. Debería de haber escrito cosas: poesías, libros, cosas. Ahora escribe unas cartas donde pone el calor que aún le queda, indómito e inédito.

Ella finge dormir. O acaso está dormida, y todo lo que le sucede —hasta su amor platónico, sobre todo su amor platónico— le sucede en el sueño. Qué lejos se encuentra de admitirlo. Oye la respiración fuerte y acompasada del marido. Uno de sus hijos no ha vuelto todavía de la calle: ella ha dejado hace tiempo de llevar la cuenta de entradas y salidas. «Si renuncias a algo que crees que vale y consideras que hiciste un sacrificio, te sentirás llena de vanagloria y exigirás la general admiración.» Pero ¿a qué ha renunciado ella que valiese la pena? «Si en tu renuncia no hay nada de valor, seguro que te buscabas a ti misma.» Eso sí que no: ella sólo desea lo mejor para su amor platónico, que es quien le da la vida. «Si te gustaría que él disfrutara amándote, ¿por qué tú esperas una compensación o una respuesta? ¿No te ofreces tú completa al amor?: ¿por qué, pues, anhelas la plenitud con el que amas? Te ha de bastar la tuya. El verdadero amor, no el amor propio, es el que logra que el amante se abra a las demás personas —cosa que tú no haces— y a la vida. No agobia, no aísla, no rechaza, no persigue: acepta solamente.» Ella finge dormir.

Más que nunca finge dormir. Tan cerca del marido, se siente más que nunca sola. ¿La empieza a traicionar su alma poética? «Te necesito. No puedo vivir sin ti.» «Te agarras a él con todas tus fuerzas, igual que un náufrago que ni mira la tabla salvadora, indiferente a todo, incluso a él, al que te has inventado lo mismo que un perchero donde colgar las virtudes del amante ideal y el príncipe soñado... ¿No ves que una vida absolutamente desconocida no valdría la pena de vivirse?» «Él es mi vida.» «Las ilusiones y las emociones adornan, sí, pero perjudican porque no son reales. No es posible construir sobre el aire.» Ella duerme. Ella finge dormir. Si un día se encontrara en brazos de su amor platónico, sería desastroso: no hay mayor desengaño que el que nos causan las plegarias concedidas. Ella suspira. Ronca un poco el marido. Vuelve ella a suspirar...

10 de septiembre de 1995

ELOGIO DEL CUERPO

Hay quien afirma: «Soy yo quien veo, no mi ojo.» Es cierto, pero porque yo soy mi ojo también. ¿Qué es el cuerpo si no? ¿Un simple compañero de viaje? ¿De quién es compañero? Mi cuerpo es mucho más: cuando le hablo, no lo trato de tú, lo trato de yo. Decimos con razón: «He envejecido; me canso cuando subo una cuesta, o cuatro tramos de escalera.» Pero decimos sin razón: «Hoy no puedo tirar de mi cuerpo», como si fuera un lastre, o el asnillo de que hablaban los santos, al que hay que tratar con palo y con ronzal para que se someta. ¿A quién? Someterse ¿a quién? Qué oposición tan rara esa de cuerpo y alma: qué matrimonio, ni qué guerra. Todo es uno y lo mismo. Me sacan de quicio los santos que detestan su cuerpo y le ponen pegas y trabas: ¿no será a costa de él como lleguen, si es que llegan, a Dios?

Para lo que yo he proyectado hacer con mi vida (qué intolerable petulancia: *proyectar* y *mi vida*), mi cuerpo ha resultado imprescindible. Sus sentidos, sus puentes levadizos, han sido mis únicas vías de acceso. Si he amado cuanto de amable o no hay en la naturaleza, dentro de la que incluyo a mis semejantes, a su través ha sido. Amé y me amaron. Aunque el último motivo fuese otro, que no sé, amé cuerpos y me amaron el cuerpo: los besos de mi boca, mis caricias, etcétera. Los momentos en que me sentí deseado, a él se los debo. Porque cuando estuve más convencido de que se deseaba mi ingenio o mi ironía, siempre hubo alguien que me dijo: «¿Por qué no te callas un ratito y haces lo que se debe?»

No entiendo que se marquen jerarquías. Que al alma, si es que existe y no es también el cuerpo —su sentido, su voz, su excitación—, se la instale como una estatua admirable sobre una peanilla. Me supo mal cuando llegué a tener consciencia de la vida. Al principio fui un tonto neoplatónico que, como el etéreo Plotino, se avergonzaba de tener un cuerpo: un cuerpo con fervores, necesidades, caprichos, ansias, pulsos. No me extraña que él tenga recelos hoy, resabios y temores respecto a mi otra parte (si es que hay dos), que es quien más me ha fallado y es a quien menos debo. Mis primeros años no me gustó mi cuerpo: no era lo bastante armonioso a mi entender. Yo, enamorado de la total belleza, me veía, hastiado de él, como una sabandija. Hasta escribí poemas en su contra. Los años posteriores hicieron que todo, dentro y fuera de mí, llegase a un ten con ten. Ahora confío en mi cuerpo mucho más que en mi espíritu. El poeta escribió: «Que tú eres tú, la humana primavera, / la tierra, el agua, el aire, el fuego, todo, / y yo soy sólo el pensamiento mío.» Por fortuna, yo no soy sólo eso: también soy tierra y fuego y agua y todo.

Delicadezas del cuerpo me han traído y llevado: con sus brazos abracé el universo. Él ha sido mi *vaso espiritual,* como en la letanía lauretana. Él me ha acompañado en la desgarrada pena y el gozo más feroz. Ha sido yo como nunca en los extremos; como nadie ha sido yo mi cuerpo. En la solidaridad de las amorosas huelgas de hambre, en el alborotado júbilo de las reconciliaciones, en la quietud desentendida de ciertas épocas frías de abandono. Cuando algo de mí ha querido tirar la toalla, el cuerpo ha guerreado los más graves asaltos; cuando algo mío ha querido cerrar los ojos y entregarse, mi cuerpo ha resistido. Bien sabe Dios que sería injusto reprocharle a él mis no infrecuentes entradas en quirófanos. Hasta de eso es preciso descargarlo. No fueron fallos suyos; fueron fallos de *mi parte más noble,* que le ponía a él la zancadilla. Mi alma o lo que fuese —el síndrome de privación que acusaba mi cuerpo—, cuando anheló que regresase quien era por entonces mi sol y mi luna y mi sed y mi agua, me partía una pierna, o me partía el duodeno, o hacía que me sobreviniese una peritonitis: puras malas partidas. Tengo que pedirle un gran perdón a mi cuerpo por tales jugarretas. Y por lo bien que encajó siempre los golpes que le dieron con distintos pretextos: políticos, eróticos, religiosos (cuando yo lo mortifiqué con disciplinas y cilicios tan fuera de lugar). Él hizo —con todo su corazón, como un profesional de cuerpo entero— de pobre tonto de las bofetadas.

Para bien y para mal, ahora estoy seria e insondablemente de acuerdo con mi cuerpo. Y dialogo con él, o él dialoga conmigo, satisfecho de que seamos uno de un modo arrebatado, sutil y confundible. A estas alturas no habría querido ser de otra manera. Amo mis manos, mis ojos, mi torso, mi cintura, mis brazos y mis piernas, mis rodillas que se me hacían tan toscas; amo mi frenesí y mi estupor; amo mi relajación y la calidez y la frescura de mi piel; amo mis axilas, mis corvas, mis ingles, todas mis comisuras; mis pies, mi cuello y mi pelo y mi rostro; amo cuanto llevan dentro y me sostiene vivo y erguido... No porque sean hermosos ni estén bien inventados, sino sencillamente porque son lo que tengo. O más sencillamente todavía: porque son lo que soy.

17 de septiembre de 1995

LLEGADA AL OTOÑO

Se ha ido el verano como un cálido aroma que se disipa. No; no es el aroma lo que se disipa: él continúa con su leve existencia, invencible y tenaz, aguardando otro olfato. ¿Se fue el verano? No; somos nosotros quienes nos alejamos, navegantes en nuestra engañosa ilusión de inmovilidad. El verano permanece en su sitio —inconmovible, sólido, rotundo— a la espera de su turno jubiloso y anual, mientras nosotros, frágiles, cambiamos de mano y de postura como danzarines que emprenden los pasos nuevos de una azarosa contradanza... Nos hemos ido del verano. El cielo fue, hasta ahora, durante el día, de un azul inclemente y violento. Cada noche dejaron las cigarras su lugar a los grillos; levantaban su metálica estridencia batiendo el aire. ¿Cómo puede afirmarse que las infatigables cigarras son ociosas? ¿Quién las contrapondrá a las hormigas, fabulescas trabajadoras ensimismadas? ¿No es trabajo cantar? ¿No es cumplir un destino sonoro llenar la claridad y celebrarla? A veces una o dos aparecían ahogadas en el agua de la piscina: gruesas, menudas, con un cuerpo más corto que los élitros...

Eso, hasta ayer. Esta mañana han retirado las hamacas blancas de la piscina; las han retirado de los setos, hoy más pálidos, de romero, de espliego o de arrayán. Ya no serán precisas. El agua, sobre la cal, contra la cal, conserva su fresco y apasionado color turquesa; pero ya no nos llama con sus húmedos gritos, ya nos produce un lento escalofrío. Durante el mediodía un viento fuerte trajo y llevó un rebaño de ingenuas nubes. El matiz del cielo se ha hecho comprensible, misericordioso y casi desmayado. Unos días atrás, a estas horas, era morado: se enfurecía el azul hasta el añil y luego al púrpura. Y en los ocasos se teñía de un verde casi limón sobre las gradaciones fucsias, granates, de los tonos del azafrán y el fuego...

Pero eso fue hasta ayer. Hoy, muy temprano, al abrir las ventanas de poniente, todo el paisaje, desde la ladera que desciende aterrazada hasta el río y sube a la otra orilla más allá de la hilera de eucaliptos, se acurrucaba bajo una luz pizarra, mate, delicada, ausente. El cielo no era un verdadero cielo, o no lo era todavía. Sin estrenar, con unas leves manchas sonrosadas a punto de perderse desde anoche por él. La infinita quietud del campo, adormecido aún, provocaba una fraternal emoción. Por su esfuerzo en seguir siendo el mismo, en seguir siendo idéntico al campo que sorprendió la noche... Sin embargo, eso ya no es posible. Porque nos hemos ido del verano. Qué extraño ver, lo mismo que hace meses, grisear el cielo desfallecido por levante, aguardando que el sol, también debilitado, lo reanime...

En tanto que no nos adentremos en el intranquilo otoño, nos vendrán rastros de un olor espeso que tomaremos por recordado: confuso eco de aquel olor que cuajaba las noches irrepetibles. Las noches en que la luna, contra la cal, como si se reflejase en un escudo de plata, alumbró los paseos del jardín, las eras de la huerta, los peldaños del cenador y de las pérgolas, el palpitante y desnudo pecho de agosto... Subirá, de tanto en tanto, un rezago de dama de noche y de jazmín, de heliotropo o de estramonio; pero ¿estaremos seguros de que no somos nosotros quienes lo imaginamos? Nos había aburrido el monótono reino del verano; creímos que su cetro era inmortal; añorábamos las vidrieras tornasoladas del otoño. Siempre volvemos la cabeza a lo que no tenemos, a lo que nos huyó o abandonamos... Ya está aquí. Lo tocamos con los dedos por poco que los alarguemos. Sobre la casa, más o menos sosegada, que hasta ahora preservamos del fulgor a fuerza de cortinas y de contraventanas, se abate una ficción de paz, un cierto estremecimiento a la muerte del día, la impresión de que va siendo hora de entrar y de cerrar las puertas. Las jornadas se han acortado tanto, y los pájaros recuperaron la cordura y han cesado del todo de trinar. O quizá continúan cantando en ese verano del que nosotros prescindimos y que ya no escuchamos...

El aire, fuera, arreciado, empuja las nubes ante la luna menguante que aparece alta y desentendida. En apariencia nada ha cambiado: el jardín, bajo el sol tibio que dora la copa de los árboles, tiembla un poco; todo se despereza mucho antes de la hora en que ayer se desperezaba; pero no es que despierte de la siesta riendo, sino que se dispone a recostarse y recibir a la noche que se acerca con prisa... En apariencia sólo nada ha cambiado. Nosotros, no obstante, sí. Nosotros vamos, ligeros, inconsecuentemente alegres, sin advertir hasta qué punto solos y extraviados, camino del otoño al que pertenecemos. Hoy estamos convencidos de que el momento más agradable de la fiesta es aquel en que los invitados se despiden. Ya veremos mañana.

24 de septiembre de 1995

PASEO AL ANOCHECER

Había salido con los perrillos para hacer el camino de arriba. No el intermedio, por lo que, con una exorbitante broma, llamamos el Malecón, que no es más que el borde de la acequia de las huertas;

ni el de abajo, que desciende por bancales y escalones de troncos hasta el río. Al camino de arriba lo traza un repecho bastante fuerte hasta la carretera. Va entre membrillos, caquis y granados con su fruto en sazón y almendros ya sin fruto. Sus bordes están llenos de correhuelas blancas y rosadas y de hinojos en flor. Me acompañaban, cosa rara, los tres. *Zahira* suele desertar cuando la cuesta se embravece; *Zegrí* llega después que *Zagal* y que yo, y se detiene ante mí pidiendo la caricia con que le doy la enhorabuena porque a su edad aún le queden arrestos. Pensaba en la presteza con que los años, fugitivos, lo habían transformado, desde el cachorro orondo y medrosillo que fue, en este dulce ser de hoy, sordo y casi ciego, esforzado y tenaz, gran parte de cuya alegría se ha desvanecido. Envejecer —me preguntaba ante la metamorfosis de *Zegrí*—, ¿qué es? Un proceso inexorable del que nos asusta, más aún que el resultado, el proceso en sí. La vejez, que es su final, no irrumpe: se va instalando solapada en nosotros, se va haciendo nosotros. La vejez reconocida y aceptada es sólo la conclusión de esa crisis congénita, durante la que el hombre es joven a sus ojos (porque sigue siendo él mismo aún, movido por una inercia joven aunque lentificada), pero, ay, no es joven ya más que a sus ojos, que por ser siempre los mismos lo ven el mismo sin interrupción...

La luna apareció sobre la sierra de Mijas contra unos cielos claros todavía. Muy poco faltaba para su plenitud; pero luego decaería también: la vida, toda vida, es una agonía más o menos larga. El sol —no una excepción— se ocultaba sobre las lomas de enfrente ensombrecidas. Decae cualquier destello; cualquier música cesa. Era el día primero en que el otoño daba su cara verdadera. El aire, fresco ya, despejó el día; el verano se había batido asimismo en retirada. De crecimientos y de menguas se construye la trama de la existencia entera: de ahí que lo que nos amenace también esté en peligro; basta aguardar no mucho... Entre jadeos llegué a la verja de la entrada; di media vuelta y me dispuse a deshacer camino: todo se estaba volviendo alegoría. *Zahira* se hizo la remolona en el arco que hay a mitad de trayecto para ahorrarse la pendiente; la vi, harta, volver grupas y dirigirse por querencia a la casa. *Zagal* corría, excesivo, con el vaivén que emplea, en vano, para perseguir a algún gato del contorno; ese día se trataba de un conejo.

Anochece. Apresuro el paso. Unas nubes espesas de abdomen escarlata coronan el poniente. Me volteo hacia la luna, que se levanta, irrefutable y altiva. He ahí las dos monarquías cotidianas en su cambio de guardia... Echo de menos a *Zegrí*. La oscuridad se apodera del mundo, de este pequeño mundo que, entre sierras, yo habito. Por fin, lo distingo entusiasmado olisqueando un hallazgo. No sé qué resto maloliente de algo o de alguien será. (Recuerdo la repugnancia que a *Troylo* le inspiraban los *buenos olores* artificiales, como el de las colonias.) Desciendo unos cuantos pasos más. Me vuelvo de nuevo. Estoy a unos veinticinco metros de *Zegrí*, inmerso en el lubricán, en que precisamente no se distingue un lobo de un can; pero de *Zegrí* sé que no es un lobo. Lo contemplo con creciente piedad. Levanta la cabeza de pronto. Adivino sus ojos, azulencos por las cataratas, desorientados. Me busca y no me ve. No sabe, después de su distracción, si lo he sobrepasado: se olvida de las cosas a menudo. Siento cómo duda. Vacila entre retornar a la cancela, o apresurarse cuesta abajo. Está tenso. Lo llamo. No me oye. Mueve la cabeza con ansiedad. Se le nota perdido, y él se sabe perdido. Acecha, inquieto, un poco más. Le grito. Aguza las orejas, pero tampoco me oye. Toma una decisión: se aventura hacia el lado contrario a aquel en que yo estoy. En seguida se detiene inseguro, tembloroso, angustiado (lo conozco muy bien: el valor no es su fuerte). Está perdido de veras, solo, en la noche, en *su* noche. Ni me oye ni me ve. *Zagal*, a mi lado, se hace cargo de lo que sucede. Se cruza su mirada con la mía cuando ve despistarse a su padre, desconcertado, en la dirección equivocada.

Corro con *Zagal* hacia *Zegrí*. Me siento como él envejecido, y cansado para reiniciar el ascenso. Titubea de nuevo y su inquietud lo inmoviliza. Llego casi a su altura. Lo llamo. Me intuye. Alza el hocico. Me percibe cerca de él. Mueve la cola desenfrenadamente. Le acaricio la garganta. Sé lo que ha sufrido en tan escaso tiempo. Habría vuelto solo a casa, por descontado; *pero no había salido solo.* No era el regreso lo que le atormentaba, sino el extravío de lo más suyo. Se encontró de improviso sin compañía y sin sentido.

Como por arte de magia, yo desaparecí: un momento, y yo no estaba ya. Escudriñó el terreno conocido y no me vio; tendió la oreja y no me oía; alargó la infalible nariz y no me hallaba. *Eso era la vejez.* El perrillo me había respondido. Es eso: mirar alrededor y ver cómo se apaga el mundo, retrocede, se hunde, enmudece, nos abandona; ver que se acercan la noche y el desánimo y el silencio y el frío. Ser viejo es ser vencido por la amarga sospecha de no importarle a nadie. Me pongo en cuclillas junto a *Zegrí*; le beso la cabeza. Él, como por un milagro, rejuvenece y me besa a su vez.

1 de octubre de 1995

VIVIR Y NO VIVIR

Se ha encapotado el cielo. Un viento juguetón bambolea los cipreses, los laureles oscuros, los anchos mioporos. Los jazmines que cubren el porche, estrellados y limpios, balancean sus tallos grávidos de perfume. Las flores desprendidas tachonan el mazarí del suelo. Por la ventana que hay a mi izquierda veo el jardín sin sol. Se riza el agua de la piscina color turquesa. Si abriera, el aire volaría el papel en que escribo. No ha hecho calor, ni lo hace. Algo, sin embargo, semejante al sudor frena mi mano sobre el folio. En mis espaldas, en mis hombros, en mis brazos siento el blanco algodón que los cubre. Siento asimismo la dureza del sillón en el que estoy sentado. Mi mano izquierda reposa sobre un rígido cuero negro que la separa del cristal de la mesa. Oigo ladridos en la lejanía, el motor de alguna pequeña máquina de labor, el alterado piar de dos gorriones que en el alféizar disputan por una cortecilla de pan. Si me detengo y paro mientes, escucho, o mejor, experimento mi propia respiración: de mí el aire entra y sale. *Zagal*, a mis pies, se rasca con rabia: una pulga intrusa le atormenta. Ahora el viento es más fuerte. Los rosales y los hibiscos de los primeros arriates se doblegan bajo él sin resistencia. Las ventanas de enfrente, que cuando hay sol están cerradas, me muestran las paratas de las colinas próximas sobre los altos eucaliptos de la orilla del río. Una rama de buganvilla roja golpea en los cristales; pero yo no oigo el ruido. Sí oigo, de repente, el restallar de una voz muy distante: quizá de un niño a la caza de pájaros. Sobre la mesa, muy cerca de mí, dos rosas en un vaso. Contemplo su augusta y simple perfección; su olor me envuelve.

Quiero expresar con todo lo anterior simplemente que estoy vivo. Lo estoy en este mismo instante en que voy escribiéndolo. Las letras, minúsculas de veras, surgen y atraviesan la blancura del folio a medida que se mueve mi mano. Estoy vivo. O sea, estoy en el presente. La vida es el presente nada más. Hasta la eterna, de la que con tan pocas precauciones se nos habla (sobre todo la eterna), es el puro presente. Lo mismo que cualquier otra vida. ¿Cómo vivir en el ayer? Sería una incipiente manera de morir. Mis días de ayer me han traído hasta aquí igual que mi rotulador va trayendo las líneas una a una. Mis ayeres me han hecho como soy; pero el que vive es mi yo de hoy, este que escribe ahora. Si viviesen los yoes que lo precedieron, estarían vigentes otras etapas del ya largo camino en que consisto. No sé si se hace camino al andar, o es el camino el que nos hace. Sé que hay que renunciar al camino ya andado, nos sea fácil o no. Hay que conceder una amnistía total a las culpas pasadas, nuestras o de los otros; dejarse de lamentaciones y de resentimientos. Esa balumba yace encerrada en un baúl que nos abruma. Como las infinitas cuerdecillas que inmovilizaban a Gulliver en el País de los Enanos.

¿Quién no se ha reencontrado con alguien a quien amó? Los ojos por los que nos iluminaba el fulgor del mundo son unos ojos hoy corrientes: ni siquiera grandes, o de un tono tan especial como nos parecía, o sin la oblicuidad que nos emocionó. Las manos bajo cuyo tacto nos diluimos, hoy aparecen cruzadas, indiferentes, invisibles de puro normales. Los labios por cuyos besos fallecíamos nos hablan hoy de un tema tan poco interesante que miramos el reloj sin darnos cuenta... Experiencia terrible la de enfrentarnos con quien ayer amamos y con quien ayer fuimos. ¿Tanto ha cambiado la otra o el otro? Quizá no. ¿Y nosotros? Tampoco. Se ha evaporado el aliciente del deseo. Voló el amor y se llevó consigo su milagroso atrezo, que embellece, ornamenta, dora y nimba. Pasó el tiempo, Midas certero, y transformó aquel ayer en hoy. No podemos tomar entre las nuestras estas manos, inclinarnos sobre esta boca, reflejarnos en estos nuevos ojos. Nada ha muerto: quien amamos está aquí, y nosotros también. Sólo el amor no está. Estuvo, o sea, ya no vive.

Como tampoco vive el mañana. No sé cómo será. Seguramente volverá a hacer sol; estarán radiantes y hondísimos los cielos; apretará el calor; no se moverá ni una brizna de aire. No sé si me importa o no: será mañana, y no está vivo aún. Hoy, ahora, ignoro si un oyente sentiría estas palabras. Me alegrará que así sea; pero en este preciso instante no siento esa alegría. Siento más bien la preocupación de que él se desvíe hacia este instante, porque para él se habrá convertido ya en pasado. Que las escuche y las sienta como suyas entonces. Que se sienta él y respire y se abandone al presente en que oye (un presente que para mí no sirve puesto que es mi futuro). Que mire por su ventana y contemple el reflejo de la vida, y perciba la ropa sobre su torso, sus muslos y sus piernas. La vida no es más que lo que es, lo que está siendo; el resto son construcciones mentales, productos de nuestra memoria o de nuestra esperanza, de nuestra desesperación o nuestras ilusiones. Vivir es un misterio del que participamos y que somos: un misterio que sólo se realiza ahora y aquí.

Zegrí y *Zahira* se despiertan, bostezan, se sacuden. El viento arrecia fuera. Ante mis ojos, las dos rosas, de diferentes colores del rosa, surgen del agua quieta entre sus puras hojas verdes, y me obsequian su aroma. Oigo ladridos lejanos. Cesó, por el contrario, el ruido de la máquina. Al compás del murmullo del viento oscilan los dóciles cipreses. El algodón blanco de mi amplia ropa no me pesa. Me recuesto sobre el respaldo del sillón. Veo, toco, huelo, saboreo y oigo el presuroso y comedido desfile de la vida.

8 de octubre de 1995

MORITO

Cuando llegamos esta vez al campo, él salió a recibirnos. Es muy guapo: tiene el pelo rizado e inmaculadamente negro. Levanta del suelo menos de un palmo. Debajo del flequillo se le adivinan, por el brillo, los ojos, y los dientes de leche le blanquean cuando hace un gesto como de romper a hablar o a reír. Nos recibió saltando. Mis perros le ladraron. No lo habían visto nunca, porque el llamado *Moro* (con no excesiva originalidad) tendrá sólo tres meses. Le echaron, pues, en cara que él no era de la casa y ellos eran los amos (también con no excesiva originalidad), hasta conseguir que el perrillo se refugiase entre los pies de su dueña. Yo les reñí; les reproché su agudo y estúpido sentido de la propiedad, y tomé a *Moro* entre mis brazos. El muñequillo negro, tan gracioso, me lamió la oreja en agradecimiento de que hubiese tomado su partido.

La guardesa me contó de dónde procedía. A la otra orilla del Fahala hay una finca ribereña muy cuidada. En ella habitan (no creo que la guarden) dos perrillos iguales de una raza personal e intransferible, con sendos collares más grandes que ellos, hermanos por supuesto y, según sé ahora, macho y hembra. Odian a los míos con un odio fatídico. Están mañana, tarde, noche y madrugada acechando. Cuando nuestro paseo transcurre por la parte alta del río, se vuelven dos luciferes negros a fuerza de ladridos; se les sale el collar, y enronquecen; con la insistente soberbia de los bajitos ofendidos, llenan la primorosa mañana de vituperios como alfileres. Los míos, la verdad, no les contestan. Por eso, cuando supe que el *Moro* era hijo de aquella sombría vecindad comprendí que *Zahira*, *Zegrí* y *Zagal* se le encararan con tan mal gesto: lo habían presentido.

La dueña del *Moro*, excesiva, le ha prohibido bajo correa perpetua que entre en la casa. Su hábitat se reduce al jardín de la entrada y al primer patio, que da a la cocina. En él hay una pila barroca de mármol rosa, debajo de la cual se encuentra el bebedero: otra pila chiquita, parecida a la grande, pero blanca. En ese bebedero comparten el agua, bendita y sin patrón, los cuatro perros. Pero el pequeñillo no traspasa la puerta de la entrada. Solía quedarse en un felpudo en la puerta de la cocina; hasta que, poco a poco, felpudo por felpudo, eligió el principal. Algunas mañanas casi me lo he tropezado tumbadito allí, como si me esperara. Con mis tres perros, pacificados y acostumbrados en el exterior al nuevo compañero, damos nuestros paseos. Los de la orilla de enfrente, o sea, los padres, como si hubiesen olfateado la traición, saludan nuestra presencia con tal fervoroso clamor de ladridos que entontecen el aire. El *Moro*, adaptado y adoptado, mira desde su enanez sin inmutarse a aquellos dos renacuajillos negros.

La semana pasada comenzó el *Moro* a asomar, a la hora de la cena, su carita detrás de una cortina. Imperceptiblemente fue asomando algo más que la cara. Por fin, se introdujo entero y verdadero, y se sentó, torciendo la cabeza de esa forma que saben sólo quienes conocen a los perros. Yo tengo muy mal educados a los míos; mal educados, no: sin educar. Sobre todo a *Zagal*, que es algo así como mi nieto, puesto que es hijo de *Zegrí*. Contra lo que era de esperar, los tres propietarios no rechistaron. Yo sonreía para mis adentros. Llamé bajito: «*Moro*», y el perrillo se adelantó moviendo el rabo con toda su alma. Recibió sus raciones minúsculas como si se tratase de un comensal más. Incluso me atrevo a decir que recibió alguna que no le correspondía. Nadando con las manos en el aire, de pie, abría la menuda boca y arrebataba lo que mis perros comen a esa hora, es decir, lo que yo: una judía verde, un pedacito de pescado a la plancha, una homeopatía de manzana, una ciruela.

Hoy no me lo he topado en el felpudo. Pregunté por él y me dijeron que andaba un poco malo; que no había comido ni ayer ni esta mañana; que le habían puesto una inyección... De pronto recordé que anoche no entró a cenar con nosotros. He ido a buscarlo a un patinillo. *Moro* era un mínimo cojín negro, triste, sin fuerzas y sin ánimo. Pero ha tratado de menear la cola. Lo he cogido y lo he sacado en brazos al jardín. Mis perros saltaban para olerlo. Me ha sorprendido el interés que *Zahira*, tan displicente y ducal, ha demostrado. El *Moro* no juntaba su cara con la mía, ni me besaba la nariz ni la oreja. Me pidió que lo bajara; oculto bajo un seto de adelfas, ha vomitado: nada, ese jugo amarillo que vomitan los perros con el estómago vacío. Lo he subido a mi estudio y le he ofrecido premios: unas porquerías que les doy a los míos como supuesta recompensa. Me ha mirado y no los ha querido. «Mejorará esta tarde», me he dicho.

Por la tarde he vuelto a preguntar por él. Ha desaparecido. Llevaba dos días sin moverse de su sitio. Hace un par de horas que ha desaparecido... No lo he dudado... ¿Cómo es posible que un cachorrillo de cuatro o cinco meses sepa que va a morir, y desee morir a solas, oculto quién sabe dónde, silencioso y secreto? ¿Cómo es posible que adivine que nadie puede hacer nada por él y se aleje, solito, vacilante, misterioso y seguro en busca de su muerte? No se ha encontrado el cuerpo. Da igual. Aquí estamos, mis tres perros y yo, de luto riguroso por el *Moro*.

15 de octubre de 1995

LIBERTAD INTERIOR

Hay quien afirma que la libertad última, la que reside en nuestro propio espíritu y lo configura, no puede sernos arrebatada por ningún tirano; que al hombre le es consustancial la libertad, tanto que, para ser humano, es forzoso ser libre. A quien lo afirma no le falta razón. Sin embargo, esa libertad interior no es la última, sino la primera: previa a cualquier otra, como es previo a la libertad de movimiento no estar encadenado, ni recluido en una cárcel, ni ceñido a una silla de ruedas. Los peores enemigos no son los que nos odian, sino los que nosotros odiamos. Los más peligrosos contradictores de la libertad no son los exteriores, sino los que conviven con nosotros, los que *son* nosotros porque nos han ido haciendo como somos.

Las experiencias del pasado, en este sentido, son muy gravosas. Un niño que sufrió ciertas pérdidas, ciertas iniquidades; un adolescente que sufrió discriminaciones por razón de su personal manera de ser o de querer; un hombre que fue tratado con las injusticias que dejan perennes cicatrices, con muchas dificultades ejercerán una libertad verdadera. Liberarse de cadenas semejantes exige tiempo, paciencia y comprensión. No es sencillo percatarse de que todo, en el fondo, es válido; de que todo es un entrenamiento fortalecedor. Quien se deje inundar por la autocompasión se apartará del glorioso campo de batalla de la libertad.

Y no es imprescindible que las pasadas experiencias sean dañinas: las que un día fueron gratas y enriquecedoras también son capaces de inutilizarnos. ¿Quién no ha descansado sobre recuerdos tan placenteros que impiden crear otros recuerdos? ¿Quién no ha tenido la tentación, tras momentos de plenitud que se agotaron, de cerrar los ojos a más vida? Ningún ascenso a ningún monte será como el que nos llevó a la cima del Tabor de las transfiguraciones; no merece la pena intentar otro. La muerte o la separación desgarran tanto que dejan al alma deprimida, ensimismada, ciega a la luz de hoy y al posible amor de hoy. ¿No es doloroso gritarle a quien ayer amamos y desapareció: «Te amaré siempre, pero te digo adiós. El presente me llama a grandes voces. Fue un privilegio tenerte. Ahora, adiós.»? ¿No es doloroso gritarle al pasado, en el que fuimos jóvenes y entusiastas y en muchos modos ricos: «Gracias. Te gocé. Adiós.»? Y, sin embargo, sin la decisión de abandonar, sin el esfuerzo de dejar que los muertos entierren a sus muertos, nunca volveremos a estremecernos de amor, ni anciano alguno medirá la profundidad de su última etapa; porque estaremos convertidos en estatuas de sal. El pajarillo que se aferra a su nido no aprenderá a volar; batir las alas no es bastante; hay que renunciar a la seguridad del inmóvil pasado y arrojarse al abismo del aire. Tal es el riesgo de la libertad.

Y la ambición, ¿no coartará la libertad asimismo? ¿No nos transformará en esclavos suyos? ¿No será, en este caso el futuro, nuestro enemigo íntimo? ¿Supeditaremos todo a él, con unas antojeras que nos impidan ver el camino por el que andamos, sus márgenes floridas? ¿Elegiremos una vía inamovible? Quizá avanzar por ella abreviará la ruta; pero ¿es la ruta lo que más importa? ¿Es llegar antes lo que más importa? ¿No nos hará víctimas suyas el duro impulso de realizar un sueño, de cumplir un sueño que no nos deje dormir a pierna suelta y despertar después?

La vinculación inmoderada a personas y a cosas, a la que tan dados somos, no nos permitirá tampoco gozar de libertad. Para tal goce es necesaria una mayor desnudez, un desasimiento que nos deje actuar sin afectos castrantes. Las cosas y las personas son buenas compañeras mientras nos acompañen, no cuando nos sustituyan. Descansar en exceso en ellas es negarnos. A su cargo no se nos autoriza a dejar nuestra vida. Cada cual tiene que padecer y gozar la suya, cumplir un destino diferente. El amor, con frecuencia, nos confunde. Llamamos a alguien *mi vida,* como lo llamamos *mis ojos* o *entrañas mías:* son maneras de declarar la importancia de su destinatario. Pero él no es nuestra vida, ni nuestros ojos, ni nuestras entrañas. En eso consiste la maravilla del amor: en su cotidiana voluntariedad, en su hacerse y rehacerse por dos personas libres, no amarradas. Ni una por otra, ni por cosa alguna, lo que sería más suicida aún.

Pero la cadena más acerada y más inquebrantable es la que nuestro propio yo nos echa al cuello. Porque de lo que huimos y por lo que suspiramos va dentro de nosotros, y supone a veces un equipaje demasiado agobiante para viajar con él. Un famoso violinista a quien ponderaban al final de un concierto, sonrió al contestar: «Con una buena música, un violín bueno y un buen arco, lo único que he tenido que hacer es juntarlos y quitarme yo de en medio.» Si nos identificamos con nuestras sensaciones, o con nuestros pensamientos, o con nuestros sentimientos, o con cualquiera ansiedad nuestra, nos descaminaremos. Toda adulación y todo rechazo nos afectará en exceso. Hay que estar por encima del regalo y por encima del insulto. La sumisión a la voluntad ajena, por culpa del falso yo que vende al verdadero, es el principal enemigo de nuestra libertad. El poderoso no es nunca el que hiere o destruye, sino el que sabe curar y construir. Libremente, y a solas si es preciso.

22 de octubre de 1995

EL PUEBLO ABANDONADO

Hay tardes en que un cierto olor a madera quemada, una ráfaga lenta de humo que subraya el paisaje, un indecible desmayo de la luz, hacen que me vea a mí mismo como un pueblo recién abandonado. En torno mío todo sigue igual que hace un instante; sin embargo, todo ha perdido su razón de ser. Nadie me acompañará ya mientras me habita, ni me podré mirar en los ojos de nadie. ¿Para qué mantengo entreabiertos estos postigos de pulidas aldabas si no habrá dedos que toquen más en ellas; ni se asomarán rostros por estas ventanas aún intactas; ni persona alguna se alumbrará en la oscuridad con esta lámpara para hacer su labor, o leer, o amamantar a un niño? ¿Para qué esta cocina, con alimentos ordenados en baldas y una despensa bien provista, si quien habría de guisar acaba de alejarse y los comensales han desaparecido? Veo los vasares limpios y repletos, un minúsculo zapatito de bebé caído junto a una cuchara de madera, las cántaras de la entrada llenas de agua, los mazaríes encerados... Nada servirá para nada de ahora en adelante. Hasta los nidos de las golondrinas exhiben vanamente su barro en el alero.

Con esa penetrante sensación de pueblo abandonado —donde no habrá más bullicio ni más fiesta, donde no habrá más conversaciones ni sigilosas confidencias— tomo asiento al borde de mí mismo, me observo y me examino. Para ver si consigo explicarme por qué mis habitantes me despoblaron sin llevarse nada consigo, como quien huye de una peste o de un fuego, dejando las viviendas en que soñaran y descansaran y amaran a expensas de pájaros y de animales salvajes que mantuvieron largo tiempo a raya. Miro dentro de mí como dentro de un pozo, y veo cuanto en mi vida hubo de absurdo, de frustración y exceso; cómo quise que me quisieran exigiendo unos gestos y una forma; los sufrimientos que provoqué; las desilusiones que me siguieron como un taimado séquito... Así, sentado en la más inclemente soledad, mientras anochece, reviso cada paso en falso, cada desamor y cada muerte. Y para más tormento, con tanta desazón se mezclan los recuerdos de la alegría que produje, y el amor que me dieron y que di, y la respiración que compartía. En los umbrales del pueblo abandonado que soy tomo un puñado de la tierra roja que ahora será tierra de nadie: fue fértil y no sirvió de nada; acaricio los guardacantones gastados por los carros cuyos adrales rozaban los tejados: no escucharán más los chirridos del principio y el fin de la jornada...

Quizá después de una vida, vivida en vano o no, a todos nos asalta la pesadilla de ser un pueblo abandonado. Pero cada uno padecerá su propia pesadilla. Porque, con demasiada frecuencia, nos echamos en brazos de consuelos ajenos: familia, amigos, partidarios, testigos falsos que nunca atestarían contra nosotros. Porque, con demasiada frecuencia, fuimos despectivos con los prójimos, altaneros de nuestra importancia y recelosos de que se nos confundiera con ellos. Porque, con demasiada frecuencia, incurrimos en el error de buscar la tranquilidad y huir del dolor por caminos equivocados, cerrando los ojos a él y esquivándolo como si fuese nuestro peor enemigo. Porque, con demasiada frecuencia, evitamos los riesgos, convirtiendo el trabajo en un aburrimiento, la creación en un timo, el amor en un salario injusto, la verdad en una cuenta corriente, Dios en una sociedad de seguros contra la angustia y el desvalimiento. Porque, con demasiada frecuencia, asustados por una soledad más benigna que la de hoy, buscamos cómplices y compinches en lugar de los auténticos afines. Porque, con demasiada frecuencia, nos apoyamos en los más inmediatos, fingiendo un respeto no sentido, sólo para precaver su posible rechazo. Porque, con demasiada frecuencia, nos negamos a ser sinceros, ya que con la sinceridad ofenderíamos a los que sí merecían, en nombre de los más silenciados, ser ofendidos. Porque, con demasiada frecuencia, nos asimos a la autoridad ante el vacío de ser independientes, de no pertenecer a una clase, ni a una asociación, ni a una fe, ni a una ideología, ni a un partido, ni a una cadena que siempre deseamos perpetua. Porque, con demasiada frecuencia, nos situamos de mentirijillas en el pedestal de las creencias más comunes y de las tradiciones más superficiales, para ampararnos así en la multitud con que las compartíamos. Porque, con demasiada frecuencia, hicimos de lo viejo nuestro cimiento y de lo caduco nuestra piedra angular ante el pavor que nos inspiraba renacer y dar a lo nuevo la bienvenida: a palabras, a obras, a corazones sin estrenar siquiera...

Y ahora, a las puertas del pueblo desierto en que nos hemos convertido, olemos el enebro quemado, las falsas ilusiones quemadas y la quemada convivencia. Contemplamos, vaciados de sentido, nuestros enseres, nuestro futuro, nuestra aparente libertad. Porque lo único que valía de nosotros se ha esfumado; lo que brillaba en nuestro interior nos ha vuelto la espalda; la esperanza que nos alentaba respira en otro sitio. En un sitio remoto del espacioso mundo que imaginamos alegrado por músicas y cantos, y a cuya fiesta, que se hace a nuestra costa, no hemos sido invitados.

29 de octubre de 1995

LO LEÍDO Y LO PENSADO

Vuelvo la cara y veo a un niño enfrascado en un libro. Sentado a veces en el suelo con la espalda apoyada en la pared; a veces en un sillón para él desmesurado y en el que se extravía, con los pies balanceándosele; a veces paseando en una habitación muy soleada, hasta que el peso del libro cansa sus fuerzas infantiles. Vuelvo la cara y veo a un adolescente absorto en un libro. Un adolescente enigmático y reidor al tiempo, secreto y desparpajado al tiempo, que levanta los ojos de las páginas y se le pierden al frente; que sonríe cuando lee y cuando deja de leer, como si no siempre leyese el contenido de su libro. Vuelvo la cara hacia atrás y siempre veo a aquel que un día fui con un libro en las manos, o en un atril delante de sus ojos, o reposado en una mesa. En los momentos en que arreció el temporal y ladró el mundo alrededor con excesiva fuerza; en los momentos en que la envidia, sin que supiese que tal era su nombre, lanzó al aire sus dentelladas, alguna de las cuales acertó con mi corazón, yo me escapé por los sigilosos pasillos de la lectura, y me consolé allí. En los momentos en que no sólo flaqueaba la salud sino que se derrumbó, tumbado o reclinado, amortigüé el dolor con el anodino de un libro en que me sumergía. «Quedéme y olvidéme...» Ahora mismo he apartado un libro para escribir estas líneas sobre un folio con el reverso usado.

La lectura, con la que he convivido desde que me conozco, nunca ha dejado de ser para mí misteriosa, como esa pareja que tuvimos —la más atractiva— que jamás llegamos a comprender del todo porque sus reacciones eran imprevisibles. Todo lenguaje es el signo que caracteriza a una especie. El sonoro lenguaje del hombre lo define. Por él sale de sí mismo y entra en el que lo escucha. Y cuando el lenguaje es escrito, por encima de geografías y de cronologías, sale de sí quien escribió cada vez que un lector lo reclama. Porque sin lector no hay escritura que valga. Con la actividad de quien se expresó escribiendo tiene que converger la del que va a aprehender leyendo. Puede un hombre hablar sin que nadie lo atienda: su voz clamará en el desierto; pero, sin alguien que lo lea, el libro queda sordo y mudo, objeto inane y exánime, lo mismo que un teléfono a través del que nadie se comunica.

Ahí están unos trazos, manchas sobre el papel, tenues patas de mosca. Unos ojos reúnen esas letras, las ordenan y nacen las palabras. Pero tienen que ser precedidas de una experiencia. Apenas cuatro signos conforman la palabra *rosa*. El lector imagina la última que vio; o aquella que hace tiempo lo estremeció de una especial manera; o la que depositó en manos de quien era su amor; o la que, al huir de una alborotadora reunión que protagonizaba, le alargó una muchacha mientras le sonreía... *Rosas, rosa, una rosa, la rosa...* Si el lector carece de esa experiencia previa, desconocerá la palabra que lee. No sabe lo que sus letras significan. No tiene noticia de la rosa. La palabra rosa no perfuma, no tiene color, no se balancea al ritmo de la brisa: Julieta se lo advirtió a Romeo. La palabra rosa, sin la percepción previa de la flor, ¿qué nos dirá? ¿Qué significa la palabra amor para quien no se embriagó nunca con él? Tendrá que recurrir al diccionario para que, con frialdad, le indique su precisa acepción. O sea, nuevas palabras perfilarán el contenido de la palabra que desconocía... *Rosa, amor, Roma...* Y luego está la libertad de interpretación de cada lector, que se sentará en cada encrucijada para elegir el camino que desea elegir, al margen de las señas del autor.

Éstas son las razones por las que adoro la lectura. Es activa, colaboradora: construye el edificio que la imagen ofrece construido. Comunica lo que a la imagen la detiene: se atreve con lo inefable, con aquello que es imposible expresar y la palabra, sin embargo, expresa. ¿Qué imagen, sola, transmitirá esta frase tan repetida: «Una imagen vale más que mil palabras.»? Con siete palabras se ha de proclamar el reducido triunfo, y dudoso, de la imagen.

De un tiempo acá, no obstante, me parecen excesivas las palabras. Son las culpables de que no nos relacionemos con personas determinadas, sino con la idea de ellas que tenemos; de que veamos a los otros a través de las lentes deformantes de nuestros prejuicios; de que contemplemos en los demás nuestros propios defectos, exculpándonos así. Quizá la escucha perfecta consista en oír no tanto a los otros cuanto a nosotros mismos; quizá nunca sea capaz de comprender a los demás el que no haya llegado a comprenderse. Deberíamos afinar nuestros oídos para percibir, más que las palabras pronunciadas o escritas, el silencio que hay detrás de ellas. Sólo después de haber vuelto los ojos a nuestro interior veremos la realidad tal como ha de ser vista. Si pensáramos más, nos ahorraríamos mucha inútil lectura. Leer no es estudiar, ni es aprender: la imprenta contribuye, sí, a la difusión del saber, pero reduce también su contenido. ¿No dañará el exceso de lectura al pensamiento? Un ilustrado de pensamiento libre, Lichtenberg, escribió en los años de la Revolución francesa: «En general he pensado mucho, lo sé, mucho más de lo que he leído... Si pudiese expresar, tal y como está dentro de mí, cuanto he pensado, quizá algunas cosas no parecerían demasiado buenas, pero en líneas generales recibiría la aprobación del mundo.» No deja de ser un envidiable cómputo.

5 de noviembre de 1995

EL MAGNOLIO

Quince años de mi vida, que a estas alturas de ella equivalen a una época, han transcurrido alrededor de sus anchos ramos desplegados con generosidad. A su amparo he leído durante numerosas tibias mañanas de abril y mayo; he conversado vagamente de asuntos en apariencia ajenos en los que me iba todo; he tomado, cerca ya del verano, el plácido té con los invitados al jardín: a éste del regreso que está, en realidad, *más allá del jardín*, porque es el conquistado, el casi arrebatado, creo que el merecido.

Cuando llegó el magnolio era esbelto y delgado como un adolescente. Luego se echó a crecer y a ensanchar, para mí y los míos, con sensible alegría. ¿Cómo no estarle agradecido? ¿Cómo no acusar el golpe de su muerte? Él sostuvo las luces de las fiestas nocturnas, y compitió en altura con los cipreses, buscando la cúspide de su pirámide el sol urgente. Recuerdo el disgusto que sentí cuando alguien de buena voluntad podó la más baja ringlera de sus ramas que nos obligaba a inclinar la cabeza. Recuerdo el disgusto que sentí cuando una nevada le desgajó la más larga de todas. (Alguien de buena voluntad me ayudó a fajarla bien prieta al tronco; un par de años después levantamos la cura que dio un maravilloso resultado, si bien aún se perciben las huellas del vendaje...) Los perrillos, hoy viejos, trazaron en torno suyo su canódromo, por el que se despepitaban en los atardeceres.

Aquel amigo de buena voluntad, lejos de aquí, murió sin ton ni son, si es que la muerte tiene un son que ignoramos: los perrillos y yo presentimos sus pasos de paloma. El magnolio se ha muerto, por un descuido según dicen, también sin ton ni son. Se sustituyó el césped por albero; las someras raíces no han resistido el atentado. Pudo hacerse un alcorque, qué sé yo; nadie me advirtió nada... Hoy veo, desnudo y seco, su cadáver en pie. Yo, que me he extasiado tan a menudo, por los junios, desde mi balcón, ante sus verdes hojas charoladas y rígidas, con el envés de un pulcro castaño, ahora lo veo seco y desnudo como jamás lo estaba. Y recuerdo sus flores altas en la copa, blancas tulipas de luz y de perfume; por esa misma copa por donde el árbol ha empezado a abdicar.

Dice Huxley que nuestro cerebro debe de emanar una sustancia que nos impide ver en todo su esplendor la belleza del universo; porque, de no ser así, desatenderíamos nuestras obligaciones inmediatas y no subsistiríamos. Hoy pienso, ante el magnolio erguido, que acaso no fuese malo morirse de belleza: contemplando la roja fogata del sol a través de unas ramas, el delicado perfil que amamos y ellas sombrean, la elegante paz de la noche descendiendo con su complicidad... Pero quizá la belleza es superflua lo mismo que nosotros. De ahí que el magnolio haya muerto, y que muera yo, y que se diluyan los bellos sentimientos y se olvide lo que fue inolvidable, y nada esencialmente cambie fuera. Pero en este jardín —en este corazón—, sí que algo cambia.

Desde la torre del estudio miro lo que miré, y es otra cosa. Se ha instalado de nuevo la muerte en este jardín de la consumación. Diviso huecos en él que antes llenaron la gracia y la armonía. Echo de menos risas que, sin embargo, oigo dentro de mí: risas que me envolvieron con su aleteo como pájaros en el aire. Echo de menos miradas que también me envolvieron, defendiéndome de cualquier intemperie... Ahora echaré de menos el aroma espeso y seductor de las magnolias, su carnalidad vulnerable, su efímera firmeza. Echaré de menos el crujir de sus fuertes hojas en otoño, cuando los perrillos jugaban a alcanzarlas en mis manos saltando. Ahora echaré de menos cuanto fuimos.

¿Dónde, si no en su muerte, se apoyará en adelante la parra virgen, que este noviembre ha ensangrentado de manera especial, o la intrépida madreselva, que acostumbra brincar desde la tapia al tronco tan amado? Será preciso dejar su alto cadáver como un testigo silencioso, o aún peor, enmudecido. Será preciso repartirle un papel semejante a la vida. Habré de convivir con él el tiempo que me quede: ya estoy acostumbrado a moverme en medio de mis muertos. Se ha hecho un agujero más en mi capa de ozono, bien agujereada. Tendré que mirar con frecuencia hacia arriba, hacia el punto en que el magnolio se ha detenido para siempre, y decir una vez más adiós. Quizá la vida se reduzca a eso. No hay duda de que este otoño me invade acompañado de una música triste.

12 de noviembre de 1995

EL TRANSEÚNTE

Atravieso el breve jardín. Abro con mi llave la puerta de la casa después de haber subido los seis peldaños de granito. Sobre la mesa del vestíbulo, lacada en color lacre, dejo los papeles que traía en la mano... Está bien. Está como esperaba. Miro a mi alrededor: los cuadros, la alfombra en azules, las luces... Todo como debía. Dejo a la derecha la puerta del salón. No; no la dejo. Asomo por ella la cabeza. El salón es claro, sereno, sólido: como tenía que ser. Ahora empujo la puerta de la sala de estar. Mi mujer levanta los ojos de un libro y me sonríe. Me inclino; ella alza la cabeza; nos besamos. «¿Qué lees?» Una pequeña risa. Me muestra la portada: un libro mío de hace ya algunos años. «Releo», me dice con la voz grave que amo. Pienso que no ha pasado el tiempo sobre su pelo rubio rojizo, sobre sus largas manos, sobre sus ojos que cambian de matiz según la luz. «¿Y los niños?» Se echa a reír. «Para ti ¿serán siempre los niños?» «Mientras me necesiten.» «Siempre te necesitarán.» «Por eso todavía...» Oigo abrirse la puerta. Me vuelvo. Es el pequeño. Se acerca a mí. Me besa. Es un poco más alto que yo. Acaricio con la mano su nuca, su cuello fuerte y delicado. Tiene los ojos de mi madre: radiantes, más oscuros que los míos y que los de la suya, con un cerco que los embellece y unas largas pestañas. Su cara es infantil aún: su nariz corta, su mandíbula sin dureza... «¿Qué quieres ser?», le pregunto, y a mí me sorprende la pregunta, no a él. «¿Qué quieres ser de mayor?» Me mira muy profundamente. No he quitado mi mano de su cuello. Dobla la cabeza y me la aprisiona entre su hombro y su oreja. «Un gran hombre», contesta. «¿Por qué?» Sé que estoy orgulloso y que estoy sonriendo: «¿No basta con ser un hombre a secas?» «Como tú digas, papá.» Me está mirando tan profundamente...

Los otros, el mayor y la niña, sé que no tardarán. Será pronto la hora de la cena. Hay un silencio vivo en esta habitación: un silencio que late con su música propia. Respiro hondo. Todo es como yo lo he soñado. Como lo estoy soñando. Un nudo me aprieta la garganta. Sé que no me quedaré a cenar; que no subiré a ver mi dormitorio que conozco de sobra, ni el estudio donde trabajo. Sé que permaneceré esta vez en el cuarto de estar. Me acomodo en un sillón; mi hijo se sienta en el brazo, amplio y cilíndrico, y descansa el suyo sobre mis hombros. Mi mujer, satisfecha, no deja de mirarnos. «Lo único que se requiere para ser feliz —digo de pronto sin saber por qué— es tener entusiasmo.» Hoy no veré a mis hijos mayores. «Decídselo vosotros: que busquen el entusiasmo en cuanto hagan.» Mi mujer, de pie, a mi izquierda, busca con su mano la mía. Es como debería ser. «Hay que sacarle a la vida todo su jugo, como un limón que se exprime hasta la última gota. No conformarse con las tonterías habituales: el éxito, el dinero, la fama. No; hay que pedirle más, arrebatarle más. No renunciar a los más suaves sentimientos... El dinero no sirve si no tenemos capacidad de disfrutar; ella es la que nos hace ricos. El éxito no sirve si no tenemos con quien compartirlo. La fama es la antesala del olvido... La vida le da pañuelos a quien no tiene narices.» Mi hijo, riendo, me pinza la nariz entre su dedo índice y su dedo corazón, como si él fuese el padre y yo su niño.

El nudo me aprieta la garganta más y más. Tengo que despedirme, pero no quiero hacerlo. Tengo que explicar a estos dos seres por qué no han existido... Yo no lo sé. Yo lo he deseado tanto o más que ellos. ¿Cómo voy a decirle a este muchacho, tan parecido a mí, que nunca lo abrazaré, ni le pondré la mano sobre el cuello; que él nunca me tomará entre sus dedos, tan irrespetuosamente, la nariz; que no nos miraremos jamás el uno al otro, ni le preguntaré nunca qué va a ser? ¿Cómo voy a decirle a esta muchacha, porque conserva el aire de muchacha, que no la he conocido nunca; que no va a vivir en esta casa nunca, porque ella y esta casa son imaginación mía, un sueño, un dulce sueño en el que descanso de prisa alguna vez?

Cómo voy a decirme a mí mismo que no ha cambiado nada, que no puedo quedarme a cenar, que no puedo quedarme al margen de lo que ocurre fuera precisamente porque todo sigue igual: me obliga otro quehacer, no se me concede demorarme aquí, ni reducirme a dos o a cuatro personas que hubieran sido para mí todas las de este mundo. Que es otro mundo el que tiró de mí y continúa tirando. Que no me han dado opción. Que no conseguí levantar este hogar, a cuyas puertas debo recuperar mi desolación de estar sin compañía y recoger el negro paraguas de la soledad... No sé cómo decírselo. No sé cómo decírmelo. Después de haber olido el aroma de esta casa en marcha, de la cena que no tardará, de la sonrisa de estos seres que me aman, que habrían podido amarme tanto, ¿cómo voy a salir a la calle otra vez libre y vivo, otra vez solo, otra vez con la afligida certeza de que yo soy su único hogar, el hogar donde ellos viven y son libres y están juntos? Porque ellos no habitan más que en mi mente y en lo más recóndito de mi corazón. Los miro despidiéndome. Y, como de costumbre, pido fuerzas para desaparecer, para olvidarme de que no existen, de que no han existido, de que no existirán. «Adiós», les digo, y salgo camino de mi noche.

19 de noviembre de 1995

DOS O TRES ÁNGELES

Me los encontré en Cádiz, una mañana jugosa y refulgente: en la ciudad a la que luego llamé, en una peculiar letanía, *Regina Angelorum*. Representaban mi edad en plena adolescencia. La Desamortización los había trasterrado desde la Cartuja de la Defensión en Jerez. Hablo de los dos ángeles turiferarios de Zurbarán, ese cateto exquisito al que tanto admiraba Balenciaga. Me parecieron sumisos y aburridos. Entonces no pensaba en escribir teatro (fui allí a leer poemas), pero me produjeron la impresión de dos mozuelos travestidos de modo inmejorable. Vi en ellos algo artificial, algo redicho y resueltamente humano. La veste del de la izquierda era tan hermosa, con su abullonado que descubre la calza corta azul, la rodilla rosada y el principio del muslo —una mal inventada anatomía—, que aquella tarde le hice una ofrenda al Atlántico arrojándole un ramo de caléndulas del mismo tono que la etérea túnica. Tampoco entonces pensaba en la Cartuja de la que procedían; pero en ella acabé viviendo una larga —y tan breve— temporada. El camino nos lleva.

¿Han sido en mi vida importantes los ángeles? No sé. Pertenezco a una ciudad llena de Triunfos de un arcángel. Una ciudad en la que se decía a un holgazán como ponderativo: «Anda, que eres más vago que el ángel de la guarda de los Kennedy.» En cualquier caso, no siento por ellos el fervor anodino de los norte y suramericanos de hoy (un 63 % de los primeros cree con firmeza en su existencia, y un 30 % la ha comprobado). Se escriben libros sobre ellos; se regalan imágenes; se confía en sus buenas mediaciones. Tal es quizá su principal oficio. Más que en la mensajería —que les da en griego el nombre— su esencia reside en la anfibiedad. Son seres sin cuerpo que han recibido siempre las más bellas formas físicas. Los seres, sin sexo, de cuyo sexo más se ha hablado. Son seres intermedios que intermedian: entre los dioses y las criaturas; entre hombres y mujeres, como esbeltos andróginos; entre la carne y el espíritu, puesto que se recubren con disfraces terrenos; entre la paz y la guerra con el dios: flamígeros a veces, armados con la espada de la venganza o con la azucena de la conciliación; entre la superabundancia y la necesidad, trayendo y llevando del caño al coro y viceversa...

Son, sobre todo, símbolos. Preternaturales (también la naturaleza es sobrenatural, según Tales de Mileto), extrahumanos, consoladores u hostiles, como el que hirió a Jacob. Pero, sobre todo, símbolos. Si no, qué torpe su andar arrastrando las alas; si no, qué atracción sexual llevándose tras de sí la curiosidad y el deseo de los habitantes de Sodoma. Símbolos, a Dios gracias... ¿Cómo no citar al Rilke de la primera *Elegía de Duino*? «Si yo gritase, ¿quién me escucharía / entre las cohortes de los ángeles? / Y aun cuando contra su propio corazón, de repente, / alguno me apretara, / me aniquilaría con su ser más pujante. / Pues lo bello no es más / que el grado soportable de lo terrible. / Si lo admiramos es porque, en su calma, desdeña destruirnos. / Todo ángel es terrible...» ¿Cómo no citar el poema que, en aquel día de Cádiz, yo escribí: «En vano te he buscado, / única dueña, don cortante, lirio / enemigo, fugaz desmemoriada, / agua y sed mías, desamparo, albergue, / noche encendida, crimen, oh belleza.»

Me he vuelto a encontrar a los dos ángeles, con sus incensarios inmutables, en Madrid, en una sala del Instituto de Restauraciones. Apeados, al alcance de mi mano, táctiles ya, enviidiablemente bien compuestos y limpios, con sus colores recién resucitados: amarillo y azul uno, el otro rosa y verde. Adornados de broches, de gruesos agremanes y de borlas doradas, con su pertinaz aire de guardarropía, su impasible perfección de pinturas y su serena alienación de perpetuos incensadores. Yo, que perdí la mía, contemplo su inocencia, tan total que los haría superfluos de no ser por la elegancia que les dio el terrible patán superdotado. Se hallan tan sin malicia que ni a oración provocan ni a silencio: son como perchas de las que se han colgado sedas y paramentos; pero ¿quién no es, al final, un perchero? No son nada terribles; acaso si creciesen serían institutrices o señoritas de buena compañía; pero yo ya he crecido, y no sé lo que soy, y no hay siquiera instituto ninguno que me restaure ya. Los conocí teniendo yo sus años; ahora se los triplico por lo menos. Tales son las ventajas y los inconvenientes de ser tan sólo un lienzo. Vistos los sentimentos del autor, quiso hacerlos quizá más femeninos; se le pidió sin duda contención, y los dejó castos, fríos, biencriados. No son ni *putti* ni malhechores del bien, como un ángel que tengo yo en mi casa: sobre la túnica barroca y replegada, ostenta en la entrepierna una hoja de parra que subraya con impudicia lo tapado. Éstos, no. Éstos son inofensivos, asépticos, devotos un poco distraídos... Pero ¿lo son de veras? Vuelvo la cara, les echo una mirada última, y me recuerdan el desalado ángel que yo fui, a mi fuego escondido, a mi secreta y pálida vorágine. Aunque ahora esté la casa sosegada.

26 de noviembre de 1995

LA MODESTA TAREA

El arte es la expresión de lo que, sin él, no podría expresarse. Se nutre de lo inasible; su práctica es inefable. Trata, a tientas, de poner puertas al campo y de enmarcar el universo. Trata, entre balbuceos, de cantar y dar voz a lo que no la tiene. Trata, a fuerza de severos halagos, de domesticar a la extraña Quimera que por una parte nos atrae y por otra nos tiraniza. Todo arte es el despliegue de una dominación: de la palabra, de los ritmos, de los volúmenes, de las luces, de los sonidos, de los colores... Sin embargo, la realidad está tramada por un entreverado menos simple que el arte: el arte nos la hace inteligible. Y además aquella dominación en que consiste es un desvalimiento: supone a la vez una iluminación y una tiniebla previa. Crear es, en el fondo, conseguir que una centella atraviese la noche; que un rayo rasgue el ancho pecho negro de la noche. En esta epifanía, de donde brota la luz es de la oscuridad: de la mayor oscuridad, como el amanecer. Y no la contradice, sino que la consuma. Quizá lo que tengan en común todas las artes sea que el caudaloso caos de la realidad, al percutir sobre quienes las ejercen, hace saltar la deseada chispa, distinta en cada una. Distinta, aunque el repertorio de los gestos humanos sea tan breve.

Yo pienso con Platón: todo es *poyesis*, todo es creación dócil. Una creación que, como un líquido, toma la forma del recipiente en que se vierte, y es tal forma lo que diferencia unas artes de otras. Quizá la más difícil de todas, la más alta —también la más humilde—, sea la poesía: una manera de creación que estriba en la cristalización del líquido vertido, o en su evaporación, que lo convierte en un gas teñidor de su entorno. Se ha dicho con frecuencia —y mucha ambigüedad— que poesía es comunicación. Para mí es una vía de conocimiento, de investigación de la realidad más profunda y más exacta de las cosas del mundo. Nadie puede comunicar sin conocer primero. De ahí que sea tan sigilosa y ardua la poesía: encerrada, como una crisálida en el capullo de su aprendizaje. Hablo, claro, de la poesía concretada en el poema. (Porque

68

también la hay en la pintura y en la escultura y en la narrativa y en el drama y en la arquitectura y en la música y en todas las artes en que la *poyesis* se manifiesta. La hay hasta en la actitud poética que sostiene la vida de tanta sencilla gente a la que emociona un gesto estético o un susurro de belleza o un trabajo de arte ajeno o una puesta de sol.)

Pero la poesía de poema no entra con naturalidad en el mercado; no es, en líneas generales, susceptible de cambiarse por dinero, ni de colgarse como un cuadro en la pared, ni de ser habitada igual que un edificio, ni de representarse como una pieza teatral, ni de interpretarse o ser escuchada lo mismo que una música, ni de danzarse, ni de ser llevada a la pantalla (mal o bien) igual que una novela. La poesía puede muy poco más que ser sentida, que ser participada o compartida. Porque no reside en la rima ni en el ritmo, ni siquiera en las palabras, sino en el estremecimiento que suscitan: es lo que está en el beso y no es el beso.

Yo he seguido escribiéndola desde mi adolescencia. Siempre he velado armas ante Nuestra Señora. Pero hace muchos años que me resisto a publicarla: me lo impide un último pudor. Siendo, como soy, un escritor sincero cuyos estados de ánimo se plasman en el papel sin filtros correctores, me espanta darme en el poema, como en una Sábana Santa, retratado en cuerpo y alma enteros. Es un *strip-tease* demasiado doloroso, en que el poeta se despoja no de los siete velos habituales sino del octavo también: el velo que no sabe de qué ni quién lo hace. Tan sólo he consentido reeditar mi primer libro juvenil, *Enemigo íntimo*, y eso el año pasado y por una razón bien comprensible. Una casa fotocopiadora de Sevilla me regaló, en las penúltimas navidades, una bandeja de plata de regular tamaño «para agradecer —decía— los beneficios proporcionados por el gran número de copias realizadas de su libro a lo largo del tiempo». Decidí, pues, darle vía libre.

Existe otra razón para no exteriorizar mis poemas. Creo que hay que haber vivido mucho, subido a los Tabores de la transfiguración y descendido a los Getsemaníes de la honda soledad; haber besado las bocas que era besar nuestro destino, y abrazado los cuerpos que estaba escrito que abrazáramos; conocido todos los paisajes por los que habíamos de transcurrir, y sido deslumbrados o aterrados por todas las tormentas y todos los amores, para que cuajen los versos en que teníamos que exprimirnos. Recuerdo con ternura que, cuando murió Antonio Machado en Collioure, se encontró un arrugado papel en el bolsillo de su arrugado abrigo. En él aparecía un solo alejandrino: «Estos cielos azules y este sol de la infancia.» En estos hemistiquios se halla su lección andaluza; tras el desvarío castellano, vuelve el poeta los ojos al sitio «donde crece el limonero». Quizá en la casa en la que el sosiego ya no es un insólito huésped podrían sonar los versos, de uno en uno, como gotas de una agridulce clepsidra, y yo podría expresarlos. La luz viene aún de fuera, pero la ayuda a iluminar los altos techos otra luz interior que se ha ido, poco a poco, acumulando. Y es en la yuxtaposición de las dos luces donde anida por fin la poesía, y alumbra ella a su vez su luz más pura.

3 de diciembre de 1995

LA CIUDAD REVIVIDA

Tú eres la inmortal, la imperturbable, la menospreciadora. Yo, en cambio, me atemorizo cada día, me ensoberbezco y me humillo cada día, me muero cada día... ¿Qué relación ha de haber entre tú y yo? No sé si tú me perteneces, o yo te pertenezco; si yo formo parte de ti, o es a la inversa. Sé que tú me sellaste con tu sello durante los días soleados de mi vida. Porque tú eres para mí la siempre soleada. Hasta en los días de lluvia en que alguna mano levantaba el cuello de mi abrigo y, próximo a mis ojos, brillaba charolado el asfalto donde, al anochecer, refulgía la luz de los faroles y de los escaparates dispuestos como acogedoras alcobas, mientras el niño, de vuelta a casa, chapoteaba con sus victoriosas botas en los charcos... Se dice que, para conocer hasta el fondo a una ciudad, si ello es posible, hay que haber sido niño en ella. Es decir, haberla visto con la mirada aprehendedora e imparcial del niño, con su mirada sorprendida y avizor, ahíta e insaciable; desde su estatura y su improvisación; desde sus hondas y efímeras heridas.

Yo era el niño secreto que paseaba sobre las hojas de tu otoño y bajo los despavoridos cielos del invierno. Sin embargo, no los recuerdo ya, porque tú eres la siempre soleada. Sólo al salir de ti comenzó la intemperie, el interminable rosario de tristezas. Quizá te huí porque empezaba a estar ya triste, y no quise contaminarte para que fueses el eterno paraíso. Mis sueños nunca se vieron derrotados en ti. Ni siquiera aquel primero del amor, del que fui despertado a violentos empellones. Te habité mientras todo parecía incesantemente feliz, y yo también, y nadie se había muerto todavía. Ahora veo el pasado entumecido por una niebla así como de llanto. Pero tú sigues siendo la siempre soleada, la nativa ciudad de la hermosura.

Me pregunto dónde fueron mi infancia sonriente a intervalos y mi espinada adolescencia. No son ellas el peso que hoy llevo sobre mi hombro. ¿Quién es entonces este Antonio que apareció tanto tiempo después, este ser fatigado, definitivo y sombrío, que, de vez en cuando, también me deja a solas? ¿Soy yo el que vivió en ti? ¿Soy yo el que descendía por esta calle Nueva, desentendido de su futuro y acercándose raudo a él? ¿El que bajaba por la cuesta de Pero Mato hasta la plaza de los Páez, por los escalones no lo bastante estrechos para salvarlos de uno en uno, ni lo bastante anchos para dar un paso entre uno y otro? ¿Soy yo el que descubrió que en un beso cabe el mundo con su cohorte de albas y mediodías, de dulzuras y de aflicciones, en las lomas del Cañito Bazán, contra el tronco de una encina vieja?

O soy este que regresa, siempre de paso, a resucitar lo único que no ha muerto, como un extranjero que mirase desde fuera algo tan rotundamente suyo que era él mismo, lo que habitaba y por lo que era habitado. ¿Quién me hablará al oído ahora, cuando vengo y me voy, de prisa, por una acera recién pavimentada, en una plaza que desconozco, de mis recónditos secretos infantiles, de las cosas que de verdad pasaron, o sea, que una vez sucedieron y que han dejado de suceder; de las personas de cuyo cuidado dependía, cuyas manos se interpusieron entre lo puntiagudo y yo;

de la intimidad que ardía en mi corazón, que yo creí invisible y era como una lámpara bien alzada dentro de su fanal? Quién me hablará de ti, la siempre soleada, bajo el gran sol de plomo que te blanquea en julio y agosto, de la época aquella en que todo se encontraba en su sitio, y el más rotundo de los sitios eras tú, ciudad de antes y después, tantas veces postergada y revivida, a la que siempre se tarda demasiado en volver...

¿Habremos tú y yo cambiado? Eso lo explicaría. Pero dime quién era yo y cómo era; dime cómo eras tú, por si no te evoco con la exigible precisión. Tú, antología de las minúsculas edades que hoy parecen remotas, álbum de pasos vacilantes, de ojos sobrecogidos, de aterradas y extáticas caricias que hoy parecen remotos. Porque tú, lo veo, sigues siendo quien eras y quien seguirás siendo a pesar de los pesares. Cuando hoy me cruzo, dentro de ti, con quien yo era y no lo reconozco, ni quien fui me reconoce a mí tampoco, ¿qué es lo que ha ocurrido? ¿Qué avenida, qué seísmo, qué aurora boreal, como la que vi un día desde aquella azotea, lo han trastornado todo? ¿Qué ha sido de la verdad inicial que iba a perdurar a cualquier costa, de lo inolvidable que he olvidado, del ensueño que me mantuvo, de la ventana por la que se preveía lo que no acaeció, del principado con que me coronaste? Exprimiste mi corazón como un gigante exprime una granada; exprimiste mi corazón como la mano de un niño una fresa madura. Y su jugo era amargo, tan amargo...

Ahora soy quien no quise. Ahora soy el que no quise nunca ser: el que se estremece cada día, y se ufana y se humilla cada día, y muere cada día. Quizá una tarde abierta, cuando el sol de diciembre es un dorado anticipo de abril, este que soy se extinga, descarriado en una de tus Siete Revueltas, y el otro, aquel, el tuyo, permanezca inmortal e imperturbable lo mismo que eres tú. Y pasee, ya sin límite, por tu Ribera, cerca de los molinos quietos, bajo el Arco de Triunfo que nunca debí dejar atrás, cerca de la tapia de los Alcázares donde canta aún el esplendor, junto a los Triunfos de los sanrafaeles, alado ya, niño de nuevo ya, retornado por fin, menospreciador a su manera, tuyo y ganado para siempre, soleado y tuyo para siempre.

10 de diciembre de 1995

UN VALLE DE RISAS

Hay gente que está convencida de que hemos nacido para sufrir, de que el mundo es un valle de lágrimas. Siento por ella una gran conmiseración y una invencible antipatía. Siempre me han parecido los peores enemigos de su dios, sea el que sea. Opinar que para introducirse en el Paraíso hay que pagar una entrada de llanto, opinar que la flamígera espada del arcángel guardián sólo puede abatirse con la aflicción (y mejor si es inútil y además provocada) lo considero la más grave blasfemia. A Teresa de Jesús, por fortuna, los santos *encapotados* le producían mucha prevención: ella era bien risueña. Y es natural: si el que defiende el mérito del martirio mirase con atención en torno suyo, no sostendría ni un minuto tal tesis. La vida es, por encima y por debajo de todo, alegría. Hay millones y millones de buenas cosas que nos suceden o que podemos gozar y que son gratis: la elegante y grácil dinámica de los animales, su incomparable colorido, el aroma infinito y tenue de las flores, las luces que ni un solo segundo son idénticas, la belleza con que las reciben los pétalos y los volcanes, las alas de los mínimos insectos y los océanos increíbles... No es un dislate pensar que el Edén verdadero se halla en donde nosotros nos hallamos, aunque existan quienes han decidido no disfrutarlo sino sufrir en él.

El dolor es un hecho; la alegría de la vida, otro. Y ambos son compatibles: compatibles y opuestos. La alegría ha de lamer hasta abatirlos los cimientos del dolor, minarle su terreno, sustraérselo, hacerlo desaparecer, más cada día, de este valle melodioso y refulgente. El *espíritu de sacrificio* es un invento estúpido. El sacrificio, cuando sea imprescindible, se aceptará, pero con alegría: hasta las penas hay que saberlas llevar con ella entre las manos. Lo otro, el fanatismo del dolor, me provoca arcadas. He pasado por él y sé lo que me digo. Que nazcamos para sufrir es una gravísima falacia, la diga quien la diga. Es una aberración y el pecado mayor que puede cometerse contra la vida: el don supremo y el supremo destino. Quien agregue un gramo de dolor inútil al que ya hay en la Tierra será quien más atente contra cualquier dios que la sostenga. Detesto esas religiones o esas sectas que añaden más dolor al que los hombres han conseguido, por su torpeza y su egoísmo, sembrar a nuestro alrededor. Ellas son responsables de la angustia, de la sombría sensación de culpabilidad que destrozan a tanto ser humano. Y deberán atenerse a las funestas consecuencias de sus funestos fanatismos.

Porque fanatismo es la ceguera de los que se toman rotundamente en serio a sí mismos y a sus opiniones. Fanatismo, considerarse en la posesión de la verdad y considerar sus creencias fijas e inamovibles. Fanatismo, no admitir la menor vacilación, la menor discusión con sus ideas, sean éstas religiosas o políticas, o referidas a un cantante o a un equipo de fútbol, me da igual. Fanatismo, alardear de superioridad en el campo de que se trate, obedecer y obligar a que otros obedezcan consignas indiscutibles, y estar seguros de que con semejante comportamiento se consigue nada menos, por ejemplo, que la eterna salvación. Aborrezco a tales tipos, vengan de donde vengan y adoren al dios o a los dioses que adoren. No conseguirán nunca que nadie ame a una divinidad por la fuerza de sus espadas. Porque nadie puede creer en la omnipotencia de un dios malvado, y amarlo, mucho menos.

Contra los imbéciles engreídos que, en general, suelen autoconsagrarse administradores del misterio, no cabe mejor respuesta que la risa. No como ruido vano, sino como manifestación de la alegría, como afirmación de nuestra privilegiada condición humana, ya que el hombre es el único animal que sabe reír. No me gustan los refranes por cazurros, por pesimistas y por recelosos; pero hay uno muy sabio: «de quien siempre sonríe y nunca ríe, no te fíes». Es cierto: en la sonrisa caben la ironía y la preeminencia; en la risa sólo caben la identificación, la camaradería, la sinceridad, la coincidencia espontánea y también el respeto: ¿o es que a un padre a quien se respete se le seguirá llamando de usted y escondiéndole la risa?

Por lo mismo, aborrezco a los que sienten escrúpulos por reírse a gusto, o se tapan avergonzados la boca cuando lo hacen, o critican a los que ríen —sin necedad— de todo corazón. Leonardo de Vinci, el más alto ápice de la creatividad, dijo que, si fuese posible, se debería hacer reír hasta a los muertos. A los dolientes aburridos y siniestros no los quiero a mi lado. Sé que alguien que ríe no será nunca demasiado peligroso, y que acabará ganando las guerras de este mundo, inventadas por los estreñidos y por los catones. Los *encapotados* musulmanes que penan con la muerte a ciertos escritores han olvidado que en el Corán se lee: «Quien hace reír a sus compañeros merece el Paraíso.» Y los secos calvinistas y adláteres quizá hayan olvidado que aseguró Lutero: «Mi risa es mi espada, y mi alegría, mi escudo.» Ante todos los sucios fanatismos que nos ensombrecen y nos acosan hemos de responder de la misma manera: con el arma letal y juiciosa de nuestras carcajadas.

17 de diciembre de 1995

EL RECIÉN NACIDO

Quizá no haya fiesta alguna menos privada, menos doméstica que la Navidad. Por eso, quizá no haya fiesta más superflua, más desvirtuada y más marchita. En ella (eso se dice) nace Dios. Nace un niño normal, trémulo y frágil, al aire afilado de la noche de invierno, entre animales, de unos padres que nadie quiso admitir bajo techado. Y entonan los ángeles himnos que hablan de la paz y de los hombres buenos. Y los pastores se alborozan sin saber bien por qué y se transmiten su repentino calor unos a otros. Y llegan Reyes de remotas tierras, guiados por un astro que surca el ancho cielo aún más remoto... Todo sucede a la intemperie, entre el frío común, el desvalimiento compartido y la alegría contagiosa. Nadie sino los posaderos mercachifles cierra puertas aquí. El deseo más antiguo de la Humanidad —ser como dioses—, el deseo por el que fue expulsada del Edén para siempre, se realiza ahora. La Humanidad entera está exultante; los huesos de los muertos se estremecen; se consiguió por fin: Dios es ya hombre, se hizo carne mortal. El orden de los factores no afecta el resultado: el descenso de Dios equivale a la ascensión del hombre. Va a habitar con nosotros: sobre los muertos de todos, alentando la esperanza de todos, nacido de una virgen.

Esto se cree o no. Pero ¿quién le ha puesto mordazas a esta fiesta; quién le ha puesto antifaces; quién, barreras, lindes, rejas, límites, precauciones? ¿Quién cree y no cree a la vez? ¿Por qué se esconde cada familia a celebrarla? ¿Qué hombre es éste que desconfía de los hombres? Aquí pocos, ceñidos, muy contados, cerquita del calor y el pavo y el besugo, somos como pequeñas bombillitas en las ramas del árbol trasladado del bosque a este salón. El espacioso bosque es echado de menos por el árbol: está en exilio, como los corazones que ya no celebran ni participan y han alzado los puentes levadizos. ¿Qué harán las bombillitas en mitad de un incendio? Porque un incendio significa esta fiesta. El Creador (o eso se dice) no puso bridas a su amor; su prenda de salvación fue para todos; se redujo a vestirse de sangre para todos, a hablarle a todos, a morir más tarde por todos. ¿Qué hacen, pues, ensimismadas, tozudas, invisibles en medio del incendio voraz y jubiloso, estas amortiguadas bombillitas? Hechas añicos saltarán; no dejarán ni siquiera ceniza. Y el árbol, separado de su rebaño verde, morirá también. Pero no para todos.

No; no se trata de una fiesta privada. No se reduce a esta y a esta y a esta familia. Porque no hay más que una muy grande: la que introdujo su cuña en el tronco bienoliente de la divinidad. Todas la misma; todos el mismo hombre... Qué asco y cuánta pena: el hombre, para crecer, imagina el misterio, lo recibe como una palpitante luz entre sus manos, como una iridiscencia; pero luego, para sentirse cómodo, lo convierte en juguete: un espejuelo que reverbera con el sol y lanza a voluntad rayitos dirigibles. Sin embargo, la Navidad no fue pensada para empequeñecerse. Fue pensada para que cayéramos en la cuenta —para que tú y yo cayéramos— de que somos el mismo ser, y a cada uno, a cada niño como el niño aquel, se le dio la vida para que la viviera en el más puro goce y en el más grande amor. Para que los hombres que consiguen que otros aborrezcan la vida y sufran y odien; los hombres que encarcelan y torturan y llevan a otros a la muerte, no descansen en el himno de los ángeles, no reciban el confortable vaho del establo, ni las dádivas de los pastorcillos, ni los dones lujosos e inútiles de los Magos.

Qué ha de ser la Navidad una privada conmemoración. ¿Qué hipocresía es ésta, qué cobardía que nos encapulla ante la hostilidad de lo que nos rodea? A la calle, a las plazas, a secar de sangre los campos de batalla empapados, a secar de lágrimas los rostros de las madres sin leche, de los niños sin padres, de los viejos extraviados. Fuera de cada casa. A abolir las paredes, los cerrojos, las cortinas. Que entre el que quiera a la posada. Que las treguas, falsas como esta Navidad de misa y olla, no concluyan jamás. Con una Navidad bien celebrada sería suficiente. Pero no: tenemos miedo e inspiramos miedo. Nos conformamos con una vaga limosna arrojada desde arriba; amenguamos el beso a nuestros padres, a nuestros hijos, a nuestra refitolera y mínima familia; escuchamos por televisión las voces de los coros arcangélicos; nos adormecen la calefacción y el alcohol y la cena... Todo es mentira aquí. Si Dios nació (y eso al menos se afirma), nació en vano. Marró el golpe. Se excedieron los ángeles. Se quedaron sin causa la madre y la esperanza. Esto no es Navidad: nadie cree en ella. Es una fiestecita íntima en la que se miran los cobardes a los ojos, en la que se humedecen de emoción los ojos de los egoístas, en la que se guiña a Dios con la conciencia tranquilizada, y se le da las gracias porque no nos hizo pobres como a los pobres, ni violentos como a los violentos, ni justicieros como a los que se arriesgan buscando la justicia... Está bien, está bien; pero no digamos entonces que creemos en el recién nacido.

24 de diciembre de 1995

TODAS LAS NOCHEVIEJAS

Hay una edad (¿hay una edad, o cualquiera?) en que se corre el albur de que cada Nochevieja sea la última. Aunque las anteriores lo fuesen de algún modo: todas fueron la última que celebramos de una especial manera, con un concreto estado de ánimo, en una cierta casa, reunidos con una determinada gente amiga, mirando al año que empezó o al año que acababa. Como la Nochebuena, «la Nochevieja se viene, / la Nochevieja se va, / y nosotros nos iremos / y no volveremos más». ¿Nos fuimos con las pasadas? ¿Retornaremos con las venideras? Nadie sabe por cuánto tiempo destejeremos el manto de Penélope. La de este año, en esta casa sosegada... Pero ¿está de veras la casa sosegada, o sólo lo estará cuando nosotros nos hayamos ido? No sé si es tiempo para hacer balance, o mejor para liarse la manta a la cabeza y saltar, con inconsciente júbilo, por el solo hecho de que aún se nos permite saltar con júbilo inconsciente. Y brindar. Y participar del tiempo, nuestro asesino que es a la vez nuestro único aliado, al que troceamos en días, en semanas, en años, para devorarlo con más facilidad, sin advertir con suficiente discernimiento que es él quien nos devora.

Imposible no recordar, durante cada Nochevieja, las que la precedieron. Un momento tan sólo, para apoyarnos, como en el alféizar de una invisible ventana, y mirar a lo oscuro; para tomar su luz entre las manos, como quien sostiene una vela segura, y asomarnos a lo improbable... Viene un aroma desde aquellas primeras Nochevejas infantiles, en las que bebimos nuestro primer dedalito de anís dulce, que nos sentó como un tiro y nos embarulló la cabeza aún intacta; desde aquellas en que, aún intacto el corazón, sonreímos porque veíamos sonreír, y todavía el dolor y la muerte no comenzaban su pertinaz tarea. Y otro aroma percibimos de aquellas Nochevejas adolescentes, en que el secreto rodeaba al muchacho que éramos, y lo defendía con su irrompible fanal, y la imaginación nos traía y nos llevaba a los ojos que amábamos ya tanto. Fueron después las Nochevejas del retorno, cuando el corazón no se había quedado solo, y parecíamos barcas fugitivas que durante unos días, aquellos días y aquellas Nochevejas, anclasen en un puerto fijo y efímero antes de volver a las olas no siempre afables, no siempre comprensibles. Las Nochevejas del retorno, con la mirada pendiente de la mirada que nos iluminaba y era nuestro deseo —no cumplido— que nos siguiera iluminando.

Hasta que conseguimos nuestra propia casa y nuestra propia familia. Con sus miembros elegidos de uno en uno, no por razones de sangre sino de amor y compañía. Así es esta Nochevieja de hoy. Comenzarán, hacia las nueve, a acudir los amigos. Los viejos amigos, con los que cenar juntos no es nada extraordinario. Pero acudirán con un brillo especial y una sonrisa, la misma y distinta a la vez. Y nos besaremos sin decir palabra. Serán los amigos de otros años... No; los de siempre, no. Este año vendrán menos. Alguno se ha levantado de la mesa común y ha desaparecido entre las sombras. Se precipitó al irse —ni adiós dijo—, y se fue sin presentir siquiera que sería tan echado de menos esta noche. Pero ¿sucederá indefectiblemente de tal modo? Estoy seguro de que los que se fueron, no por voluntad propia, vendrán también. No tocarán el timbre; no levantarán sus copas; se sentarán con discreción entre nosotros aguardando a que alguien pronuncie su nombre para sonreír, también con una sonrisa idéntica y distinta... No conozco otra forma mejor de inmortalidad que la de pervivir en quienes nos quisieron.

Se escuchará en la calle un lejano bullicio, alguna última música, una voz, una risa. En la calle, de costumbre silenciosa, se escuchará pasar la vida. Quizá la niebla se desfleque entre las farolas de la acera. Quizá se nos pierdan los ojos en busca de una vaga forma donde evocar la tersura de la mejilla que nos acariciaba, la mano que nos enardecía, la frente que de continuo y en vano pretendimos penetrar... Los ojos se equivocan. Aquella mejilla, aquella mano, aquella frente, están dentro de nuestro corazón. Y al final de la noche, cuando los invitados se hayan ido, y apaguemos las velas, y subamos a nuestro dormitorio a través de la casa callada finalmente, y se filtren por las rendijas los iniciales atisbos de la aurora; cuando nos quedemos solos de nuevo, más solos que antes, y hayamos apurado la última copa sin brindar con nadie (¿con nadie?), entonces, en este primer amanecer, en el que podría inaugurarse todo y nada se inaugura, los amigos que nos acompañaron sin abrir los labios subirán con nosotros la escalera, despacio, como las subieron otros días felices, y atravesarán al lado nuestro el pasillo, y nos abrirán la puerta del dormitorio donde las cosas aún los reconocen, y la cerrarán después de cedernos el paso, y nos mostrarán la cama abierta. Un aliento nos rozará la cara, y oiremos cantar el primer pájaro del año, y una voz muchas veces oída nos dirá: «Descansa. Buenos días.» Y comprobaremos que todo tiene una razón de ser, que todo sigue un orden previsible. Y que quizá no sea cierto el fin de la canción: ... «y nosotros nos iremos / y no volveremos más». Sólo no vuelve lo que nunca se ha ido: porque permanece en nuestra más recóndita verdad. Acaso descubrirlo sea el mejor regalo de las Nocheviejas.

31 de diciembre de 1995

LA PETICIÓN INÚTIL

En los reyes no creo, y menos si son magos. Me parecen demasiados privilegios como para creer. En general, desconfío de que nada se conceda desde arriba o de fuera. Desde que me conozco —no sé ya cuánto hace— he elegido confiar en lo que crece desde dentro y de abajo. Por eso pedir a los demás es tan sencillo como infructuoso: nos pueden dar muy poco más que cosas. Pero imaginemos; que por pedir no quede: ¿qué le pediría yo a los Reyes Magos? Acaso lo contrario de lo que están habituados a traer. Ellos manejan juguetes, distracciones, excitaciones como mucho, o sea, objetos prácticos. Yo les suplicaría que no me arrebatasen lo que me ha costado mucho conseguir en no muy grandes dosis: serenidad. Es difícil que un rostro se refleje en un agua que corre, que salta, que se escapa; se verá con más detalle en un agua pacífica. Nadie que no haya alcanzado cierto grado de serenidad será capaz de conocerse. Nadie que se deje llevar por sugerencias momentáneas será un hombre completo. Nadie que sufra de ansiedad en su pensamiento razonará con equilibrio: y si no razona, ¿qué le queda?

La serenidad es sin duda el resultado de un proceso. Pero no necesariamente se consuma con los años. En la vejez —suele opi-

80

narse— comienzan a advertirse la indiferencia y el reposo de la muerte: ¿será eso la serenidad? ¿Será ésa la postura a la que el barroco Saavedra Fajardo se refiere? «El no esperar remedio ni desesperar de él suele ser el remedio de los casos desesperados.» El hombre sereno, en consecuencia, ¿no perseguirá fin alguno? El sosiego interior y la armónica disposición de todas sus facultades, ¿desembocarán en no aspirar a nada, o, por el contrario, podrá aspirarse entonces con más garantía de éxito a los fines más altos? Por ejemplo, los atracones eróticos de los jóvenes, ¿se producen porque se aman irremediablemente y por instinto, o porque desesperan de que dure su amor y quieren exprimirlo con una escandalosa vehemencia? La serenidad, al revés, aprendió a amar con tiento. Primero, porque advierte que el vértigo y la urgencia no satisfacen a la larga: no se puede correr un maratón con el impulso de mil metros lisos. Segundo, porque sabe que, si el amor muere, no se muere de amor. Tercero, porque conoce la estrategia atractiva de la distancia y de la ausencia, así como la técnica de la graduación de las temperaturas. Y en los trances de amor, como en casi todo, el que resiste gana, y el más sereno es aquel cuyos triunfos más duran.

Yo no aspiro —se lo aclaro a los Magos— a la inmovilidad, ni a la impasibilidad, ni a la invulnerabilidad. Quiero seguir siendo de carne y hueso, continuar escribiendo hasta el final. De ahí que me pregunte si, inmerso en la serenidad, podrá escribirse. Un escritor efusivo y espontáneo como yo soy resbala el folio por su cara y en él recoge lo que en ella hay: sudor o sangre o lágrimas o risa... Tales esfuerzos y tales secreciones, ¿son compatibles con la serenidad? Pienso que sí. Yo me negaré siempre a renunciar, a hacerme inconmovible, a estar de vuelta. Me negaré a temer cuanto ignoro, a que me estremezca lo incomprensible, lo que ha de suceder o el modo en que suceda. Si se conserva la cabeza, ni el corazón se pierde entero, ni la piedad de la mirada, ni el placer de la mano. No pretendo yo insensibilizarme ni acorazarme contra la vida y su saetería. Quizá lo que pretendo, como decía mi abuela, es el talento necesario para arreglar las cosas que tienen arreglo, la paciencia para sobrellevar las que no lo tienen, y la sabiduría para distinguir las unas de las otras. Yo me atrevo a añadir una petición más: la alegría bastante para que no nos amargue lo azaroso. Este planteamiento es lo único que puede convertir el azar en nuestro socio.

¿Por qué el sereno no ha de participar en la hermosa carrera de relevos que es la vida? ¿Habrá de contentarse con mirar a los otros desde el escepticismo de quien ya pasó todos los testigos? ¿No tomará partido? ¿Le asaltará el temor al fracaso, a él que está ya por encima de todos los temores? Cuando ha logrado sortear las embestidas y torear la negra majestad astada del peligro, ¿se refugiará en el primer burladero que le ofrezcan? La serenidad es sólo una actitud, no una descalificación, ni un asilo, ni un desahucio vital, ni una jubilación. Con ella puede entrarse en cualquier batalla escudado tras la humana pretensión de ganarla. Puede mirarse desde arriba la comezón de los envidiosos; el voraz talante de los apresurados, el sinvivir de los buscadores de tesoros o de éxitos. Pueden escogerse los combates en que uno terciará, y arbitrar los feroces laudos de los desasosegados. Más todavía, sólo considerando con serenidad nuestra existencia conseguiremos nuestros verdaderos y más hondos propósitos.

Esto es lo que les pido yo a los Reyes (que se lanzaron, no sé si muy serenamente, en brusca persecución de una estrella fugaz y relatora). No la luz ciega de la felicidad; no la deposición en otros de mi destino y de mis complacencias; tampoco enmimismarme de manera que el mundo se me convierta en ajeno espectáculo, más bien sombrío y lacerante. Les pido ser mi propio soberano. Ser yo mismo y, desde mí —a quien debo mayor fidelidad—, mirar lleno de comprensión cuanto suceda en torno mío. Con fraternal complicidad si es bueno; con máximo desdén si es despreciable, y con enemistad activa si es hiriente.

7 de enero de 1996

LO FATAL

Estoy ante un anochecer barrido por un viento colérico o quizá incontrolable. Las nubes, encrespadas igual que un oleaje, dejan pasar apenas una luz de oro lúgubre. Doblegados, los árboles parecen plantearme una interrogación demasiado frecuente: ¿Estaré cumpliendo mi destino? La proximidad de las sombras repite, más angustiosa, la pregunta: ¿Habré cumplido mi destino ya? Qué difícil saberlo. Qué difícil incluso saber qué es el destino, ni si existe, ni si será preciso conocerlo para lograr cumplirlo, ni si tal fidelidad será beneficiosa. Hay quien descree de él; quien piensa que llamamos así, para excusarnos, a nuestras propias equivocaciones, o a todo lo que nos limita y entorpece. En latín, nuestro padre, *destina* significa cadena. En castellano, mucho menos preciso de lo que se nos enseña, *destino* tiene muchas acepciones: desde la trama de los sucesos necesaria y fatal hasta el señalamiento de algo para determinado fin; desde un empleo hasta el sitio en que se sirve. Y *lo fatal* es, entre nosotros, lo inevitable y lo improrrogable, lo desgraciado y lo infeliz. Así tituló Rubén un poema que concluye: «... y la carne que tienta con sus frescos racimos, / y la tumba que espera con sus fúnebres ramos, / y no saber adónde vamos / ni de dónde venimos.»

¿Qué relación cabe entre el azar y la necesidad, entre la libertad y el sino, entre el instinto y la voluntad? ¿Qué equilibrio o qué síntesis, entre conceptos tan contrarios? Si hasta los cabellos de nuestra cabeza están contados, y ni uno cae sin el consentimiento de alguien superior —eso aseguran Biblia y Evangelios—, ¿será compatible tal dependencia con el libre albedrío y con la remuneración divina póstuma? ¿Nos damos cuenta si seguimos o nos desviamos de las pautas marcadas? ¿Obedeceremos a ciegas hasta cuando tomamos la dirección opuesta a nuestro fin? Aquel criado vio en el zoco a la muerte que lo miraba con ojo codicioso. Volvió a su casa y le dijo a su amo que salía para Damasco huyendo de ella; pero tomó la ruta de Samarkanda para engañar a todos. Cuando llegó la muerte, así se lo transmitió el amo crédulo. «Qué extraño —comentó ella—: yo venía a citar a tu criado en Samarkanda.» Allí iban a encontrarse.

Platón afirma que los espíritus vulgares carecen de destino. Cuánto clasismo: como si no fuera la muerte la última estación de todos los humanos. En otras épocas el hombre pertenecía a un pueblo, a un dueño, a una geografía, a un oficio y a un gremio. Tal subordinación compensó a muchos: la vida como una herencia estricta, establecida y transmisible; el orden social convertido en orden natural; el destino avanzando por rieles sin sorpresas hasta el infierno o hasta el cielo. Se pudo ser un hombre casi sin despertarse. Pero el Renacimiento, con las libertades que recogimos, hizo añicos semejante somnífero. ¿Quiere esto decir que nuestro destino pende ahora en absoluto de nosotros y no de las estrellas, léase circunstancias? A Dios le preguntaron una vez quién había sido el mejor general de todos los tiempos. Rehuyó Dios los grandes nombres, y vaciló antes de murmurar: «El que yo pensé como el mayor es aquel sastrecillo que tiene un taller a la entrada del mercado.» Un modesto velero que nunca recibió su viento favorable. ¿Será cierto, por tanto, que las estrellas inclinan pero no determinan? ¿Será cierto que impulsan y no arrastran?

Yo tengo el convencimiento de ser escritor por destino y no por vocación. La vocación la hubiera contradicho ante un quehacer que gratifica poco y a deshora. Pero no se me permitió elegir, y ahora estoy dócilmente resignado. ¿Denota eso que todo cuanto escriba estaba escrito ya que lo escribiese; que esta misma página es un acatamiento? Reconozco que confío más en mi parte instintiva que en mi parte racional; pero por mucho que mi sino sea escribir y por mucho que crea en la inspiración, sin la que este trabajo no se soportaría, creo también con toda mi alma en la decisión de cada instante y en la transpiración que provoca y culmina la tarea. Pretendo expresar que acaso el destino esté escrito, pero nosotros lo reescribimos con nuestra caligrafía y nuestra ortografía desvalidas; que el destino es el dueño de los naipes, que los baraja y los reparte, pero que de nosotros dependen las jugadas. Hay en nosotros capas subterráneas, bajo nuestra aparente libertad, a las que quedamos sometidos sin remedio; la libertad, superpuesta, influye en las maneras de conseguir lo que entendemos como apetecido y que es impuesto de antemano. Siempre me llamó la atención una frase de Einstein, bien escogido por su hado: «Un hombre puede hacer lo que quiere, pero no puede determinar qué quiere o qué no quiere»...

Ya es de noche. Los árboles se humillan ante el viento. Mañana, después de la batalla, los supervivientes erguirán con orgullo su cabeza. Y los supervivientes serán los que más se humillaron.

14 de enero de 1996

SOBRE EL ÉXITO

Cuando hablamos del éxito solemos cometer una sinécdoque: tomamos una parte por el todo. Éxito es la terminación de algún asunto, el feliz colofón de un proceso, la aceptación de una persona o de una cosa. En latín, madre del cordero, todavía era más: sobre todo, la salida y el lugar por donde se sale. Así el *éxitus vitae* no era el triunfo en la vida, como un macarrónico traduciría, sino su fin: la muerte. Hay que andarse, por tanto, con cuidado cuando uno se propone convertirse en un autor de éxito (pongo por caso, ya que me cae tan cerca). Escribo estas palabras más que nada para los envidiosos. Si soy su referencia, que dejen de envidiarme: lo que ellos llaman, a su pesar, mi éxito, no me produce la menor felicidad. (Supongo que como a ningún otro.) Sin embargo, es triste que haya de confirmárselo de vez en cuando. Porque no es de ahora el tema, sino desde el principio. Lo que pasa es que la envidia arrecia cada día, aunque sus pellas de barro no me rocen. No hay cuña peor que la de la misma madera: recuerdo que, cuando recibí mi primer premio literario nacional, la misma tarde me ocurrieron dos accidentes: el finalista se negó a estrecharme la mano («Yo llevo doce años en esto; tú acabas de llegar») y un señor, que tendría la edad que hoy tengo yo, me golpeó fieramente con una carpeta llena de comedias («Tengo sesenta y cuatro escritas, mico, y tú una sola»). Es decir, en esto del éxito aparente y en esto de la envidia, tengo mucha experiencia. Nunca he ambicionado ni el uno ni la otra. Ambos me inspiraron siempre una tierna piedad.

Hay que gozar de ideas claras. El éxito, en cualquier campo de la actividad humana, acaso no sea una garantía de acierto; pero el fracaso, tampoco. El éxito es probable que destroce a una persona; sobre todo cuando nunca lo tuvo. Nadie puede renunciar al éxito, o desdeñarlo, o incluso temerlo, sin haberlo obtenido y saber lo que vale para él, poco o mucho. Cuanto mayor sea la exigencia de un hombre respecto de sí mismo, con más dificultad alcanzará el éxito a sus ojos, que son en puridad los únicos que lo otorgan. Seguramente hay mucha diferencia entre lo estimado y lo estimable: ya escribió Camus que lo más difícil del éxito no es conseguirlo sino merecerlo. Yo no sé de nadie que haya deseado con todas las fuerzas de su alma lograrlo, y que lo haya logrado: porque todas las fuerzas del alma se han de poner en la obra, no en que la obra guste. Si un arquero dispara una flecha por puro ejercicio gustoso, sin aspirar a un premio, dará con más facilidad en la diana que otro al que ciegue la codicia de un precioso galardón. Y por lo que hace al natural desprecio que sienten los endógamos exquisitos frente a las multitudes, les cito a Proust: «Hay más analogía entre la vida instintiva del público y el talento de un escritor (...) que en la verbosidad superficial y en los criterios cambiantes de los jueces consagrados: su logomaquia cada diez años se renueva.» Más útil sería investigar el paralelo misterioso que existe entre el gusto de los auditorios y lo que tiene éxito ante ellos. Salvo, claro está, que se opine que la gente es imbécil, en cuyo caso dará igual a los no coronados fracasar ante ella. Pero taza y sopa no caben en la boca.

Hoy mismo he recibido una carta cuyo argumento se repite con frecuencia: una madre me pide a mí consejo para su hijo que comienza a escribir, y a Dios le pide que le conceda mi éxito. ¿Qué responder a tan buenas intenciones? ¿Quién decide lo que es en realidad el éxito? ¿Quizá una sociedad que con muchas dudas podríamos decir que se halla en sus cabales? Conseguir un buen puesto de trabajo, gozar de una alta reputación, ganar dinero o ser famoso, ¿es trasmutarse en persona de éxito? Yo no lo creo así. Por eso la impresión que tengo de mí mismo choca con la de mis entrevistadores y hasta con la de mis amigos cuando, muy por excepción, sale este tema a relucir. Ser famoso es una de las más grandes cruces que cabe echar al hombro de una persona inteligente (digamos no más de una persona). Compadezco a los que se agotan en perseguir tal doloroso fin, al que hay que resistirse: nunca mejor dicho eso de que en el pecado llevan la penitencia. Se transforman en seres manejados, vigilados, asediados; en seres infelices que no disfrutan a pleno pulmón de la vida y de sus enriquecedores altibajos. Acaban, trastornados, en una pura confusión: identifican su yo con lo que hacen, con lo que crean, con lo que ganan, con lo que merece la aceptación y el aplauso de los otros. Y perpetran el más grave error de una vida: vender la primogenitura de oro por un relativamente tibio plato de lentejas. Es importante escuchar a los otros (para quienes, por ejemplo, se escribe), pero lo es más aún escucharse a sí mismo. Porque sin esa atenta percepción se distorsiona todo y se termina por no entender a nadie. Sé bastante de lo que estoy diciendo. No hay recetas, no hay fórmulas: todo —el éxito y a menudo el fracaso— es el fruto de una larga y paciente labor. La suerte sólo sirve para explicar la buena fortuna de nuestros contrincantes.

21 de enero de 1996

LA MADRE COMÚN

Amo el minúsculo fragmento de mundo que está al alcance de mi mano, y el no mucho mayor que está al alcance de mis ojos. Amo el rayo de sol que en este instante incide y reverbera sobre el papel en el que escribo. Amo el desordenado tumulto que me rodea en esta mesa de trabajo: los libros de consulta desperdigados, los objetos de oficina que uso tan poco, el vaso de plata con los rotuladores predilectos y los de cerámica que sostienen los demás, el atril abrumado de notas, los diccionarios, los ceniceros, las plegaderas, las carpetas silenciosas, el calendario... Amo el desorden aparente en que todo descansa, y amo su colaboración y también su paciencia conmigo. Amo el aire resplandeciente de estas primeras horas de la tarde y la suave temperatura que se adivina en él. Amo lo que veo tras las ventanas: el jardín expectante bajo el vuelo de las palomas, y los frutales que descienden hacia la alta barrera de eucaliptos que orilla el río. Amo las pasifloras y los jazmines que aún resisten, y siento la tentación de animarlos a continuar. Amo a mis perrillos, ahora abandonados a su sueño, cuyos ladridos podría distinguir desde muy lejos, y cuyo humor puedo vaticinar igual que ellos el mío. Pero amo también a las antipáticas hormigas (bueno, no sé si las amo, pero me resisto a matarlas. De niño maté una, y en la adolescencia le escribí un largo y pedante poema fraternal), como amo a las arañas (tampoco lo sé, pero me producen una impresión hogareña y pacificadora, y por lo tanto no soy su enemigo) y amo a las salamanquesas, sobre todo a la adulta y a la pequeña que corretean por el techo de mi dormitorio.

No sé si seré bien entendido; sin embargo, ¿qué palabra utilizar sino *amor*? ¿Qué relación, por ejemplo, me une a este rotulador de tinta negra que ahora empleo? A lo largo de su cuerpo hay una transparencia que permite ver la poca vida que le queda ya. Escribe bien, pero más fino cada día. Me ha acompañado bastante; he corregido sobre sus trazos con otros de colores distintos; ha sido preferido mío y ayuda mía; se ha portado con fervor y con marcha. Sabe que mi gran salto tecnológico se redujo a pasar de la pluma estilográfica al rotulador, y trata de corresponder a mi elección. Es obediente y dócil, como el rotulador que a mí me gustaría ser en manos de la vida. Y lo amo: ¿de qué otra manera lo diría? Cuando se agote, conservaré su cuerpo exhausto y me costará encontrar otro tan dadivoso y fiel. «Esto es amor: quien lo probó lo sabe.»

Y amo el mundo que una vez vi y recuerdo no sé si bien en todo caso. Amo un atardecer rojo sangre en Miami, una fea ciudad a la que la vegetación tanto embellece; y el perrillo sarnoso que vive en una larga escalera de La Habana; y la mariposa verde de Bangkok; y los ojos inmóviles de un perro de ciego en Nueva York, así como sus magnolias casi violetas; y el espantoso hedor de una cañafístula en Cartagena de Indias, o el de la bahía de Aberdeen en Hong-Kong; y los polícromos lirios de un jardín de Norman, Oklahoma, y el metro, también polícromo, del aeropuerto de Dallas; y las brunfelsias del Amazonas y de la Alameda de Málaga; y las daturas del Putumayo, tan domésticas en La Baltasara... Amo todo eso, y las circunstancias en que lo conocí, y a quien me amaba entonces lo amo también, y al amor que sentía y siento. Amo, pues, la vida de una u otra forma, porque todos los seres somos hermanos de la misma orden. No me sorprende que Antonio de Padua, en un arrebato, predicara a los peces de un estanque o a los pájaros del ancho cielo. No me sorprende que Francisco de Asís llamase hermanos a la luna y al sol y a las flores y al lobo y al cordero...

A mí la expresión *persona humana* no me parece redundante de ninguna manera. Mis perros y los de los demás ¿no son personas? ¿No son individuos con su inteligencia, su prudencia, su alma y su discernimiento? A lo largo de un afinado trayecto se han ido *personificando.* ¿No se da nombre, para entendernos, a un tifón o a un huracán? No sólo lo malo ha de ser nombrado. Personificar a los animales y a las cosas fue siempre una cordial tendencia no desaconsejable. Hasta hay en cada vida días maravillosos a los que tendríamos que acariciar aún como a niños, y distinguirlos como se distingue a un niño de otro. Hay que reverenciar al mundo inmenso que nunca conoceremos del todo aunque nos dedicásemos tan sólo a ello. Hay que reverenciar a los seres humanos que nunca trataremos y que ya están personificados, es decir, igualados a nosotros y nunca objetos, porque todos tendrían algo que decirnos y con que enriquecernos; algo que nos sorprendería y nos enamoraría. No nos pongamos moños: todos los seres, animados o no, estamos hechos por el mismo principio y con la misma esencia. Principio y esencia que se llama *la vida.* Y no somos los seres quienes la poseemos, sino ella quien nos posee y nos acuna en su incalculable regazo.

28 de enero de 1996

LAZARILLO

La mañana amaneció inmóvil y húmeda. A mediodía el sol despejó el cielo con una abrumadora monarquía. Las nubes se retiraron por los cuatro horizontes, y la luz de oro consteló de diamantes todo el paisaje, ahora alfombrado en verde por las hojas trifoliadas de las rabiosamente amarillas vinagreras. Los naranjos exhiben en los bancales su lujosa mercancía y, agrupados como rebaños, los almendros en flor ofrecen a la vista y al olfato su delicadeza blanca o rosa. Sobre la osamenta de los caquis juegan unas abubillas, y revolotean con alas parpadeantes... Podría decirse que, tras de las lluvias, la primavera ya ha desembarcado: tan vistosa y alegre está la tierra.

Sin embargo, de nada de esto se hace cargo *Zegrí*: ya se ha quedado ciego. Al llegar al campo y tratar de bajarse del coche, noté un temor en él y un balbuceo. Los otros se tiraron casi en marcha; él vacilaba como ante un abismo. Ahora vaga por las habitaciones, a medias recordadas, dándose con los muebles o descendiendo con precaución la escalera. Sus ojos, más nublados que nunca, se alzan en una secreta y desconocida imploración. Su ceguera, que ha sido progresiva, no debe de espantarle ni sorprenderle casi. Las sombras, como una prolongada noche, han invadido su mundo, y él le echará la culpa al exterior, inexplicablemente tenebroso. La sordera también lo aleja no obstante de ese mundo, por el que deambula como los viejecillos que empiezan a comprender poquito a poco que molestan en donde quieran que los ponen. *Zegrí* se empeña en seguir a los otros perrillos; pero de repente los pierde y se amedrenta, retrocede paso a paso por el camino que lo trajo, no se atreve a proseguir sin luz y sin sonido... Hay que estar pendiente de él, que se queda encerrado en las habitaciones, dormido cerca de un radiador o detrás de un sofá. Sólo para comer es el primero. Igual que esos maduros a los que la vida ha ido privando de otros placeres menos materiales. Algo antes de la una, y a veces a las doce y media, yergue la cabeza, como cuando veía, preguntando por qué tardan en convocarlos desde la cocina, puesto que es hora ya y el reloj de su estómago no lo ha engañado nunca.

Zegrí y *Zahira* van a hacer quince años. Nacieron el mismo día y a la misma hora en que unos catetos daban su alpargatazo en el Congreso de los Diputados. *Zahira*, más menuda y nerviosa, más distante y más independiente, apenas ha cambiado. Sólo en el blanco hociquillo se le nota la edad y en una perenne tos a la que ya está hecha. Duerme como un lirón y es friolera. Cuando van a acostarse, le pongo un abrigo de lana roja que ella se ocupa de quitarse, no sé cómo, a lo largo de la noche, y que aparece desdeñado en el suelo. *Zegrí* duerme mucho también. Ahora mismo lo veo dormir; lo veo soñar, y adivino su sueño: corre por las verdes praderas, a saltos para evitar las altas hierbas, entre las menudas margaritas de abril, al acecho de alguna perra en celo o de algún gato, al acecho de alguna agalla de ciprés que alguien le tire para emprender su búsqueda; joven y fuerte, con los melados ojos brillantes de estramonio y bordeados de negro como los de un antiguo egipcio, con los agudos ojos que me percibían antes de aparecer; con las orejas en tensión advirtiendo ecos, noticias, señas que no advertían los otros. Mueve las patas en el sueño y gime con dulzura, satisfecho de sí mismo y de cuanto lo rodea. Quizá la tragedia de la vejez consista en eso: no tanto en ser viejo como en acordarse de los gozos perdidos; no tanto en la indefensión y la deriva como en caer del lado del recuerdo en vez del lado de la esperanza.

Agradezco a la vida que la inteligencia de *Zegrí* no le permita hacer recuento de sus males. Si en este momento le gritara hasta despertarlo, levantaría los inútiles ojos para localizar con torpeza, en el aire hoy enemigo, desde dónde lo llaman y quién es quien lo llama; luego, trataría de orientarse en el cuarto oscuro en el que habita, y por fin se acercaría a mí a través del metro escaso que nos separa, aguardando mi caricia sobre su cabeza. «Ya he llegado», se diría apoyando las manos sobre mis rodillas en una muda súplica que yo comprendería. Lo elevaría hasta mí, lo adujaría en mis muslos, y continuaría escribiendo esta página después de escuchar el pequeño suspiro de felicidad con que remata sus costosas y duras excursiones.

Zegrí me ha acompañado, más cerca que ningún ser humano, durante quince años, es decir, por más tiempo que ningún amante. Lo miro mientras él se ve joven en sueños, y también lo veo joven: cuando prestó su nombre al perro casi protagonista de mi obra *Samarkanda*; cuando era aficionado al juego de pelota y corría, infatigable y agilísimo, por la Dehesa de la Villa; cuando engendró a *Zagal*, el guapo, que le robó después la primacía; cuando enamoraba a quienes, por amor, se acercaron a casa, y la muerte o el olvido nos fue, a él y a mí, arrebatando En este instante se despierta y ladra sin saber por qué. Es porque siente ladrar a su hijo y se solidariza. Se solidariza igual que yo con él. Ha sido un fiel amigo, comprensivo, tragón y muy paciente: le quiero asegurar, para tranquilizarlo, que me tendrá, hasta el fin, de lazarillo. Si los ciegos son conducidos por sus perros, ¿qué de extraño tendrá que un perro ciego sea conducido por su amo? Ha llegado —antes o después siempre llega— mi hora de pagar.

4 de febrero de 1996

EL AUDIBLE SILENCIO

«Haz el silencio a tu alrededor —leí una vez— si quieres oír cantar a tu alma.» No sé si lo tomé demasiado en serio. El caso es que, durante un tiempo, me empeciné en trabajar rodeado de la mudez más absoluta. Y me pasaba algo sólo relativamente gracioso: cuando, por fin, conseguía el silencio, no conseguía el trabajo, a fuerza de estar concentrado y pendiente de que el primero no se interrumpiera. Es lo que le sucede a esas personas, de las que tampoco me encuentro muy distante, que para dormir, además del somnífero, emplean antifaces, tapones de cera para los oídos, almohadas especiales y otros adminículos que impedirían conciliar el sueño al más cansado. Ahora me he vuelto mucho más comprensivo. Y sé que hay ciertos ruidos que acentúan el silencio, que lo sacan un poquito a flote de la profundidad en que naufraga cuando es perfecto. ¿A quién puede desequilibrar el vuelo de una mosca no pertinaz en verano, o el canto juguetón del agua en un radiador durante el invierno, o el borroso griterío de los niños de un colegio, que enjoya aún más las mañanas de primavera?

En ocasiones, para experimentar y ensimismarme del todo, me cubro los oídos con los pulgares y los ojos con las palmas de las manos. Me hundo en mí. Me quedo a solas con mi respiración y mis palpitaciones. Oigo —siento— mi cuerpo. Cuando vuelvo al mundo de fuera, atiendo a los sonidos que me rodean, remotos o más próximos: un coche que frena, una alarma desbocada, el lamerse *Zegrí* con suavidad las patas... Sonidos intensos o sutiles, porque todos constituyen una idéntica atmósfera. No es que sea malo escucharse a sí mismo; pero sí lo es ensordecerse a lo que a nuestro alrededor vive y vibra y palpita y resuena. Los sonidos son la única forma que tienen las cosas de procurarnos su testimonio. Y sólo nos perturban cuando hemos hecho el irascible propósito de huir de ellos: porque tales ecos suyos nos persiguen incluso para favorecer nuestro anhelado silencio, lo mismo que un lápiz que lo subrayara con ternura y minuciosidad. Son los sonidos que antes enumeraba, en la ciudad; en el campo, la voz de una campana que viene quién sabe desde dónde, las esquilas de las cabras que regresan al aprisco en el atardecer, los gritos de los pavones que rayan el poniente, los ladridos de los perros ajenos por las lomas, lo que el viento susurra deslizándose entre las ramas...

Claro, que no es igual el campo que la ciudad. En ésta se desvirtúa mucho más el silencio verdadero, el «amigo de la quieta luna», como lo llamó Virgilio. La otra noche, desde mi estudio, oí el estrépito desgañitado y cruel de una ambulancia. Su sirena debió de hurgar, molestísima, las orejas de *Zagal* (*Zegrí* y *Zahira* son, por su edad, muy duros de oído), que levantó su bonita cabeza preocupada, y aulló una y otra vez con un son lastimero y escalofriante. Sólo otra noche había escuchado un lamento así: durante un celo de *Zahira*, a la que se hubo de separar de los dos machos aun dentro de la casa, ellos se lamentaban de cuando en cuando con el mismo ululato (también, en esta ocasión, *Zegrí* el sorderas), tensado el cuello como quien dirige su queja a la alta e insolvente luna.

Desde que he perdido la rígida exigencia del silencio mayor, me entretengo distinguiendo unos sonidos de otros. Descompongo el runrún que, se esté donde se esté, compone el tejido con que envuelve la vida sus misterios; descifro unos rumores, los separo del resto, reconozco sus matices, averiguo por ellos la hora que es. Y no me permito confundir un chasquido con un rechinamiento, un crujido con una explosión, un silbido con un chirrido, un frufrú con un murmullo, un estallido con una detonación, un zumbido con un taponazo, un trueno con un fragor, una algarabía con un bullicio, un repiqueteo con un martilleo, una cencerrada con un triquitraque... Mientras no me vuelva yo tan duro de oído como el pobre *Zegrí*, trataré de no confundir unas lenguas con otras.

Y es que la vida pasa, y nosotros con ella; resuena, y nosotros resonamos más o menos también. La vida pasa, y nos roza al pasar y hace algún ruido. Como lo hacen los perros que alborotan la casa entera al escuchar el timbre de la puerta, y salen ilusionados y decididos a recibir a alguien con su disturbadora bienvenida. Como lo hace la lluvia que golpea los cristales con sus indiscernibles lágrimas. Son cosas de la vida. De la vida, que sopla la brisa y la lleva a cantar una estrofa, como mueve a las esferas y a los astros para entonar una melodía que, por desdicha nuestra, sólo en alguna augusta noche mágica sentimos. La vida recita, dentro de nosotros mismos, el «invisible poema» de la respiración, y del continuo jadeo del amor y de su llanto y de su portentosa risa. Fuera de nosotros, la participación de todas las cosas produce, como la nuestra, más que un ruido mensurable y perceptible, la certeza de que la vida está ritmando la armonía que somos o debiéramos ser, la existencia que somos, la música de la que formamos —conscientemente o no— una mínima parte.

11 de febrero de 1996

LA SALSA DE LA VIDA

Qué hastío tener que manejar palabras para malentenderse. Qué fracaso tener que manejar palabras para expresar conceptos que transmiten tan torpemente la realidad. El concepto es universal, borroso, diluido; la realidad es única, irrepetible, deslumbrante: cuando hablamos o escribimos, se escapa de nosotros como el agua de un cesto. Decimos, hablando de alguien, para definirlo, que es una *persona,* más, una *persona seria. ¿*Y eso qué significa? ¿Qué nos da a entender? Que es un individuo de la raza humana grave y compuesto en sus acciones y en sus modos. ¿Nada más? Sí; que es algo distinto de un animal, aunque es un animal también pero con unas cualidades superiores... Quizá habría que revisar asimismo estos conceptos: ¿no son personas caninas mis perrillos? ¿No son personas divinas las misteriosas de la Trinidad? Qué difícil entenderse con precisión. *Persona seria* no es decir casi nada. Agreguemos *mujer*; agreguemos *americana*; agreguemos *del Norte,* si bien no canadiense. (Parece un juego. Y lo es.) Aun así no habremos sino comenzado a definirla. Porque es esbelta y casi rubia, y sus ojos son muy azules y se pliegan cuando sonríe en una mueca divertida... Pero ¿no era seria? Sí; nada tiene que ver lo uno con lo otro: es predominantemente seria. (Qué lío.) Viste en general de colores claros, con largas faldas que le alcanzan a media pierna, calza sandalias muy alegres... ¿Y qué hacemos con todas estas cosas?

Hay que ir contra las etiquetas. A través de ellas no se conoce a nadie. Americano, indio, indio americano, calvinista, árabe, católico, nipón... ¿Qué referencias son éstas? Cada uno es prodigiosamente distinto de los otros. Escribe Krishnamurti que, a partir del día en que el niño aprende la palabra pájaro, no volverá a ver nunca un pájaro determinado. El niño pierde la infinita variedad de gorriones, de oropéndolas, de abubillas, de martines pescadores, de colibríes, de petirrojos... Todos son ya pájaros para él. Y nosotros perdemos los inocentes, sorprendidos, admirados, curiosos ojos del niño, abiertos a la inmediata e inagotable realidad. Pese a los parecidos, cada golondrina es diferente a otra. La golondrina abstracta es un engaño. Se sube a ella con facilidad; sin embargo, qué costoso descender desde ella a cada una concreta; cómo se nos va el mundo de las manos y su hermosa e inasible presencia. Ahí se quedan el concepto y la etiqueta —severos, pertinaces—, mientras la realidad fluye imparable. Pinta en un mapa un río: ¿eso es el río?; trae un cubo con agua de ese río: ¿es eso el río? Frente a lo estático de los conceptos invariables está la inquieta dinámica de la realidad. Ella es un todo activo al que, para andar por casa, troceamos. Qué complicado traducir de un idioma a otro: por eso, porque cada uno ha cortado un fragmento distinto de la realidad para abarcarla, catalogarla, denominarla. *Hogar,* decimos; *hortera,* decimos, por ejemplo. ¿Qué significan estos vocablos para otros? Traducir es introducirse en la vivienda de alguien que habitó en ella y la llenó con sus recuerdos hasta el techo, y ahora la enseña un guía ajeno y frío. En una foto mal enfocada aparece, sola, la larga y poblada cola de *Zagal,* como una palma viva, en un extremo. ¿Quién se hará cargo de cómo es él por ese final de su cuerpo? Así son los conceptos; así son las palabras. Indican, señalan, no describen. Decimos *alta* y *delgada.* Sí, claro, «como su madre»; pero hasta qué punto alta y delgada. Todo queda prendido con alfileres, encasillado por palabras que nos llevan a la gelidez de los conceptos. La palabra no es lo que representa, y el concepto, tampoco.

¿Qué le sucedió al gran doctor en teología, el gordo Tomás de Aquino? Que, al concluir su vida, ni hablaba ni escribía, y que se arrepintió de haberlo hecho. Qué amasijo le resultaba todo. *Agrio,* nos dicen, ¿y qué es agrio?: ¿el limón, el vinagre, el fruto verde? Tengo un amigo anósmico. Un día me confesó que había conseguido imaginar el olor del jazmín; quizá podría describirle los otros con relación a aquél. Pero ¿cómo hacerlo? ¿Comparándolo con colores, con densidades, con temperaturas, con qué otras dimensiones? Todo es convencional: nos vamos de etiqueta a etiqueta. Tomás de Aquino concluyó que no podemos saber qué es Dios, sino qué no es; cómo es, sino cómo no es. «Todos los esfuerzos de la mente humana no pueden captar la esencia total de una sola mosca.» O sea, un pan como unas hostias.

Hay que saltar las bardas de palabras y de conceptos para asomarse a la realidad. Y mirarla, y mirarla, y mirarla. Lo peor que puede sucedernos es pasar por la vida y no haberla visto *conscientemente* con los ojos ávidos e insaciables de un niño. ¿Será eso posible a nuestra edad? Quizá no ser niños, pero sí ser como niños. Las etiquetas, las palabras, las convenciones, los conceptos nos han expulsado del real paraíso. Hay que volver a él, conquistarlo de nuevo. Nuestro primer niño se aburrió con la monotonía de *todos los gorriones*; hemos de retornar a *cada gorrión*. Y en él, recién descubierto, palpitando, reencontraremos la admiración, la curiosidad y la sorpresa, que son la única salsa de la vida. Una salsa sin la que la realidad es irreconocible, y la vida, intragable.

18 de febrero de 1996

MOMENTOS ESTELARES

Hay un cajón secreto que tememos abrir. En él yacen, quizá desordenadas, las pruebas de que un día nos conturbó la dicha hasta extremos insólitos. Todos tenemos un álbum de placeres y agravios dentro del corazón. A todos un día los dioses, celosos, nos envidiaron... Ahora atardece. Unas nubes de plata se pasean perezosas sobre el azul clarísimo del cielo. Es acaso la hora preferible. Cerca de una ventana, entornados los ojos, abramos el cajón. Dejemos que su contenido se derrame. Elijamos la hora clave, aquel instante de culminación en que alguien nos envolvió con su amor y su gozo de tal forma que nos dijimos: «Jamás va a cesar esto. No será necesario recordarlo. Siempre estará este instante inundándome de luz y de alegría.» Elijamos; pero no para descansar en el pasado; no para recompensarnos con una mirada al brillo y al calor ya extinguidos, sino para resucitarlos, o más todavía, para revivirlos... Todo se ha puesto en pie. Reconstruyamos despacio, llenos de gratitud e intensidad, aquel regalo de la vida. Así aprenderemos, en primer lugar, a agradecer y a amar en el presente, a asirnos con fuerza al júbilo venidero, a recibir con alegría las alegrías futuras y a no archivarlas nunca, sino a ostentarlas ante nuestros ojos...

«Cuánta pérdida», pensamos. «Cómo se han desvaído los colores de las fotografías, cómo amarillea la tinta de las cartas y el tono de la voz que pronunciaba las bienamadas frases...» ¿Y nuestra intensidad? ¿Dónde está, dónde se fue, dónde se vino abajo? Nos dijeron «qué bonico eres» mientras nos desnudábamos. Nos dijeron «tus ojos...» o «tus labios, que parecen...». Nos dijeron «tu voz es como un río». Fue el momento estelar, cuando nos sentimos esencialmente amados, imprescindibles para alguien, necesarios sin término. Y cómo reaccionamos bajo aquella mirada fija, o aquella palabra musitada, o la traducible sonrisa, o la carta... La escena no ha pasado: basta desenclavarla de nuestra memoria y de nuestro corazón. Algo se nos diluyó dentro del pecho, las piernas no eran capaces de sostenernos más, nos temblaron los labios y subía de la garganta hasta la boca una marea de gratitud...

Pero ¿nos entregamos de veras al momento estelar? ¿Adivinamos entonces mismo que era estelar, que nunca cesaría, que cesarían antes otros momentos más llamativos y evidentes, en los que la pasión nos consumió como a una leña seca y la piel se oprimía contra otra piel, como si pretendiera perforarla? ¿Cuándo, después ya, supimos que habíamos vivido lo mejor de la vida?... Y ahora, cerca de esta ventana, bajo este atardecer, con las manos vacías, revivimos aquello que nos sostuvo y nos consoló realmente hasta hoy, aun sin percibir que era aquello lo que nos consolaba y sostenía. De aquel tesoro hemos vivido tanto... Por eso, no lo contemplemos como el avaro que comprueba el suyo; penetremos en él, adentrémonos en aquel momento, seamos el buen actor que se inviste del personaje como de una capa entrañable. Que suceda hoy como ayer. Entremos a aquella alcoba en penumbra con los ojos cerrados. Sentémonos junto a aquel escritorio, cerca de aquel sofá, o sobre aquella cama. Todo estuvo bien... Todo está bien.

No es fantasía lo que necesitamos, sino amor. Un amor de hoy que vuelva la cara al de ayer sin compararse ni celarse. Como alguien que hizo un alto en el camino antes de proseguir hasta llegar aquí. Qué suicidio el de intentar olvidarse, en la tristeza, de los tiempos felices. *Nessun maggior dolore,* escribió Dante; pero ¿tenía razón? Imaginemos la felicidad pretérita en medio de otra felicidad o en medio de amarguras. Sin temor, sin desdén, sin odio desde luego. Atendamos, prestemos buen oído. No han pasado los años; se acerca un ser deseado con las manos tendidas, con los labios tendidos, con el alma tendida hacia nosotros. Fue el milagro del gozo y del amor. Un milagro, surgido de las brumas, no se termina nunca. Aquel gozo y aquel amor escribieron palabras, trazaron signos, esbozaron gestos, susurraron emociones imborrables. Repitámoslos en voz alta junto a la ventana de hoy, en la casa sosegada o no de hoy, a esta luz que se ha tornado casi azufre en el atardecer de hoy. Ningún amor es fútil, ninguna dicha baldía, ningún sentimiento que nos estremeció pudo ser baladí. No esterilicemos la intensidad que nos dio de vivir igual que se da el agua entre las manos para que beba un niño. El mundo, silencioso, fue testigo de aquel momento destellante en que nos supimos glorificados y en que participamos del misterio, del triunfo y del destello. No invalidemos ni ensombrezcamos el mediodía que nos deslumbró de dentro afuera. El amor y el gozo de ayer nos conducen, como unos guías presentes e invisibles, sigilosos y fuertes, al gozo y al amor de hoy, o a la ausencia del gozo y del amor. Porque somos los mismos que ayer fuimos, y nuestra historia tiene capítulos en los que, de cuando en cuando, debemos albergarnos. Capítulos enorgullecedores que han de ser revividos, no sólo recordados. Ellos son los que nos prolongan; ellos los que nos reviven; ellos los que nos deifican.

25 de febrero de 1996

MÁS ALLÁ DEL JARDÍN

A pesar de que a muchos les parezca mentira, todos tenemos nuestro propio jardín, metafórico o real. En él vivimos a cobijo de las diarias intemperies; por él transcurre una vida más o menos equilibrada, razonable y previsible; sobre él anida la apariencia de dicha que llamamos costumbre y la ausencia de sacudidas vertiginosas que llamamos sosiego. En tal jardín, a veces sin flores y sin árboles, en tal espacio protegido, practicamos una moral minúscula y cicatera —plagada de dogmas, de temores y de tabúes— bajo la que nos sentimos asegurados y que, al ser respetuosos de ella, nos transforma en respetables a los ojos ajenos. Entre esas tapias nos tranquiliza la certeza de que la mayor felicidad siempre está por venir, de que la estabilidad que defendemos es el más alto don. Aunque, pasado el tiempo, como en un relámpago, consideremos que la felicidad no ha existido e incluso que nunca existirá. Y pasado aún más tiempo, nos hagamos a la idea de que acaso la felicidad sea desaparecer. «¿Mar desde el huerto, / huerto desde el mar? / ¿Ir con el que pasa cantando; / oírlo, desde lejos, cantar?» No nos arriesgamos a enfrentarnos con el infinito que bordea el jardín. No osamos preguntarnos con valentía lo que Shakespeare: «¿Por qué una mirada falaz e impura / va a ser juez en el bullicio de mi sangre?» La sangre, dentro del jardín, no hierve.

En mis tres novelas, los protagonistas viven cada uno en su jardín. Boabdil, en el celeste de la Alhambra; Desideria Oliván, entre el cariño aguado de marido y de amigos; Palmira Gadea, en el precioso y atendido Aljarafe sevillano. Y los tres tendrán que salir de él para examinarse y rastrearse; para ser ellos mismos y verse, sentados a la puerta, aguardándose. Entenderán por fin, sin la menor garantía de acierto ni de éxito visible, lo que significa la palabra *yo*. Y nunca volverán a ser los mismos, ni se identificarán con su grisácea vida anterior, ni se les podrá infligir más daño que el que permitan ellos. El ser que eran no estaba resguardado sino oculto tras las tapias del jardín. Por eso hay que huir de él. Para descubrir la auténtica ética, el deber auténtico (el primero es responder a la pregunta *quién soy*), el auténtico mundo. Allí está, desplegado, al otro lado de los muros, más allá de las fronteras constrictoras, por encima de las madreselvas y las hiedras que embellecen con su disfraz las rejas de la cárcel.

Porque, si no conseguimos saltar fuera de nuestras pequeñeces, de nuestras creencias para andar por casa, de nuestras convicciones heredadas; si no nos aupamos sobre nosotros mismos para contemplar la realidad, estamos muertos. Vivir no es conservar vivo el cuerpo: eso es un paso previo a la vida verdadera, no más que un dato para empezar a andar. Hay que abandonarse en brazos —en los brazos inmensos— de la vida; saltar a ellos casi sin equipaje que nos estorbe el salto, sin equipaje que nos travista de otros y nos asemeje a quienes nos rodean. Desnudos en busca de la vida desnuda. Desamparados en los tremedales de la vida desamparada. Fuera, las guerras y las victorias, los tropiezos y las levantaduras, el sacrificio y la consagración. No nos engañemos: el jardín de cada uno es lo contrario de la naturaleza, como lo contrario de un río es una presa. Quizá sea práctica y útil, pero el río no es ella: el río, con sus avenidas y estiajes, es vivo, fluyente, inaprensible. Lo natural es la selva, la jungla, la aridez o la feracidad: lo opuesto a los recortados macizos de un jardín, lo opuesto a la artificialidad domesticada de los setos y las borduras y las podas. El desorden exterior no lo entendemos porque es más grande que nuestro corazón; entendemos el orden del jardín, tan confortable casi siempre. De ahí que nos asuste el temblor de sus paredes, y sus grietas y sus resquebrajamientos: por la edad, por las mudanzas, por el amor que quema y aniquila, por el desamor que nos perturba, por la infelicidad que cruza nuestra mente como un trueno de adivinación.

De todo jardín hay que salir: a ciegas o con los ojos bien abiertos, oigamos o no la llamada de fuera. Hay que salir para topar consigo mismo. Como salieron, expulsados o no, nuestros primeros padres del Edén: transformados en un hombre y una mujer racionales y libres, no ya en unos seres dóciles, indiferentes y mimados como animalitos de compañía. Hay que salir, antes o después, a comenzar la vida. Quizá más adelante, cuando nos hayamos convencido de quiénes éramos, sea posible el regreso. Pero entonces será otro nuestro paso, otra nuestra mirada, otra —completamente otra— la letra de nuestra canción.

3 de marzo de 1996

DORMIR Y DESPERTAR

Dice el Tao Te Ching que conocer a los demás es sabiduría y conocerse a sí mismo, iluminación. La iluminación sería despertar, es decir, saber que estamos dormidos y dejar de estarlo. El ser humano se caracteriza por una vida consciente de sí misma; la falta de esa consciencia es la fuente de todo su mal. Porque solemos estar siempre en otra parte, por encima o por debajo de lo que decimos, de lo que hacemos, de lo que pensamos. Y así se mecaniza una vida que habría de ser atenta, y se transforma en programada o en condicionada. Miramos con conmiseración hacia otras áreas en que los hombres se contentan con sobrevivir por medio de un trabajo continuo; sin embargo, nuestra vida no es muy diferente de la de ellos. No nos conocemos a nosotros mismos; nos hallamos dispersos, más que por ausencia de concentración (el *age quod agis* de los latinos) por ausencia de conocimiento. La concentración es como un foco de luz que manifiesta sólo lo que alumbra, pero en el conocimiento no caben sustracciones: es un poco como la madre que, mientras duerme, a pesar de cualquier ruido y sobre él, escucha el llanto de su niño.

Todo nos impulsa a permanecer dormidos: las ideas fijas, los conceptos inmutables, las costumbres más viejas que nosotros. No atendemos ni al sufrimiento moral que, como el físico, nos advierte que algo funciona mal en nuestro interior. El sufrimiento es un choque con la realidad producido por una decepción, una desilusión, la falsedad de un amor o una amistad... Y no ha de ser tal realidad la que cambie, sino nosotros. De ahí que el Zen aconseje no buscar la verdad, sino abandonar nuestras opiniones; porque no es algo la verdad, lo mismo que el amor, que haya de buscarse, sino algo que se nos da y que encontraremos a la vez que el conocimiento. Así, vemos un bello paisaje y nos asombramos de no haberlo visto antes tan precioso y refulgente y armónico. Y es que lo vimos —con los ojos velados y la percepción alterada— como éramos entonces nosotros, y no como era el paisaje. Cuando mudamos el parecer que tenemos sobre alguien es más probable que seamos nosotros los que hemos mudado que la persona aquella.

Por eso es por lo que, para acceder al conocimiento, necesitamos, primero tomar consciencia de nuestros sentimientos negativos: culpabilidad, premoniciones de catástrofes, pesimismo, depresiones ante una vida sin norte y sin motivos... Son oscuridades que nos mantienen en tensión y que falsean cuanto se halla en nuestro entorno, porque falsean los sentidos con que lo percibimos y también la sensación que nos produce. Hemos de convencernos de que tales sentimientos están sólo en nosotros, no en la realidad circundante: la mesa con la que nos golpeamos no se siente dolorida; una mala operación comercial que nos aflige no se aflige a sí misma; el temporal que nos estropea una jira campestre no se siente frustrado... Pero no es eso todo: tales sentimientos negativos ni siquiera forman parte de nuestro yo verdadero. Quizá influyan en el yo social (un papel repartido que nos convierte en lo que los otros piensan o quieren de nosotros), pero no en el yo que somos y hemos de conocer. Son sentimientos que pasan, se suceden, son erradicables, no les pertenecemos ni nos pertenecen. Nuestra naturaleza no la constituyen ni la ambición, ni el éxito o el fracaso, ni el dinero, ni los vaivenes de la suerte, ni los giros de la fortuna, ni el amor tampoco ni el desamor... Ya que hemos hecho citas orientales, recordaré lo que en el Bhagavad-Gita le dice el dios Krisna a Arjuna: «Lánzate al fragor de la batalla y deja tu corazón junto a los pies de loto de tu señor.» Para ser felices, o de otro modo, para ser nosotros mismos, no son precisas una acción ni una acumulación; por el contrario, son precisos el abandono y el desasimiento.

Lo importante en el camino al yo (o sea, al corazón del que habla Krisna) no es el cambio de las circunstancias, sino el nuestro. No podemos cifrar nuestro conocimiento en la actitud de otro; el norte de nuestra vida, en datos ajenos; nuestra dicha, en el carácter de los demás. Sería como si un médico nos diera, contra nuestra jaqueca, una receta para el vecino. Somos nosotros quienes hemos de cambiar; si no, estaremos siempre alejados del conocimiento, perdidos en una realidad que no controlamos y nos hace sufrir porque somos su campo de batalla. Es insensato que nos sintamos mejor porque el mundo mejore: nuestro mundo mejorará cuando nosotros mejoremos. Penetremos con aplicación dentro de nosotros (sin una táctica especial, ya que eso querría decir que seguimos programados desde fuera) y observaremos que somos distintos y superiores a nuestras irritaciones, a nuestros enfados, a nuestros sueños, a nuestras complacencias. Y ha de ser de esta manera porque sólo es susceptible de ser cambiado lo que se comprende; lo que no se comprende puede ser reprimido nada más, porque no cae bajo la luz del conocimiento. Por grande que sea el cambio en nuestro alrededor, no nos hagamos la ilusión de que estamos cambiando. Nuestra letra es la misma sea cual sea la pluma que utilicemos; nuestra forma de pensar no será otra aunque cambiemos de peinado; nuestra tristeza no se disipará por mucho que nos emborrachemos de alcohol o de pastillas.

10 de marzo de 1996

EL INSTRUMENTO

El hombre no formaba parte de una manada o de un rebaño. Era un individuo distinto de los otros; pero sociable. La sociabilidad es tan esencia suya como la libertad. Buscó a los otros para protegerse y huir del aislamiento: la soledad conducía a la inhumanidad. Ni Robinson Crusoe estuvo solo, sino con su esperanza: la de encontrar la huella de otro pie humano en la arena; estuvo con Viernes o con el presentimiento de Viernes; estuvo quizá no más que con la ilusión de contar a los otros su aventura: era bastante. Sin embargo, la sociedad por el hombre formada comenzó a plantearle sus más graves problemas: lo coarta, lo frena, lo dirige, lo abruma... El experto en soledades comienza una vez más a sentirse agobiado por la compañía. Una compañía decapitada, invasora, babélica, estridente. En medio de noches vanas e interminables, rodeado de muchedumbres anónimas... Y es esta balumba de carrusel lo que le hace volver los ojos con ansia hacia la soledad exterior y lo que le multiplica la soledad interior, tan dolorosa.

Para el experto en ellas, la civilización, contra lo previsible, convierte la soledad en un refinamiento y en un sutil obsequio. Debe de haber sucedido algo muy grave.

Retorna, pues, a estar consigo a solas: los anchos cielos, la obediente lluvia, el silencio apenas interrumpido de sus perros soñolientos. Retorna con los ojos marchitos y la piel más reseca. Lo mejorará la visión de las estrellas impasibles; lo mejorará la solidaridad con la memoria de los muertos que no hace tanto le hicieron compañía y que ahora lo acompañan aún mejor: perfectos ya, jóvenes y amables para siempre, detenidos en plena flor, con imperturbables sonrisas y simpatías imperecederas. El solitario se siente circuido de un amor que irradia desde su propio centro y es como un nimbo tibio y fulgurante. Sabe que una flor sola no hace una guirnalda, ni una golondrina hace verano. Trabajará para que otros traben flores lujosas y pueblen los aires de pájaros al vuelo. No se recluye ni se acaba en sí mismo: necesita expresarse, dar lo mejor de sí al número más grande posible de personas; pero para ser fértil necesita estar solo. A la luz de los focos no se crea, ni en mitad de la escena.

Antes lo ha comprobado el experto en soledades; tendrá, no cree que muy tarde, ocasión de volver a comprobarlo. Y esta vez hasta el fin. Porque la soledad enseña a ir muriendo; pero también enseña a amar mejor a todos los demás. Ella es la compañía verdadera, la íntima, la ensimismada compañía, fuera de la que el solitario se halla disperso y fragmentado... Ahí está él contemplando la creación, tierna o embravecida, como se contempla un niño pequeño a quien se ama. Ahí está introduciéndola en su corazón para ofrecerla después viva entre los latidos. Y ama así cuanto ve: la dócil lluvia, las imperturbables estrellas, el río bisbiseante, la cándida mirada de sus perros, los desahuciados nidos del verano, el universo entero... Y esta habitación donde trabaja: sus vigas inclinadas, sus altas alacenas llenas de libros, sus muebles simples, su pavimento de barro cocido... Y ama el agua que bebe y con la que se lava. Y, desde lejos, cuanto ayer había desamado: bares, teatros, restaurantes, carreteras veloces, tiendas atiborradas... Y ama por fin a las personas en cuyo pecho y en cuya frente habitó más o menos, y a aquellas otras para las que escribe, y a las que lo siguen o lo aman todavía, y a las que no lo conocen ni lo conocerán... Es su soledad el lugar en el que todo cabe, el inagotable don que se reparte sin preferencias, sin regateos ni cicaterías.

El solitario se ha recuperado. Se enfrenta al espejo del mundo y tiene la convicción de formar parte de él; la convicción de que la victoria, si es que resulta imprescindible una victoria, siempre será del que se quede solo. Solo y poblado al mismo tiempo. No compartiendo la soledad con gestos y caricias de alguien amante bien correspondido; no comentando la soledad común; no entregándose a unas manos exclusivas: ya se le ha ensanchado el corazón al solitario con exceso. Solo y poblado, mira más lejos, dentro y fuera de sí, a los horizontes. Se disipan las nubes que los aproximaban. Y recuerda de pronto aquel pórtico en Fiésole: *O beata solitudo, o sola beatitudo.* Aún no se había desasido de las manos ardientes que oprimían las suyas mientras en alta voz —a dos voces— reiteraban la entonces incomprensible máxima... ¿Demasiado camino para llegar adónde? ¿Son este *ahora* y este *aquí* la plenitud? ¿Son el final acaso? Quizá no. El solitario aspira más que nada a no tener miedo de amar por encima de cualquier medida. Únicamente quien tiene miedo a exagerar amando tiene miedo a estar solo...

Alza los ojos a un refulgente mediodía. No ignora que a su través han de mirarlo muchos. Sus ojos son prestados, ávidos, puntuales. Antes de que se cierren tienen la obligación de trasladar este esplendor a quien no puede verlo, o a quien no sea capaz. El solitario sabe que es sólo un instrumento.

17 de marzo de 1996

VOLVER

Hoy he vuelto a la casa pequeña, a mi primera casa de Madrid. Había un rezago de luz; entraba de puntillas por los cristales con su humilde limosna. Quizá tenía unas décimas de fiebre; me he abandonado a ellas. Recosté la cabeza, cerré los ojos... Me he encontrado ante el 6.º B de aquel edificio a cuyo portal se asciende por unos peldaños desde la calle. La puerta se abre sola. La entrada permanece tan idéntica que temo que salga yo mismo a recibirme. En el espejo de enfrente tropiezo con mi rostro, pero como es ahora. Comprendo que se trata de algo semejante a un ensueño. No quiero abrir los ojos para no interrumpirlo... ¿Por qué no divisé la placa que alguien puso —quizá el Ayuntamiento—, en que se lee que aquí viví yo «años de intensidad y de creación»? No existía tal placa cuando me debatí nadando con fiereza entre la denodada alegría y la denodada desdicha de vivir, entre el esplendor y la penuria; cuando la vida era una sorpresa permanente, ni siempre luminosa, ni tenebrosa siempre... No quiero mirar demasiado al espejo del minúsculo vestíbulo. No quiero ver destrozos sin remedio: sólo yo he envejecido... Cruzo el pasillo, aún más estrecho por la querida librería, y desemboco ¿en qué?, ¿en el salón? ¿Por qué llamar así a un cuarto tan reducido? Y tan claro, sin embargo; con su terraza al fondo. ¿Por qué llamar terraza a este balcón un poquito más ancho de lo habitual? Veo la gran alfombra de color rosa oscuro, que *Troylo*, de cachorro, se empeñó en decolorar a lunares y pises. Oigo sus ladridos risueños como si me llegaran desde el dormitorio. Miro la otra biblioteca de color rojo vivo, el sofá-cama añil, el taquillón gótico que hacía la función de mesa, angosto y largo, la mesa teresiana, bella e incómoda, donde yo trabajaba con las piernas fruncidas...

«¿No hay nadie?» No, no hay nadie. Quien habitaba conmigo aquí no habita ya este mundo. Escucho, sí, sus risas junto al ladrido de *Troylo*. «He vuelto», me atrevo a decir... Y me responden risas, ladridos, el ruido de sus juegos. Siento que unas manos me quitan el abrigo, se demoran sobre mis hombros, me acarician el cuello. Siento que unos labios murmuran: «¿me perdonas?», y con delicadeza me besan en los míos. Siento que el hocico húmedo del perrillo me golpea, saltando, las rodillas. Vuelvo la cara y también beso. Alargo la mano y acaricio también... Me llevan al dormitorio, tan vistoso, tan divertido, tan poco confortable. Ahí están la librería que hicimos con viejos cajones lijados y vueltos a lijar, lacados y veteados como mármol gris perla; el ropero, entreabierto, que deja ver las resistentes ropas que compartíamos y que heredábamos sucesivamente con generosa reciprocidad... Me miro en el ancho espejo del servicio. En él, muy cerca de la mía, otra cara sonriente, y unos dedos que me cubren los párpados, y una voz que me pregunta: «¿Quién soy?»

Ésa fue la casa más desasosegada en que he vivido. Ni un día sólo, ni veinticuatro horas sólo estuve en ella en paz... Volvíamos a ella del mercado, con dos o tres caléndulas o un clavel asomando entre las parsimoniosas compras. Volvíamos a ella de la granja de enfrente, donde nos surtíamos de yogures y huevos. Volvíamos a ella de pasear por las anchas aceras, de tomar unos vinos, de comer unas tapas indigestas. Volvíamos a ella de fiestas amistosas, a altas horas de la mañana, cuando el portero ya estaba allí acusándonos con los ojos, y yo tropezaba al apearme del coche, y me caía en un charco importuno, y mi acompañante, feliz ante el reproche adusto y tácito del portero, se dejaba caer en el mismo charco junto a mí. Volvíamos de las sesiones dobles de los cines lejanos, en el corazón mismo del invierno, calientes en el metro, apoyándonos en las sacudidas uno en otro, anhelando oír ya el alborotado recibimiento de *Troylillo*... Volvíamos a ella. Siempre volvíamos. Después de las discusiones espeluznantes, de los disgustos trémulos, de los portazos, de las separaciones para siempre, de los definitivos y trágicos adioses. Volvíamos a ella, porque en ella se nos quedaba el corazón, fuésemos donde fuésemos. Y aquel olor a bosque... Por eso hoy he vuelto otra vez, la misma acaso...

Pero ¿quién lavaba aquí? ¿Y dónde? ¿Quién planchaba, Dios mío? Sé vagamente quién guisaba, no yo. A veces alguien venía a cenar, pero no recuerdo quién hacía la cena: quizá los invitados. Vivíamos de milagro. No; vivíamos de amor: teníamos que abrazarnos a la fuerza, tan pequeño era todo. De un amor turbulento y enemigo, arrasador y rutilante: «A quien sonría amor hable de rosas / que no tengo yo voz para blanduras.» Aquí escribí en limpio los *Sonetos de la Zubia* y buena parte de mis comedias... Pero Dios, ¿quién limpiaba? Oigo risas de nuevo, oigo ladridos. *Troylo* está enterrado bajo el olivo de la casa de la calle Macarena. Murió después de que muriera su amor más grande. Nuestro amor más grande le temía a la luna llena y a la lluvia; ahora yace bajo la tierra, bajo la luna, bajo el agua...

Abro los ojos y es ya noche cerrada. Vuelvo a esta casa de hoy cansado y admirado. De mi resistencia, de mi salud de ayer, de mi valiente entrega, de mi pasión sin límites por el amor y por la vida. Abro los ojos, pero no veo nada. Todo el sosiego del mundo me rodea, el orden, el silencio. Los perrillos sucesores de *Troylo* —no sustitutos, no— se amontonan sobre mis pies. En efecto, ha caído la noche. Todo está bien. Todo a mi alrededor es apacible. «¿Para qué?», me pregunto. No sé qué contestarme.

24 de marzo de 1996

LA ACTIVA INACCIÓN

Pertenezco a un pueblo, el andaluz, cuyas más grandes concreciones y más esplendorosas síntesis se fraguaron, como el buen vino, en quietud fervorosa y en penumbra. Un pueblo que no confunde nunca el paro —forzoso— con el ocio —vocacional—. Un pueblo que se encuentra más cerca de la postura griega que el resto de los peninsulares, porque su indolencia es el resultado de un desdén por *las cosas,* de una parsimonia, de un ascetismo y de una ciencia de la vida. Para tal pueblo el trabajo no es un motivo de ínfulas, sino más bien lo contrario: trabaja el que no sirve para nada más, ni siquiera para eso, trascendental, de convertir el trabajo en cumplimiento y florecerlo así: trabajar en lo que se quiere no es un castigo. El *otium cum dignitatem* de Cicerón lo tiene bien presente el andaluz, y prefiere rebajar el techo de sus necesidades con tal de reducir las fatigas que le cuesta satisfacerlas. De ahí que el menosprecio de los oficialmente laboriosos surja de una incomprensión y una ignorancia. El andaluz no aspira al *way of life* de los superdesarrollados; no lo aceptaría aunque se lo regalaran; su ambición es opuesta: desea *ser* y no *tener.* Creo que cada vez más gente le dará la razón.

Diógenes, el buscador del hombre, tomaba el sol fuera de su tonel cuando se le acercó Alejandro para aprender con remota humildad. No obtuvo sino su indiferencia y el ruego de que no se interpusiese dándole sombra: la *mala sombra* del invencible. Alejandro no hizo más que correr de un lado a otro conquistando tierras que no veía, y morir joven, envenenado más o menos como era de esperar. El exceso de actividad es pernicioso como el exceso de estudio. En los libros no hay que aprenderlo todo. No hay que contemplar la vida en un espejo, de espaldas al fulgor y al bullicio y a la estridencia de la realidad; porque correremos el riesgo de confundir las direcciones y convertir en diestro lo siniestro. La vida, fuera de nuestros despachos, pupitres y burós, se desgarra los muslos entre los rosales. «Tú que estás la frente en la mano / meditabundo, / ¿has dejado pasar, hermano, / la flor del mundo?» El conocimiento no siempre llega a través de gruesos libros, ni está en el tubo de los microscopios. La aridez y el frío del raciocinio han de compensarse con la palpitación y el calor de la experiencia. Campos, uno de los heterónimos de Pessoa, escribe: «Detente, corazón. / No pienses. Deja pensar a la cabeza.»

Siento una personal aversión por quienes sólo viven para desarrollar una ocupación convencional y sinsorga. No por los que la desarrollan para vivir, sino —insisto— por los que viven para ella. Les falta el aire y la luz cuando no tienen que ir al banco o a la oficina, cuando han cubierto su horario y pueden descansar en otra actividad, lúdica y más hermosa. Tropiezan de manos a boca con el vacío, como esos viejos jubilados que, al no estar dispuestos para el ocio, consideran un desierto su vida, y se aburren, y se lamentan, y, estuporosos ante la pereza obligatoria, acaban por ahorcarse. Cuánta carencia de curiosidad, de deseos, de impulsos y de amor. Para extraer el verdadero jugo de la vida, que es lo único que nos mantiene en pie, hay que tener agallas. La mayoría se contenta con nimiedades: éxito, fama, riqueza, bienestar, sin excavar aún más en sí, sin ahondar ni exigirse.

¿Cómo se quejará un leñador de que no corta más árboles porque no tiene tiempo de afilar su hacha? ¿Cómo aquel al que le ardía la barba creyó hecho lo debido porque había llamado a los bomberos? Si alguien procura el triunfo en su vida tendrá que haberlo procurado en sus distintas edades. Un niño no se logra con aprender el catón sin haber jugado, y trepado a árboles prohibidos, y manchado con dátiles y cáscara de nueces, y comido frutas verdes a mordiscos. Un adolescente no se logra con obedecer, si no hierve en contradicciones, y descubre el sexo y se demora en él, y se aísla y se multiplica a la vez, y se derrama. Un joven no se logra con obtener un porvenir o hacerse un hombre de provecho, si no se rebela y se entrega, y se arriesga, y sueña y se fortalece. Un adulto no se logra sólo con sacar adelante a su familia, si no indaga la verdad, y profundiza en su entorno, y lucha contra el error y la injusticia. No sólo existen abogados o agentes de bolsa o *brokers* o banqueros; existen los que llevan consigo la sal de la tierra y su alegría. Los maestros enseñan ideales de buenas maneras, de prudencia y respetabilidad; pero los monumentos que nos interesan suelen honrar a quienes los han desobedecido totalmente.

Entre lo que se hace por gusto o por fuerza hay mucha distancia. El deber más alto que tenemos es el de ser felices, acaso porque a la felicidad o a sus cercanías nunca se llega a solas. A solas se lee a Kant o a Schopenhauer; para besar se necesitan dos; para bromear y construir se necesitan más. Es preciso acrecentar la humildad y la llaneza, porque no hay nadie indispensable. Dice Stevenson que el mundo habría seguido marchando aunque a Shakespeare, que ya es decir, le hubiesen aporreado la cabeza, una noche oscura, en el coto de sir Thomas Lucy. A quien más útil le será su vida es a cada uno; no la sacrifiquemos en un vértigo estúpido, lleno de urgencia y ruido, de desazón y estrés. No sea que la perdamos, y con ella todo. Y que el último cigarrillo nos lo encienda la muerte con su gélido aliento. Y aun una muerte anónima: ni siquiera *la nuestra*, la verdaderamente nuestra, que desde el principio nos estaba esperando.

31 de marzo de 1996

CANSANCIO

Hay días en que la casa sosegada se cubre de cortinajes negros. Días en que uno ha de olvidar que le gusta la música y no teme a la muerte, porque quizá ambos sean conceptos antitéticos. Días en que el presente no acaba de pasar, y en lugar de asumirlo como alimento único, se aparta con un gesto, igual que hace un enfermo desganado. Días en que se siente que es imposible olvidar el paraíso y tratar de inventárselo. Días en que sólo puede uno asirse a esa somnolencia que nos invade antes de presenciar la llegada del tren definitivo, recostados en el andén imprevisible, olfateando el olor a almendras amargas de sus humos. Días en que uno confirma su eludida impresión de que todo su alrededor es una celda, y de que saberse preso nada tiene que ver con las dimensiones de la celda... Sencillamente es que se está cansado.

Mirar hacia atrás cansa, como si todo lo que hemos vivido durante muchos años lo viviésemos de pronto en unas horas. Qué desfallecimiento y qué jadeo. Cuántos amores muertos en las manos, cuántos ramos que jamás volverán a perfumarnos, ni volverán a abrirse nunca más para que adivinemos la presencia de unos brazos... Cuántos gestos inconfundibles: de labios, de cinturas, de manos. Cuántas caricias abrumadoras hoy. Porque lo que, a lo largo del tiempo, fue etéreo y sutil, se convierte en estos días, apilado, en una carga insoportable. Y el cansancio que sobreviene no es por algo concreto, no por algo que tenga que ver con lo sucedido esta misma mañana, sino por cuanto se ha sufrido y caminado y gozado (también el gozo pesa), por cuanto se ha trasladado de sitio el corazón, por el número de los adioses en que se agitó el alma como un pañuelo blanco.

Y es que siempre hay algo que falta, que continúa faltando, en nuestros sentimientos y en las pasiones que nos estremecieron, por mucho que queramos redondearlas e intentemos sustituirlas por la tibia tarea del sosiego. Siempre hay algo —un último matiz, la sombra de un párpado al caer— que faltó entonces y que hoy falta todavía... Y de ahí el cansancio. Porque hay quien ama lo imposible, y hay quien desea lo infinito; pero quizá lo peor sea amar de modo imposible lo posible, o desear de modo infinito lo finito... Aunque el cansancio de estos días en la casa sosegada no tiene causa lógica, ni se adormece ni se empequeñece por averiguarlo. La herida duele igual, cualquiera sea el arma que la provocó, y, si no cicatriza, cualquiera sea el pasado en que nos la infligieron.

Uno querría dormir, reposar la cabeza en su penúltima almohada, quedarse y olvidarse. Porque el cansancio mayor, del que hablo, proviene de sumar todas las desilusiones que nos engañamos al creer ya olvidadas; de acumular todas las desesperanzas a las que cerramos los ojos para fingir que no existieron; de soportar el mundo sobre nuestros hombros que no son los de Atlas, cuya fragilidad pretendimos desconocer durante tanto tiempo... Es el cansancio de caer en la cuenta de que nunca fuimos el que aspirábamos a ser. El cansancio de haber dejado de intentarlo. El cansancio que implica la resignación de cerrar las ventanas a las que se asomaba el sueño de la infancia y el impulso ciego que nos mantuvo —para nada— en pie... Es el cansancio por todos los esfuerzos que hicimos y los que estuvo en nuestra mano hacer y los esfuerzos a los que nos negamos. El cansancio de lo hecho y de lo que abandonamos sin cumplir. El cansancio de saber de antemano que no existe un descanso posible... «Para descansar, morir.»

Cuántos personajes hemos sido dentro de la tragicomedia en la que se resume nuestra vida. ¿Quién lograría descansar por todos? Porque de todos proviene este cansancio de hoy. Cuando estaba por fin la casa sosegada, irrumpen en tropel las voces que nos estremecieron y que nos alarmaron; las que nos hostigaban o nos complacían. Alguien, fuera, pronuncia a gritos nuestro nombre, y el ensimismamiento ha de salir de sí e ir al encuentro no sabe bien de qué. Sobrepasada la turbulencia, se tenía derecho a esperar el descanso; pero entonces sobreviene un cansancio repentino, mucho más grande que ninguno que nos fuese dado suponer. Nos sucede estos días lo mismo que sucede con los venenos contra los que no cabe mitridatismo alguno, porque sus dosis van acumulándose hasta que acaban por matarnos... Son los días de la casa sosegada en que uno lleva luto por sí mismo; en que uno, que era su mejor soporte, gira como el moribundo la cara hacia el muro, y se niega a seguir fingiendo ser el buen enfermo o el buen samaritano.

Son los días en los que uno recita el hermoso canto de viaje: «He recorrido las pendientes que suben y que bajan; / resistí y me fatigué en los días del pasado; / lo deseé todo y me he despedido ya de la esperanza; / viví y amé, y ahora he cerrado la puerta.» Son días que transcurren en la oscuridad, porque no ha amanecido y tampoco es probable que amanezca.

7 de abril de 1996

EL BUFÉ EN EL JARDÍN

La vida es como un bufé desplegado en medio de un jardín. En él se dispone todo tipo de manjares fríos y calientes. Es preciso elegir. Saber primero qué es lo que nos apetece y tomarlo, o dejar que sean los platos los que despierten nuestro apetito. Sin embargo, hay muchas personas que se satisfacen con mirar el jardín y recrearse en él hasta tal punto que, cuando sienten hambre, el bufé ya ha sido retirado. Hay otras que dudan demasiado de qué platos servirse y, cuando no les queda tiempo, han de engullir el que tienen más cerca. Hay otras que se preparan meticulosamente, se asean, buscan la mesa a que llevarse su comida y acaso también algunos compañeros, y van perdiendo su oportunidad... La vida consiste en un banquete del que la mayoría se priva; la vida es un tesoro —el único— que no llegamos a poseer a fuerza de andarnos por las ramas. Nuestra tragedia no estriba tanto en lo que sufrimos cuanto en lo que perdemos. Porque la vida es la única oportunidad que se nos brinda, y se esfumará si nos contentamos con pedir o quejarnos, sin alargar la mano y arrebatar aquello que de veras nos tienta; si nos adormilamos como vírgenes necias que olvidan el aceite de sus lámparas.

Hay que estar en el jardín a la hora del bufé, que es siempre *ésta.* No hay que evocar jardines y bufés ya pasados, ni abandonarse a los que nos traerá el día de mañana, ni comparar los nuestros con los de otros. Es necesario estar con el propio corazón en la propia casa y en el momento exacto. Da pena que muchos rebullan y se acaloren de modo tan incesante que no perciban que su bufé ya está servido. Acaso el día en que dejen de apresurarse se den cuenta de que ya han llegado. Recuerdo una tarde en el Museo del Prado: un profesor conducía a un grupo de muchachos muy jóvenes. Les ilustraba con una prisa insensata sobre el significado de este o aquel cuadro. Dos o tres alumnos se rezagaron en la contemplación de uno que les atrajo. «Si os detenéis a mirar cada cuadro, no tendréis tiempo de ver el museo», les gritó el profesor. Es eso exactamente lo que solemos hacer todos: por no pararnos a disfrutar, por economizar tiempo y deseos, dilapidamos nuestra vida. Por distraernos en tareas secundarias, llegamos al jardín cuando se han levantado los manteles.

En este tema no caben aplazamientos; nadie tiene seguro ni el día ni la hora en que lo expulsarán. La vida no es mañana; el amor no es mañana; lo trascendental nunca es mañana. Siempre es *ahora,* siempre es *aquí.* Cada minuto, irrepetible, exige su plenitud y su canción. Nadie alcanza a deshora sus manjares: el bufé se habrá quedado trasnochado sabe Dios en qué despensa. La vida no requiere preparativos; requiere sólo *ser.* El que más proyecta se queda siempre en tierra cuando zumba la sirena del barco que zarpa hacia la mar. Si uno va a un restaurante, no se come la carta: la usa para pedir. Las instrucciones de uso de una medicina nunca curan. Las jugadas más importantes son las que menos exigen ser premeditadas.

Porque estamos obligados a participar en el juego que llamamos *la vida,* cuyo reglamento no conocemos en sus nimios detalles, pero que en modo alguno depende de nosotros. Ella reparte cartas: el mazo entero es suyo. Y cada uno ha de jugar lo mejor que sepa con los naipes que le toquen. Inútil es lamentarse; inútil es perder el turno reclamando; inútil es tratar de jugar no con las cartas que le repartieron, sino con las que uno habría querido tener, o soñó tener, u opina que debieron ser las suyas. Ése es el procedimiento más rápido de perder la partida, o sea, de perderse. La opción que se nos brinda no es si queremos jugar o no, no si preferimos unas cartas a otras. *Tenemos* que jugar; la libertad reside en cómo: eso sí que depende de nosotros. Que la belleza del jardín no entorpezca la hora del bufé; que su olor no nos disuada de acercarnos en busca de más vida. Aquello que perdimos y aquello a que aspiramos están, juntos, en nuestro interior.

Pero el bufé y el jardín no fueron pensados para modificarse a nuestro antojo o a nuestra conveniencia, como los naipes repartidos no pueden ser cambiados. La última realidad en que vivimos no es susceptible de ser ni rechazada ni aceptada: simplemente está ahí. Intentar huir de ella es como emplear los pies para escapar de nosotros mismos, y aceptarla es llover sobre mojado: ¿quién besará sus labios en un espejo helado? Lo que hay que hacer es mirar. Lo que hay que hacer es comprender: otorgar a cada cosa, a cada escalón, a cada persona, a cada plato, a cada flor, a cada atardecer, la importancia que tienen... Y ahí sí que es posible que erremos. «Estamos yendo en una dirección equivocada», advirtió su acompañante al conductor de un coche. «No importa, le contestó éste, ¿no ves que estamos batiendo un récord de velocidad?» Cuanto más grande sea la velocidad a que nos desplacemos, si la meta propuesta no es la acertada, más nos alejaremos del lugar donde somos esperados, del lugar por el que desde el principio nos movimos: el jardín común en el que se halla montado el bufé de la vida. Porque ni la duración, ni la distancia, ni el tamaño son medidas de nada sustancial, sino meros productos de nuestra insuficiencia.

14 de abril de 1996

POR ACCIDENTE

El solitario regresaba a su casa solitaria. Había asistido a una fiesta popular, entre una muchedumbre de viñadores y de marineros, a la vera del mar, rodeado de castañuelas y violines. Lo habían nombrado cofrade de honor de una hermandad, cuya imagen, entronizada en un paso barroco, bailaba sobre las espaldas de los porteadores. La noche, como un fanal oscuro, cobijaba con su silencio la ruidosa orgía, a mitad de camino entre la salve y la ebriedad... Ahora regresaba, callado, junto al conductor, por una carretera que se abría paso en las tinieblas, apenas apartadas bajo la cruda y arcana luz de la luna.

Ocurrió todo en unos segundos. Debía de haber habido un accidente. Unos coches, detenidos mientras algo se resolvía o lo que estorbaba era apartado. El último de ellos no había encendido las luces de situación. El solitario lo percibió antes que el conductor. Gritó su nombre y puso una mano sobre su rodilla. El frenazo, que dejó huellas de neumático sobre el asfalto, no evitó el choque. Durante un segundo, esperó el solitario el estrépito que no por vez primera experimentaba: la conjunción del violento envite, de los cristales rotos, de la sacudida sobrecogedora que quizá amortiza, envolviéndola, la misteriosa llegada de la muerte...

En ese instante mínimo, como ocurre al parecer en la agonía final, evocó su vida: el fracaso y la sonrisa de su vida, la angustia y la complacencia. Embrollado todo y junto, como los recuerdos que se sacan, sin distinguirlos, de un arca confusa y arrumbada en no se sabe qué desvanes. Evocó lo que creía haber hecho, y lo que realmente hizo, y acaso lo que pudo hacer con su vida... No le supuso una visión muy agradable. Y no es que comparase, o que examinara, ni que calificara: estaba todo engarzado y revuelto. Los hechos y las posibilidades... Y sintió un lacerante frío. No por temor a la muerte, sino por el de no haber vivido, que es siempre la obligación más exigible.

Cerró los ojos esperando la embestida. Dejó que su cuerpo tomase por instinto la postura más prudente, se recogió en sí mismo. El automóvil, que parecía darle libertad, que lo conducía a la casa sosegada, se transformó en un recinto minúsculo del que era imposible escapar, en una celda amenazadora camino del horror, en un sillón semoviente o irrefrenable... Para tocar aquel momento se habían precipitado todos los infinitos anteriores, acaso vivos todavía en algún lugar, mientras que quien los vivió y llenó se iba a quedar fuera del tiempo... La eternidad de los instantes, la fugacidad del que hasta ahora decía *yo,* la falsedad del espacio y del tiempo, meras ilusiones vanidosas. El barullo de lo que fue y de lo que pudo ser se abría como un abanico desajustado cuyas varillas crujen...

Y apareció de pronto, sobre el país de ese abanico, aquello que el solitario nunca fue, aquello que el solitario nunca pudo hacer, aquello que ni siquiera soñó... Y sintió un daño entonces, entre el fragor del topetazo, cerca del corazón. Y, como en un relámpago, el solitario vio claramente lo que debió haber sido, lo que estaba previsto por alguien que él fuera, y los graves pecados de omisión que salpicaron todos sus años: las caricias escatimadas, y las sonrisas desleídas, y las palabras de amor no dichas nunca o mordidas entre los labios demasiado crueles, y la felicidad troceada, dividida en pequeñas porciones como un pastel glorioso, pero no para compartirla sino para abarcarla con más facilidad, y el dolor traicionado para escapar de él, el dolor no asumido, los riesgos no aceptados: la vida paralela que el solitario abandonó en las sombras de la nada... Y apareció lo que ni siquiera había soñado, lo que ni siquiera había tenido la osadía, el arrojo, la insensata pasión de soñar.

Evocó escenas irreales, miradas que prenderían fuego a sus secos pajares, dedos cuyas yemas habrían florecido sobre su cuerpo, intrepideces que no urdió, declaraciones rutilantes, esperanzas verdegays que habrían teñido las laderas del mundo cuando la verdad aún sostenía en sus manos el prodigioso invento de las horas... No ya equivocaciones, no cambios de dirección erróneos, no frases confundidas o mal enunciadas u omitidas, no extravíos, no vacilaciones, sino el delicado tejido en que se dibuja con unas simples líneas tampoco ya los sueños, tampoco los ensueños, sino el país de las maravillas que el solitario no soñó jamás... Todo lo otro puede un muerto quizá llevárselo consigo; apretar con las manos la llave de su vida, sin saber dónde va, ni quién lo ha de recibir, si se recibe a alguien que está muerto. Pero lo que no se soñó no pertenece a nadie, no fue nunca de nadie. Cuando el tiempo concluye, concluye la esperanza. El despertar nos abruma... Porque uno es lo que soñó, y lo que no soñó será contra él, al anochecer, al ser examinado de amor, un testigo de cargo...

El solitario, cuando cesó el encontronazo y recuperó el sentido, buscó a tientas sus gafas. Las consecuencias del accidente fueron leves: sólo dos costillas rotas, más o menos a la altura del corazón. Lo sacaron del coche y lo acogió la fría luz de la luna. Por primera vez el solitario la encontró misericordiosa.

21 de abril de 1996

EL BARRO DE LOS PIES

El hombre es un ser contradictorio y problemático. En lo alto de sí mismo, como una delicada veleta, lleva un sustituto de los instintos protectores: la inteligencia; pero sus pies, y algo más que sus pies, son de barro. En este mundo es como una excepción, un extraño invitado, o mejor, alguien que se introdujo sin invitación. Estaba la Naturaleza bien tramada, con sus grandes canales obligados por los que circulaban todos los seres vivos; hasta que apareció el hombre, mísero y exigente, sorprendiendo a su propia madre, que se preguntó entonces, y supongo que aún sigue, qué era aquello que había dado a luz. Un ser complejo y sinuoso, al que seguramente aborreció y trató de sacudírselo de encima sin conseguirlo nunca. Su nacimiento no le había concedido pieles, ni escamas, ni un humilde caparazón, ni defensas, ni los misteriosos recursos del sentido con los que los otros animales obtienen su poder: la vista prodigiosa, el enigmático oído, los largos e infalibles senderos del olfato, las percepciones que los sitúan en el centro de *su* paisaje. El hombre estaba desnudo y tenía que construir su guarida. Era libre de hacer o de no hacer, pero no podía subsistir a solas. Luchaba por su comida como los animales, y acabó por comérselos, no sin sazonar previamente su pitanza. Y por fin el extravagante ser implantó la perturbación máxima: el pensamiento, que lo alborotó todo, lo subvirtió y lo amenazó. Era su única arma, pero la empleaba con insolencia y sin tregua. Hasta en los primigenios gestos de la reproducción dispuso un sentimiento de ternura, perjudicial en muchas ocasiones, al que llamaba amor.

El hombre, que durante miles de millones de años se doblegó o se adaptó en lo posible a la Naturaleza, hubo un momento en que el protagonismo de su vida lo entregó a su parte cimera, y sacó así de quicio su trayecto y su estancia en la Tierra, que lo miró asombrada y temerosa. Comenzado entre los griegos como un solaz apasionante y luminoso, el juego de la razón apartó al hombre de sus inclinaciones y sus contactos naturales, de sus orígenes, y lo ensimismó. Con frecuencia deseó vengarse de su desvalimiento, como si necesitase probar su jerarquía. Dominó, violentó, esquilmó a la Naturaleza, la embridó incumpliendo a menudo sus fines; se desvió él mismo de estaciones y ciclos: produjo frutos fuera de temporada, compelió a los animales a multiplicarse sin ton ni son, taló, excavó, extrajo del vientre del Planeta más de lo previsible... Y se amargó, sin embargo, al mismo tiempo que amargaba a su entorno.

La sociedad que arbitró para que lo protegiese se volvió, delincuente y hostil, contra él. Las ciudades que creó como aliadas se le enfrentaron y lo redujeron a su madriguera. Su compañera y sus hijos le negaron la placidez del hogar o la pusieron en gravísimo riesgo. El Estado, que gobierna y explota *quia nominor Leo*, a imitación de ciertas mudas potencias naturales, se apropia y rige y revisa las tres necesidades de sus súbditos —la comida, el cubil y la pareja— resolviéndoles, a medias y no a todos, los problemas, discriminando, desprotegiendo y desamparando. Los conflictos de la convivencia entre los hombres crecen cada día, dentro de una nación o fuera de ella, con guerras declaradas y sin declarar, abusos económicos, violaciones regionales, genocidios e inmigraciones. La libertad es un mito difuso... Ya sólo un instinto le queda al hombre desarrollado de hoy: el del egoísmo y la autoconservación, que sabe luchar con uñas y con dientes, sin otra solidaridad que —quizá— la de la familia, la del clan o la tribu.

La única mejora que cabe es el regreso: mirar a nuestro alrededor, fundirnos y confundirnos en él, tratar de recuperar el barro de nuestros pies y la última verdad de la Naturaleza. Igual que las relaciones sexuales, si son satisfactorias, nos aúpan y nos acrecientan, el acercamiento y las relaciones con ella son esenciales para el bienestar humano. Olvidemos de cuando en cuando nuestra racionalidad, las obsesiones y las desgracias que nos trae a cada uno y a la comunidad —encarnizada— que formamos; olvidemos los ecos de la pesadumbre y de la muerte, y echémonos en brazos de la hermosura que nos rodea: el placer de las sensaciones, la sombra en el calor y el calor en invierno, la flexibilidad de los cuerpos, el gorjeo de los pájaros, el matiz mudable de los cielos, las declinaciones de la luz, la inefable vibración de la vida y su inmortal renuevo. Si no somos personalmente responsables de las catástrofes que nos sobrevienen o sobrevienen a nuestros semejantes, después de haber luchado contra ellas, abandonémonos a los elementales litigios de la Naturaleza, a sus inocentes y perennes reencarnaciones. Somos parte de ella. La vida transcurre por nosotros como por el tigre, como el agua por los ríos y la lava por los volcanes, como el aroma por la gardenia y el color por el lirio. No nos engriamos demasiado: lo peor de nosotros es lo menos natural. En nuestra sublevación hemos hallado la desdicha, el desorden y muy poquito más.

28 de abril de 1996

MORIR JOVEN

El hombre, además de otras cosas pero quizá por encima de todas, es adaptable. El lapón habita entre crudas nieves enamorado de ellas, y las echa de menos si se aleja; quienes habitan en las faldas de los volcanes, destruidos sus pueblos por una erupción, los reedifican en el mismo lugar. El hombre sabe con certeza —con la mayor certeza— que tiene que morir; y, sin embargo, vive. La espada de la caducidad, incompatible con un dios bondadoso, se balancea sobre su cabeza; el hombre construye su morada en el

121

borde resbaladizo de un despeñadero. Todo es aquí mortífero: el aire que nos oxigena es capaz de producir un mal irreversible en ciertas circunstancias; la comida que nos nutre nos puede envenenar; el amor y el semen y la sangre, propensos a la vida, son susceptibles de darnos el más grande empellón hacia la muerte; la maternidad, a veces, asesina a quien transmite el recado esplendoroso de la vida; el tiempo, en el que transitamos y que escande nuestras emociones y nuestros ideales, nos deteriora día a día, lo mismo que una alfombra rodante que nos portase sin la menor interrupción hasta el abismo negro... El hombre conoce su final: el más común de todos los destinos, lo único infalible, la única verdad palmaria y evidente. Y, a pesar de ello, con valentía, en vez de suicidarse y concluir de un tajo la torturante espera, se echa en brazos de la esperanza, prosigue en su incierta andadura, y vive, y vive, y vive.

Quizá la explicación no es que ame la vida, que nadie sabe lo que es y en qué consiste, ni por qué se gasta y tiene que cesar en cada ser (no en ella misma, que es la dueña absoluta). Quizá lo que el hombre ama son las posibilidades de la vida, que lo configuran, lo desenvuelven, lo perfeccionan y lo rematan en todos los sentidos. Cerca de la red o de la trama abierta en la que no tardará en caer, le está permitido al hombre —o él se permite— sentarse a comer y a beber, a hacer los suaves ademanes del amor, a besar en la boca a la trémula vida tan efímera siempre. Y se permite también, de pie, emprender largas caminatas costosas que mejorarán a la humanidad entera, dilatarán su salud y su existencia, aminorarán su dolor, la obnubilarán con su belleza, paliarán los efectos de su precariedad, incentivarán en fin la esperanza inmortal de los mortales.

Por eso no son los que aman más la vida o el vivir quienes toman más precauciones, quienes se acorazan contra el calor y el frío y los contagios, quienes no se juegan jamás íntegros a una apuesta. Más ama la vida el desnudo que se entusiasma con la velocidad o el riesgo, ni siquiera imprescindibles, sino provocados, como si todo fuese un entretenimiento del que hubiera que sacar el más jugoso y excitante partido. Más ama la vida el que tapona sus oídos y cierra sus ojos a las bruscas y estridentes llamadas agoreras, y se propone alcanzar una meta infinita, coloreada y armoniosa. Porque hay hombres convencidos de que la fortuna ayuda a los audaces, y la fortuna no es otra cosa que la vida. Los pusilánimes, con la cabeza atiborrada de miedos, mueren antes y más solos, sin que el vértigo o el pánico les hayan dejado asomarse a las anchas ventanas del calor y de la fragancia, más intensos cuanto más breves son. Por mucha parsimonia y mucha prudencia con que se administren las oportunidades de la vida, nadie alargará la suya ni una hora. Sobre el reducido mapa que nos representa ya hay una roja cruz que señala el lugar y la fecha. Al cobarde lo acompañará, hasta el fin escrito, su pavor nada más; al hipocondríaco, las amenazas falsas o reales no le consentirán desplegarse, ni fortalecerse, ni medrar; al valetudinario, acongojado en su rincón, sólo se le concede el dudoso privilegio de morir viéndose hacerlo.

Por el contrario, los que extienden la vida y la rezuman son quienes la malgastan, quienes la desperdician sea cual sea su tamaño, quienes la ejercen con fruición y la devoran como una fruta apetitosa, quienes atraviesan sus desfiladeros de peligro y desdicha con una sonrisa entre los labios. El verdadero amante de la vida, es decir, el que más la merece, será quien se sienta incapaz de detenerse, aquel al que la impaciencia le consuma, a quien la urgencia de vivir se le imponga como un feliz tormento. El viviente auténtico es el que derrama su salud como un pródigo, no el que la acapara como un oscuro avaro. El problema no es del destino, sino de actitud ante el destino. Habrá quien vegete, riguroso y asustadizo, dentro de habitaciones transformadas en boticas, subyugando a familiares o cuidadores bajo sus alarmas y sus sobresaltos, en todo caso inútiles. Y habrá quien sobreviva a la intemperie, ligero de equipaje, volcado hacia fuera, enriquecido por cuanto lo tensa y lo prolonga, de puntillas sobre el vibrátil trampolín de la vida, o rampante por su incalculable pértiga para el salto.

Quien empieza una obra ilusionada, en su trabajo lleva su recompensa: si no la concluye, la proseguirá quien recoja el testigo en esta carrera de relevos que nunca se termina. Quien vivió con valor y alegría deja detrás su estela. Quien confirma que el caudal de la vida es preferible desplomarlo de pronto a diluirlo sin ninguna ventaja entre la arena, es el poseedor de la clave adecuada. Porque si es cierto que los amados de los dioses mueren jóvenes, también lo es que muriendo así, cualquiera que sea la edad a que se muera, joven se morirá.

12 de mayo de 1996

EL IMPOSIBLE OLVIDO

Cae la tarde sobre la casa sosegada. La luz se filtra entre las ramas de los árboles, traspasa los cristales y se instala sobre un extremo de la mesa, sobre un marco dorado, sobre el pie de una lámpara... Es lo mismo que un silencioso pájaro que interrumpiera la penumbra. El solitario, sin querer, vuelve el rostro hacia atrás. ¿Qué espera? No más que la venida de la noche, la pacífica y comprensiva tiniebla, la hora del descanso... Sin embargo, descubre en su entorno otros rostros, no muchos, que la piadosa luz manifiesta suavizándolos. Son los rostros que alumbraron su vida, los bienamados ya inexistentes que todavía lo asisten. El estudio se transforma, como por un milagro ajeno al tiempo y a la distancia insalvable, en una atenta reunión de familia.

Alrededor de la ancha mesa, las manos que tan pródigas fueron en caricias. La luz benevolente pisa sobre ellas sin pesar sobre ellas, y luego se retira. Sólo los ojos brillan y la expresión del rostro, amable y encantada. En esta imprevisible convocatoria comparecen los amores a los que el solitario sobrevivió. Y no son hojas caídas: son frutos que el recuerdo mantiene en total esplendor. ¿De dónde llegan? En la alcoba más apartada continúan vivos e inaprensibles, relegados tan sólo en apariencia, pero sosteniendo la trama de la vida como sostuvieron la vida cuando la protagonizaban. Los labios tan diversos, los pómulos en que la luz escarba, las pestañas que desploman su sombra... Son distintos y, no obstante, algo común —la similitud que da una prolongada conviven-

124

cia o un profundo deseo compartido— los aproxima unos a otros, los funde, los confunde. El solitario quiere detenerse de uno en uno, reconocer el tiempo en que cada cual irisó su corazón como el cuello de una paloma. Pero él también los funde, los confunde. Recuerda las caricias, no las manos; las miradas que ilustraban la creación y no los ojos. Recuerda la vida que recibió de ellos, su alegría, la flor del desayuno dividido, la sed inagotable de la almohada; recuerda el agua, no la fuente. Porque ¿qué otra cosa es la fuente sino el agua? ¿Qué es la vida sino la sed y la alegría? ¿Qué los labios sino la palabra y el beso?

Ha de cerrar los ojos para traer al presente sus facciones: las que distinguían aquellos rostros que retornan desde un ayer más allá de la muerte y no sabe por qué... Un detergente pálido ha limpiado las manchas que ajaron aquella hermosa urdimbre del amor; una mano invisible planchó las visibles arrugas. No hay ya disgustos, celos, desenfrenos, vehementes reconciliaciones, huidas y reencuentros. Ya sólo queda el regusto de anocheceres como éste, en que los cuerpos se aproximan con la naturalidad con que asciende un perfume. Un cuerpo u otro cuerpo, da lo mismo: todos fueron jubilosos caminos que el amor transitó, y su Getsemaní y su monte Tabor... Entre el solitario y ellos hoy, como un jarrón de flores, titila una sonrisa. Estuvo todo bien; fue bueno lo que colaboraron en hacer y el trayecto que del brazo cumplieron. No siempre la ardua tarea del amor se presentó asequible: exigió fuerzas, resolución, certeza... El solitario pasea sus ojos por las caras amadas. Busca entre ellas la que más vaciló, la que en ocasiones se negaba, la que se echó a veces para atrás. No tropieza con ella, pero sabe que está. Sin duda la muerte ha decidido. No es la muerte la peor enemiga del amor. No lo es cuando asegura ni cuando dulcifica. Y lo mejor es lo único que dura...

En torno a su mesa de trabajo, observa el solitario sus amores, con las manos que tanto amó dispuestas como para una imposible partida de naipes. Nadie va a repartir el juego aquí; nadie tendrá opción de ganar a los otros. Aquí son todos a un tiempo vencedor y vencido. Hace mucho que se levantó la deseable timba, que se extraviaron el mazo de las cartas y el tapete de fieltro sobre el que las apuestas subían hasta tocar los cielos... No queda nadie ya. Estos mudos testigos que el declive de la luz trajo tan suavemente, será la misma luz quien se los lleve a su guarida póstuma. Con ella se llevará los gruesos labios, las manos delicadas, los párpados plisados hacia arriba, los almendrados ojos, algunos de un color increíble... Se llevará con ella la memoria de tanta entrega y tanta sumisión y tanta rebeldía; de las encendidas mañanas rampantes y de las noches que nunca terminaban, como si una luz interior las inflamase; la memoria del jardín y del vino y de la fruta a medias disfrutada; de los viajes en que un amanecer de primavera inauguraba el mundo... Se llevará la luz, cuando se aleje, el color de la piel de cada cuerpo, y el sabor de su lengua, y el tacto incomparable que en la más espesa oscuridad el corazón reconocía, y la cadencia y el timbre de las voces cuando susurraban su nombre. Los frescos arriates del recuerdo se los llevará la luz en el momento en que la noche invada el cuarto último en donde el solitario sólo espera la noche... Pero nada ni nadie podrá arrebatar de aquí el sentimiento que trajo desde tan lejos estos rostros amados, ni el que los rescató, ni tampoco el sentimiento con que ellos le correspondieron. El solitario, sentado sobre la serenidad, tiene la certidumbre de que la muerte es la aliada del amor: una aliada forzosa por miedo a ser vencida.

19 de mayo de 1996

EL DESEO INFINITO

Lo más discrepante de sí mismo que existe es el amor. El amante no sabe lo que quiere; mejor dicho, quiere todo a la vez: cumplir sus ilusiones y satisfacer sus deseos. Sin embargo, nada hay que mate tanto la ilusión como realizarla, nada hay que mate tanto como su total consecución. Y qué difícil, una vez extinguidos deseos e ilusiones, resucitarlos o renovarlos. De ahí que intuya el hombre que sus plegarias nunca es bueno que sean concedidas. Mientras las manifiesta, ascienden, de peldaño en peldaño, por la escala irreal; si descendiesen, sería funesto el resultado: primero, porque usurparían el lugar de la esperanza; segundo, porque ninguna plegaria se concede de acuerdo con la voluntad de quien implora. Precisamente por esto es por lo que la intensidad de la vida del hombre no decae: nuestras aspiraciones quedan tan lejos de nuestro alcance como las estrellas, por fortuna. Lo que ya se posee se deja de cantar y de buscar, y es justo en el empeño donde el alma del hombre obtiene sus verdaderas dimensiones. La felicidad es un concepto subjetivo: en el proyecto, en la promesa y en la expectativa hace su nido preferente; su primer aleteo brota más en la apetencia que en el logro. De ahí que no sea más rico el que tiene, sino el que anhela, multiplicado y engrandecido por su anhelo. Es más rico quien quiera serlo aún más (no hablo de una riqueza mensurable); quien se ciegue con antojeras fáciles, quien se limite y se reduzca, no será más que un buen burro de noria cumpliendo su humillante tarea.

Todo depende de nuestro deseo y de nuestra curiosidad. Ellos son los acicates que nos impulsan a lo alto: para ver más paisaje, para presenciar el objeto del *tibi dabo*, para respirar más hondo, para sentirnos más pujantes. El deseo hace que se nos antoje un plato quizá no muy sabroso; sus brumas convierten en incomparables los cuerpos que acaso no lo son; sus espuelas nos llevan a recorrer caminos dificultosos, y nos los colorean y nos los magnifican. Hay quien afirma que, si se inventasen píldoras con que saciar el hambre, las preferiría a la más excelente de las comidas; y hay quien lamenta verse sometido a los fogosos tirones de la carne. Pero ¿qué seríamos sin tales estímulos, que nos recrean sólo durante unas horas, y vuelven a encenderse, o sea, a encendernos, con su reiteración vivificante? ¿Con cuánto detenimiento y minuciosidad un condenado a muerte masticará y paladeará su cena última, o en su último vis a vis acariciará el cuerpo de quien ama? Cuentan que Alejandro Magno se desesperaba, poco antes de morir, porque había agotado las geografías que vencer. La falta de deseos y la falta de curiosidad son los más certeros síntomas del verdadero fin.

Para suerte nuestra, el alma del hombre es como un saco sin fondo; sólo el que le añade uno artificial la contiene y la frena. Ninguna obra se remata del todo; ningún colofón tiene estricto derecho a colocarse; ningún escrito exige sin remedio su punto final; ningún viaje puede darse por concluido; ningún experimento toca sus últimas consecuencias; ningún atesorador de bienes cumple su ambición; ningún amante reconoce su sed saciada... Como en un hechicero cajón de cerezas, el hecho de sacar unas cuantas, sólo para probarlas, lleva consigo el engarzamiento de unas en otras, la adorable ilación que nunca cesa. Apenas un problema se resuelve, surge otro con él relacionado. Muchas virtudes tiene el ideal, pero la mayor es la de ser inasequible. Nuestras flechas disponen de un resuello muy breve: no son capaces de alcanzar el sol. Ahí está el universo interminable; de su contemplación saldrá la mejor enseñanza. Y aunque lo reduzcamos a un jardín o a una simple maceta, sólo el mirar con aplicación el proceso de la semilla y el abrirse los brotes en los tallos y el desplegarse el fasto de la flor plegada en el capullo, sólo eso bastará para mantenernos atentos y curiosos, pendientes de los pasos por los que la esperanza nos sostiene, nos eleva la luz, nos hiere la belleza... Cambian las estaciones y los climas, cambian con ellos los deseos. Y el corazón del hombre no es más que una suma de todos, más grande cuanto más numerosos sean los que contiene.

Nunca llegaremos a dar de mano en esta jornada ardua del desear. Nunca llamaremos a la puerta definitiva. Nos damos plazos, troceamos el camino, salpicamos de etapas nuestra vida. Adivinamos que nuestras aspiraciones más hondas no se han cumplido aún, pero estamos en ello, y a cada día le corresponde su propio afán que lo identifica y lo ilumina. Y sabemos que, aunque la vida fuese mucho más larga, no lo sería tanto como para cumplir todos nuestros deseos. O acaso nuestro deseo único, el deseo infinito, que se extiende como una planta tapizante, y todo lo desplaza, y lo invade todo, y se genera a sí mismo y se sucede, y nada nos garantiza que ni dos ni tres vidas nos acercarían a él más de lo que hoy estamos. Porque lo incitador y lo reconfortante es que sea el recorrido mejor que la posada, y que el verdadero triunfo no esté en el arribo, sino en la múltiple y sorprendente opulencia del viaje.

26 de mayo de 1996

128

EL NIÑO AQUEL

Hoy recuerdas a aquel niño. Hoy, sin saber por qué, recuerdas a aquel niño. Con su mirada limpia y sin doblez. Con su blanca evidencia. Él era lo que era, no lo que iba a ser luego, ni lo que nadie soñaba que sería. Como la flor, que es una flor sencillamente, y la estrella, una estrella. Como el perro, que es un perro, y levanta sus ojos confiados, sin fingir devociones, sin tratar de esconder sus sentimientos. Antes de que lo castigaran por decir la verdad. Antes de que le señalaran un camino sesgado en busca de la máscara tras la que había de ocultarse para no ser más nunca el niño que era, la placidez sin mancha que era. Antes de que aprendiese a disimular su inocencia, porque resultaba molesta y casi insoportable... Hoy recuerdas a aquel niño remoto que comenzó día a día a ocultarse su verdad a sí mismo y a no saber quién era; a tener que defenderse con argucias, y a sonreír como quien emplea un suplemento de encanto que lo haga verosímil, ya que no verdadero.

Recuerdas a aquel niño al que casi arrastraron a un fin que él no anhelaba: ser alguien. Lo que él quería —o quizá ni siquiera lo quería— era ser él, quien era, no otro diferente, no otro importante o famoso o feliz. (A la felicidad no se aspira, se la recibe sólo o se la tiene: en otro caso será una felicidad ajena, hecha a otras medidas a las que uno debe de adaptarse, como el niño que hereda una bicicleta o un traje de un hermano mayor.) Aquel niño tenía que crecer de acuerdo con su propia semilla, sin desmesurarla: su semilla pacífica y lenta, orientada a dar su propio fruto. No llamando la atención, no destacando, sino yendo despacio de la mano de su naturaleza... ¿Qué hicieron de aquel niño, amordazado, agigantado, glorificado por las manos ajenas? ¿Cómo puedes recordar a aquel niño ya desaparecido, que alguien, quizá con buena voluntad, sacrificó al transformarlo en una criatura tan distinta? ¿Cómo puedes recordarlo hoy tú, si en ti ni un solo día, ni un solo pensamiento, ni una sola acción, ni una sola palabra se ven libres de aquel primer falso deseo de ser alguien? ¿Quiere ser el perro otra cosa que perro, y el jazmín otra cosa que jazmín?

Hoy recuerdas a aquel niño, ante el que pusieron, para que los imitara, muy ilustres ejemplos. Cuanto más se aproximaba a sus modelos, más se le aplaudía; cuanto menos se desarrollaba en su interior con la autenticidad (buena o mala, brillante u oscura) que lo definía, más lo recompensaban... Pero, por muy altos que sean los modelos, acercarse a ellos dejando su camino es la prostitución, es ponerse a la venta, darse al mejor postor. El niño tuvo miedo de ser él mismo, porque no encajaba entre su alrededor, porque era preferible pisar sobre las huellas respetables, porque su singularidad no era conveniente, porque era más sensato asimilarse a la horda de los que, antes que él, habían dejado de ser lo que eran... Y hubo de esconder su manantial de agua cristalina (amarga acaso para los demás, pero la suya) y temió ser rechazado y ridiculizado, y fue recluyendo en los cuartos de atrás sus afectos, sus reacciones, sus valores, hasta que él mismo se olvidó de cómo eran y dónde los guardara... Para ser aceptado, el niño del que te acuerdas hoy tuvo que travestirse, que exiliarse y sacar a la calle un niño nuevo lleno de precauciones, de disimulos, de controles amargos, hecho ya a despreciarse.

Sin embargo, hoy recuerdas a aquel niño con el que nada tienes que ver; al que con la ayuda de los experimentados adultos abortaste; del que nunca se sabrá qué habría sido ni dónde habría llegado... Porque no existe. Aquel niño al que amaestraron, como un animalito, para que compitiese con los otros en una rivalidad no deseada, y fuese entre ellos el mejor. Al que comparaban con otros niños también falsificados y lo espoleaban a superarlos mirando siempre alante, sin preocuparse de los que quedaban atrás, vencidos y quizá más dichosos. Aquel niño, al que entre todos violaron; al que entre todos forzaron no a vivir, que era para lo que él nació, sino a buscar y codiciar la admiración y los elogios, lo mismo que un caballo que se educa sólo para ganar en un hipódromo. Lo mismo que un animal salvaje al que se domestica para que ejecute gracias en la jaula de un circo, y al que luego se obsequia con un trozo de carne no cazado por él de un jubiloso salto ni de un vital zarpazo.

Hoy recuerdas a aquel niño ya difunto. Enterrado por conspicuos adultos, por benignos y bienpensantes familiares. Asesinado por quienes más lo amaban, por quienes él amaba más que a nadie en el mundo. Aquel niño no nació para que estuvieran orgullosos de él, ni lo incensaran y lo lisonjearan. Nació para preguntarse cuál sería la manera de ser escandalosamente feliz, con una felicidad no impuesta desde fuera ni desde arriba, con una felicidad pequeña y manejable... Pero no tuvo ocasión de contestarse porque no le permitieron hacerse la pregunta.

2 de junio de 1996

LA AUSENTE

¿Cuánto hace que el escritor ha renunciado a la felicidad? No puede renunciarse a lo que nunca se tuvo; sólo a los pasos que en apariencia allí conduzcan. ¿No se dice que la felicidad se inscribe en la naturaleza humana; que siempre estamos yendo hacia ella; que responde a la realización de nuestro proyecto personal? Para el escritor es como un cachorrillo que hace nuestras delicias hasta que se cansa de andar, y frena nuestro paseo apoyadas las patas en el suelo, y hay que tomarlo en brazos, y pesa, y acaba por abrumarnos. Para el escritor, la felicidad es lo opuesto a un proyecto al que un aspirante se atiene; es lo menos programable que existe. Posee más de rapto y de entusiasmo que de comprobación; se trata de un don, no de una consecuencia. Otra cosa son la satisfacción y la alegría; pero ella es una participación repentina —no duradera por lo tanto— del ser entero, físico y espiritual. ¿No consistirá en llevar a cabo los ideales de nuestra juventud? ¿No aseguró Aristóteles que se basa en un acto intelectual? Para el escritor, no; cualquier tipo de creación es gozosa y exultante a veces, pero no feliz; el cuerpo la acompaña raramente. Y además cada edad tiene sus particulares ideales... ¿No será una derivación de la personalidad plena, con su biología y su sicología y su biografía? El escritor entiende que la felicidad tiene poco que ver con nuestra voluntad y nuestras prórrogas: es un hallazgo. ¿Quizá, ya que es su caso, no entenderá el escritor que el desarrollo de una vida feliz emana de un trabajo con el que cada cual se identifica? A quien no le guste su trabajo será infeliz; pero que le guste no constituye garan tía alguna de felicidad: el éxito profesional no inmuniza contra la desgracia. A veces la felicidad es marginal, antigregaria, incluso antisocial, y producto de un desorden. ¿No estará vinculada al porvenir y a la esperanza? No; es una sensación palmaria e infinitamente presente. ¿Es imprescindible para obtenerla indagar el sentido de la vida? La felicidad no indaga, no se cuestiona nada: aparece; no le importa la nobleza de un quehacer ni el enmarañamiento de un camino. ¿Quizá porque no es susceptible de apoyarse sobre bienes finitos: salud, riqueza, honores, cultura, fama? La vida también es un bien finito y sin demasiado sentido; de ahí que las religiones suelan enmascarar la muerte, empujándonos a creer en otra vida, acaso feliz, que no se acaba.

Quizá lo que muchos llaman felicidad lo llame el escritor serenidad. Para él, aquélla es un trastorno mental transitorio, una salida de sí mismo, una enajenación y una alteración pasajeras: el hombre no puede habitar en el éxtasis; no puede vivir con los ojos en blanco: ni siquiera en el amor. Por eso se afirma que amar y trabajar *con tiento* llevan a la felicidad. Ni un desordenado amor, ni un desordenado trabajo. Ahí están los límites de la prudencia, la virtud de la realidad con los pies en el suelo... O sea, lo contrario de la felicidad.

La sabiduría —cree el escritor— es un conjunto de conocimientos dirigidos hacia la vida práctica que culminan en el sosiego. No un sosiego ensimismado como el de un gusano de seda en su capullo, sino procedente del autodominio, de una cierta intuición, y de la experiencia y de la madurez. El sabio, sosegado, ve sin prejuicios los acontecimientos, al margen de la ofuscación y de la precipitación, y posee cualidades que se echan de menos en este fin de milenio. Por supuesto que el sabio conoce el principio de Píndaro —*sé el que eres*—, y ha ido culminando su mensaje intransferible; pero esto no es la felicidad. Por supuesto que el sabio es coherente (vive de acuerdo consigo) y fiel a los principios que respeta; pero esto no constituye la felicidad. Por supuesto que el sabio «goza de sí mismo en su propia existencia», y comprende que hay algo que le excede, y se dirige a ello, y ha escuchado las ofertas del poder y las ha rehuido, porque son más efímeras que él mismo y más contingentes que sus auténticas aspiraciones; pero nada de esto constituye la felicidad. Por supuesto que el sabio mantiene el equilibrio, en ocasiones tan difícil, entre su carácter y sus objetivos; pero ni siquiera tal equilibrio es la base de la felicidad.

Hay circunstancias en que el escritor percibe con más nitidez su armonía interna, resultado de tantos resbalones y desarmonías, y ha aprendido a esperar sin urgencia y a perseverar sin veleidades. Acaso sea este todo su caudal, el que prefiere a cetros y coronas, el que está por encima de los tesoros, porque en él no anochece y lo vacuna contra cualquier tentación de alargar la mano en busca de los bienes inferiores. Pero a tal conformidad, por la que no siente orgullo puesto que comprende que es la obra del tiempo, no se le ocurre darle el nombre de felicidad. A ese esfuerzo prolongado, a ese día a día y gota a gota que, como una erosión de arena o agua, actúa sobre sus desniveles, sus acritudes y sus crispamientos; a esa personal arquitectura que hizo habitable la casa que no lo era, y que plantó en el caos asideros, e iluminó las zonas tenebrosas, no le da el escritor el adorable nombre, tan extranjero a él, de la felicidad. Son obras que emprendió para andar por su casa sin tropezar y sin caer: la adecentaron y la hermosearon. Pero la felicidad no se dignó ni siquiera rozar con su hermosa y breve mano la aldaba de la puerta.

9 de junio de 1996

LA CASA DEL YO

Vivimos en una época ufana de su tecnología. Se esfuerza en producir cada vez mejores cosas; pero se desentiende de las personas a las que se dedican. Parece que, en los años setenta, la gente se preguntaba más que nada sobre el placer y los caminos de llegar a su fondo; en los ochenta, sobre el dinero y el modo de obtenerlo; en los noventa, la pregunta es *¿quién soy yo: en qué se funda mi identidad, qué es lo que la combate?* Es decir, al final del milenio muchos se plantean la cuestión previa a todas. Porque adivinan la existencia de un yo aparente, despersonalizado, que teme ser distinto y que transforma al hombre en un simple autómata receptor de consignas. Y caen en la cuenta de que cada uno piensa, siente y quiere lo que los demás suponen —por su estatus— que debe sentir, pensar o querer. Y se dice: «Si no soy lo que los demás opinan, ¿quién seré?» Nada, nadie...

Porque estar vivo de veras exige, ante todo, ser uno mismo, y no un ente intercambiable que galope hacia la frustración y la locura. *En la medida en que sea yo, yo estaré vivo.* Un hombre no es su cuerpo ni su raciocinio siquiera, cuanto menos su nombre, su posición, sus bienes, sus creencias, su partido político. Eso será, en último término, la casa en que se alberga el yo; pero el yo puede cambiar de casa u ordenarla de otra manera, y no le afectará. Y si no se identifica con el dinero, ni con la nacionalidad, ni con cualidad alguna, ni con otras personas, estará vivo y se sabrá no amenazado. Porque cualquier sufrimiento procede de un apego o de una transferencia a algo, se halle dentro o fuera del yo. Un yo que ha de ser independiente y libre de sugerencias, de las voces ajenas que tienden a obligarlo, de los ganchos de abordaje de las experiencias pasadas y de los proyectos que nos trasladan al futuro. A un ladrón que le daba a elegir entre la bolsa y la vida, el atracado le respondió: «Quítame la vida, porque la bolsa la necesito para mi vejez.» Damos más importancia al timbre que a la bicicleta, a la decoración de nuestra casa que a nuestra misma casa.

Y ese yo ha de ser yo y *ahora mismo:* la hondura de la vida se ha de vivir a cada instante. El pretérito podrá ser maravilloso y aleccionador, quizá nos ha hecho lo que somos; pero ya no existe. El futuro nos motiva y nos mueve, avanzamos hacia él y en él nos imaginamos; pero no existe todavía. Si nos volvemos hacia uno o hacia otro, dejaremos de estar y ser ahora. Obraremos como esos turistas que sólo miran con el diafragma de su cámara: planearon con mucha antelación y minuciosidad su viaje, distrayéndose de su *ahora* de entonces, y planean también enseñar después sus fotos y sus vídeos a amigos y vecinos... Nos sacrificamos en función del mañana; nos damos plazos y moratorias homicidas. Seré yo y viviré —decimos— cuando me enamore, cuando me asciendan, cuando crezcan mis hijos... ¿Y el presente? Las horas desvividas arrastran a otras horas desvividas. Tras el primer después habrá siempre otro en el que refugiarnos, en el que escondernos hasta que nos invada la muerte.

Ahora mismo y *aquí mismo*, no en otra parte mejor ni peor, no en otro sueño. En mi primer viaje, de adolescente, a Italia, iba con el dueño de una espléndida guía; buscaba en ella el nombre de la calle concreta, del palacio concreto; los encontraba, y seguía de largo hacia otra calle y otro monumento; no se ocupaba de disfrutar lo hallado; no lo saboreaba, ni lo olía, ni lo acariciaba, ni lo escuchaba... Ninguna sabiduría es transmisible, sino una forma de experiencia. No es aplicar soluciones de ayer a problemas de hoy; no es acarrear adquisiciones hueras a través del tiempo; es la sensibilidad respecto a una situación concreta, a una persona y a un hecho concretos. Las ideas *no son* la vida; las abstracciones *no son* la vida. Hay que tocar —y mirarse y sentirse tocar— lo que se está tocando; hay que padecer o gozar —y verse hacerlo— lo que se está padeciendo y gozando. Sin dejarse engañar por las palabras. Un niño, a la vera del mar que tanto le sorprende, ve una barca de bella línea y flamantes colores: *esta barca de aquí y de ahora.* Más adelante, cuando vea otra, dirá: «Sí, ya lo sé, una barca.» Y no sentirá la infinita atracción que la primera, que no fue una idea, le produjo. Cada barca ha de ser esta barca y no otra, y no la media aritmética de todas.

Hay que acatar la orden que emana del venero más íntimo y secreto: ser uno mismo. Quizá no es fácil, pero sí imprescindible. Porque la sociedad que aplaudimos, o al menos toleramos, nos propone que seamos diferentes, pero nos viste con idénticas ropas, y nos hincha de opiniones idénticas, y nos embalsama con suavidades idénticas, y con marcas y con coches y con reacciones

idénticas: políticamente convenientes, socialmente correctas... Y
nosotros nos aferramos a clanes y a clubes y a profesiones y a fes que
nos individualicen y distingan. Pero todo eso es externo: es la casa
del yo. Esperemos que aún el yo siga vivo dentro de ella. Hay que
llamarlo a gritos para despertarlo. Como a Lázaro en su tumba.
Ojalá nuestro ímpetu tenga todavía la virtud de la resurrección.

16 de junio de 1996

DESCORRER LA CORTINA

Descorrió un mediodía la cortina. Vio la radiante luz detrás de los
cristales, las rosas plácidas en su tallo, y se sintió dichoso y no supo
por qué. Pero en seguida pensó en el retraso de su trabajo, y se
precipitó su alma desde la altura con tal preocupación, y el contento sin motivo lo abandonó de súbito. No lo recuperó hasta el
anochecer cuando, al saborear más que ver el poniente, respiró
otra vez hondo y volvió a descubrir alrededor el aleteo y el murmullo de una manera de felicidad. Comprendió que la satisfacción
que lo embargaba en algunos momentos era un *ahora* eterno, desligado del antes y el después, sin inquietud alguna ni culpa ni justificación: el contacto con un mundo suspendido donde él participaba de la alegría de la vida que hay en todo y en nada.

Se preguntó cómo hacer duradero ese contento. Era, al parecer, muy fácil puesto que dependía de uno mismo, se hallaba en
su interior y por tanto al alcance de la mente y la mano. Y también
muy difícil, porque quizá la posesión de tal contento no sería compatible con cualquier otra que lo distrajera de él o lo enturbiara.
En su último centro, cada uno sólo estaba pendiente de sí mismo,
en la más recóndita y personal estancia a la que hasta uno mismo
raramente accede. Allí no existe más dependencia de los otros que
la que contienen la semejanza y la solidaridad con ellos, y también
la consciencia de que nadie infeliz y dependiente es susceptible de
ayudar a nadie. Rememoraba el hombre días felices del pasado

más o menos remoto, en que la estabilidad y el bienestar se le antojaron perdurables, en que el amor le iluminó las noches y le disfrazó con su coloreada calina las mañanas... Sin embargo, reconocía que todo acabó por ser un estremecimiento pasajero, un gozo que al principio creció y luego se apagaba, provocando al final dolor o aburrimiento. Cuántas veces lo que comenzó en el Tabor concluyó en el Getsemaní, allí donde sólo hay desilusión, tristeza y soledad esencial. Aquel hombre se había cansado ya de llamar a las puertas de quienes nunca le dieron —ni tenían— otra cosa que consejo, ratificaciones, aplausos, honores o algo de compañía. Harto de pordiosear, decidió refugiarse en su trabajo. Y ahora revisaba su vida, porque el trabajo mismo, que era su burladero, con frecuencia no obstante se había burlado de él.

Habitaba, pues, en el descontento, y sabía lo que era. No la desesperación que enloquece y autodestruye; no el gimoteo inútil de quien se queja de las malas condiciones de su celda en lugar de evadirse a golpes si es preciso. Un descontento que no le amortiguaba la droga del trabajo ni de ninguna otra ocupación creadora. Como un redolor sordo e inmóvil, que los cambios de postura aminoran, y que pide a gritos una mudanza más profunda y rebelde. Un descontento no causado por la escasez de nada, ni por la necesidad de más dinero o poder, de más éxito o más amor o más virtud. No nacido de la ausencia de algo, sino de la ignorancia de qué era lo que echaba de menos... Y así el hombre intuía lo infructuoso de la búsqueda de algo que no se sabe lo que es ni en qué consiste; de algo que, en último término, ha de ser descubierto o encontrado, y cuyo hallazgo no puede provocarse porque las únicas ayudas con que se cuenta son la paciencia y la atención constantes. El hombre no gozaba de más pistas que el hastío de lo que había perseguido hasta entonces, o sea, de una pista negativa: la felicidad no iba a ser proporcionada por nada material, no por amigos ni personas ajenas, no por el amor de nuevo, no por las promesas y doctas asesorías de la cultura y de la religión, no por las formas consabidas de pensar, ni de sentir, ni de percibir el mundo...

Cansado de luchar y de entrar en la lucha y aun de salir de ella, aquel hombre se ensimismaba más cada día, alejado de todo lo que anteriormente le supuso momentos complacidos y ahora no soportaba. Cuanto pretendían los demás y por lo que sus violentos corazones clamaban, se le convirtió al hombre en despreciable y vil. Y la boca, antes de comer tan trasnochados alimentos, ya le sabía a ceniza... Se reprochó con seriedad que quizá estuviese huyendo de la vida y que eso era muy malo. «La vida siempre tiene razón. No es sagrado lo que separa a los hombres ni lo que destruye el fervoroso deseo de vivir...» Y fue precisamente entonces, con esta reflexión, cuando entró por las puertas del contento, del simple y desnudo gozo de estar vivo, que sólo en fugaces llamaradas había atisbado antes. Y en él se sentó, y a él se acomodó, y se negó a salir. «Si quieres conocer el modo de acertar —murmuraba sonriendo— pregúntaselo a un pájaro, pregúntaselo a un niño. No te responderán, pero tú obsérvalos.»

23 de junio de 1996

LOS AÑOS Y LOS DÍAS

Miró el azulejo junto a la chimenea: «Viejos libros para leer, / viejos leños para quemar, / viejos vinos para beber, / viejos amigos para conversar.» Era, más o menos, lo que contaba Bacon que tenía por costumbre decir Alfonso de Aragón en elogio de la vejez. Pero ¿*viejos amigos* equivalía a *amigos viejos*? En realidad, sí: no envejece la amistad sin que envejezcan sus sujetos. Allí se encontraba, sin embargo, él solo, sin amigos presentes. ¿Solo? Cada etapa de la vida se concluye en sí misma y es imprescindible para la siguiente: como la planta de una casa, en que se vive con relativa independencia de las otras junto a las que forma un único edificio. No solo, porque dentro de él se hallaba, recóndito entre las telas de su corazón, el niño aquel que fue, el verdadero dueño del tesoro que quizá dilapidó luego poco a poco; escondido en él, con su capacidad de curiosidad y de admiración y de sorpresa, y su ternura no siempre correspondida, y su infinita necesidad de embellecer su reducido mundo. Y también el adolescente que lo siguió, con su capacidad de extravío en su propio laberinto, y su misteriosa habilidad de recuperación y de equilibrio. Y el joven que un día agitó en sus manos una enorme capacidad de generosidad y rebeldía. Y el adulto que continuaba siendo...

Como los estratos de un terreno, se suporponen nuestras estaturas, nuestras facciones, nuestras cicatrices. Acurrucados en nosotros, acaso no demasiado satisfechos, se encuentran quienes sucesivamente fuimos, incluso quienes no fuimos nunca (nuestras posibilidades abortadas o fracasadas), escoltándonos, de puntillas, mirando a través de nuestros ojos, como por una cerradura, el mundo apasionado y atroz que estábamos obligados a mejorar día a día. Y es que el ser humano que llega a su invierno sin morir *de ninguna manera*, sin sufrir ninguna pérdida de vida, es algo dios. No se es dios por comer la fruta del Árbol de la Ciencia («*Eritis sicut deos*»), sino por sobrevivir a las exaltaciones de la primavera, a los estremecimientos del verano, a las despojadas melancolías del otoño. Y no se es *sólo* dios: se es dios *también*, al tiempo que piedra, vegetal y animal. Porque el superviviente se funde con el mundo: ésta es la última razón de la existencia, la última razón de la alegría.

Se dice que la obsesión de nuestra época es asir el fuego de los dioses y beber su ambrosía para mantenernos jóvenes para siempre. En realidad, todas las épocas desearon lo mismo: los griegos, a las ideas abstractas, las convertían en dioses juveniles. Pero la característica de nuestro tiempo es que tal pasión se ha convertido en una trampa. Todos corremos y saltamos y nos estiramos la piel para frenar o reparar los estragos del tiempo. ¿Y qué harán los viejos de verdad? ¿Lamentarse de haber perdido la vida, de haber desperdiciado su tesoro, de no haber exprimido hasta la última gota el jugo verde y ácido que al nacer les donaron? En el río de la vida no se nada contracorriente: él nos lleva; el éxito consiste en dejarse llevar con alegría. Envejecer es tan interesante porque se trata de un proceso del que formamos parte, no de algo que se nos impone desde fuera. Envejecemos desde pequeñitos. No cabe el asombro: la muerte comienza a la vez que la vida. Vivimos muriendo y hemos de procurar morir viviendo.

A pesar de todo, la vejez es un concepto relativo. En el corazón pueden exhibirse más arrugas que en la cara, ya que pocas personas saben ser buenos viejos. Todo depende de cómo se haya andado la vida anterior, el camino anterior. El alma no decae con el cuerpo, sino que se perfecciona. Cada uno ha de conseguir ser el viejo a que aspiraba, y eso no se improvisa. En realidad no se es viejo hasta que se empieza a actuar como tal. Y nunca se es tanto como para no poder recomenzar cada día, estrenando la vida, limpia de rutinas y de pasos obligados, andando por ella erguido y ágil como en un sueño. Y, si es así, jamás sobrevendrá la ancianidad: no le daremos tiempo (envejecer es irse acostumbrando) si somos imprevisibles, sorpresivos, azarosos como siempre la vida. El hombre viejo no es todavía nosotros, está fuera de nosotros e intentará envolvernos. Evitémoslo, aunque no nos haga sabios la vejez, sino sólo prudentes, porque la sabiduría consiste en descubrir que la verdad se encuentra a la intemperie, no dentro de pergaminos ni de arcas. Quien cumple días y años con gracia y comprensión avanzará de la mano de la esperanza y tendrá una vejez, como Caronte, igual que la de un dios: seminal, cruda y verde. «Viejos amigos para conversar...»

30 de junio de 1996

ALGO ESPECIAL

El escritor sabe que es expósito. Su oficio es exponer y aun exponerse: a las miradas y a los veredictos ajenos. Pese a que en ocasiones no perciban su realidad más íntima, ya sea por defecto de él al mostrarse, ya de los que le ven, llenos como él de ideas imprecisas y previas. Es tan difícil entenderse del todo; darse a entender del todo es tan difícil... Por eso el escritor recibe cartas: cientos, miles de cartas. Solidarizándose con él, o contradiciendo sus opiniones, aunque él tenga la idea de haber vivido la razón de ellas (los resultados que sacamos de nuestras experiencias son también sospe-

140

chosos). En cualquier caso, lo que sus lectores afirman del escritor, sea bueno o malo, revela mucho más de ellos que del escritor. Este de que hablo está avezado a los más opuestos dictámenes. Sabe que, en un mismo párrafo, alguien hallará motivos para alabarlo, y alguien para denostarlo. Él ha de defenderse de uno y de otro; quizá más del primero. Y ni siquiera el juicio que él haga de sí mismo será válido, porque suele basarse en jerarquías de valores extrañas, válidas para la generalidad, convencionales, cuando cada uno es único y como único debe ser juzgado. Y juzgar.

A veces el escritor recibe una carta en que se le comunica que, hasta un preciso instante, fue tenido como algo muy especial para el que la redacta; pero que, por una frase o una comparecencia o un simple gesto, ya ha dejado de serlo. Se le destrona, pues, antes de que supiera que había sido entronizado. ¿Y en qué consiste convertirse en una persona muy especial para otra? ¿No habrá que rehuir tales consagraciones? ¿No esclavizan más que coronan? ¿Qué significan en favor del elogiado sino que, con arreglo a los gustos o a los sentimientos o a una pasajera circunstancia de otro, se le encuentra útil o paralelo o semejante? ¿No se piropea a sí mismo el piropeador? ¿No es su intención —no siempre inconsciente— exaltarse a sí mismo al exaltar al que resulta vehículo de su propio pensamiento o su propia actitud?

El escritor no puede permitirse la complacencia en el halago, so pena de poner en otras manos el control de sí mismo. Ni el escritor ni, en realidad, nadie que actúe frente a unos espectadores o a un auditorio, y quién es quien no lo hace. No se trata de dejar de ser amable o condescendiente o comprensivo o generoso. Se trata precisamente de no dejar de ser, en un último y veraz término, uno mismo; de no traicionarse ni venderse a unas ponderaciones más o menos gratas, a unos elogios por agradables que resulten; de no desvirtuarse por culpa de quienes nos encuentren virtuosos. El que gusta de gustar a los demás se somete a su dominio, les otorga una posición de privilegio sobre su vida al aceptar la posición de privilegio que los demás le otorgan en la suya. Acaba por bailar el son que le tocan, perdido el suyo auténtico. Se deja llevar por palabras sobrevenidas, lejanas a su *ser*; se abandona

no a su propio impulso, sino al éxito —o a la busca del éxito—
que aquél produce y que es sólo un simple efecto efímero. Co-
menzará a temer que se dañe su imagen; se someterá a ella; temerá
ser el que es si eso molesta a alguien forastero o a la opinión de
alguien... Nadie debe adaptarse al concepto que su entorno tenga
de él, lo haya o no provocado. Nadie debe adaptarse al lecho de
Procustes —más alto o más bajo, más gordo o más delgado— de
quienes no son él.

Quien se ensoberbezca por ser calificado de sabio o de maestro, de genio o de guía, estará perdido. De ahí en adelante luchará
para que tal noción perdure. Habrá perdido la libertad de ser rebelde e inopinado, de tomarse el pelo a sí mismo, de ponerse en
ridículo si fuese necesario: en definitiva, de hacer o decir lo que
bien le parezca cuando le dé la gana, o sea, de seguir siendo él... Y
se verá rodeado de la inseguridad, de la tensión, de las traiciones
que lleva consigo la momificación de la imagen, es decir, de la
exterioridad accidental que lo envuelve o que lo envolvió en cierto
tiempo y en ciertas condiciones. La posibilidad del cambio y de la
mudanza es esencial para cualquier progreso, incluso para cualquier coherencia. El escritor sabe que tiene la obligación de no
estar pendiente de nadie ni de nada: de no subordinarse. Como la
flor y el pájaro, tan ocupados en su absoluta y embargante tarea de
vivir, que no les queda tiempo de saber si son algo especial para
aquellos que pasan. Son bellos porque no saben que lo son; vuelan
porque ignoran volar. Sólo así se consigue ser libre y ser audaz.
Dentro, claro, de la estricta y modesta medida de lo humano.

7 de julio de 1996

CLARIVIDENCIA

Con frecuencia escuchamos decir —o decimos— que la tolerancia
y el diálogo convertirían en una balsa el mundo. Sería necesario
que nos pusiésemos de acuerdo en qué entender por tolerancia y

por diálogo. Muy a menudo la primera se confunde con la condescendencia: respetamos las opiniones o criterios ajenos para que los nuestros sean respetados, pero nos situamos por encima, con un ademán, consciente o no, de superioridad que no conducirá sino al resentimiento de quienes *toleramos*. ¿Y cuál es el sentido del diálogo? Su fin primordial, la adquisición de la verdad, que cuanto más alta es más misteriosa y difícil de obtener, y más difícil de expresar en palabras. Pero en realidad, el diálogo consiste en un procedimiento para convencer a otro de la rectitud de nuestra posición. Y ni siquiera cuando con él reconocemos nuestros límites o intentamos compartir vías y fórmulas resultará exitoso, porque subsiste sobre él la frontera entre *lo nuestro y lo de los otros,* referida a convicciones y a experiencias. Una frontera que, una vez puesta de manifiesto, predispone al enriquecimiento, pero que en ningún modo por sí misma enriquece.

Lo que nos uniría a unos y a otros es la clarividencia, entendida de la manera más vulgar e inmediata. No como una facultad de ver cosas ausentes o de adivinar hechos futuros, no, sino como la facultad de ver claro aquello que tenemos al alcance del ojo. Para conseguirla, en contra de lo que podría opinarse, no se requiere una percepción especial, ni una gran inteligencia, ni una agudeza de pensamiento extraordinaria. Se requiere, al contrario, ignorancia, si se me permite llamar así a un estado previo y en blanco de la mente, y valor para enfrentarse contra nuestras propias socaliñas.

Imaginémonos un niño de unos meses confortablemente adormecido sobre un regazo y en unos brazos femeninos. Se halla a gusto, sin que le asalte idea preconcebida alguna. No se plantea interrogantes, accesorios para él. No se pregunta si la mujer es su madre o una asalariada, si es guapa o fea, de qué color tiene la piel, o si la tiene tersa o arrugada. Se arregosta en el hueco que le ofrece; acepta la calidez que satisface su necesidad de amor; no le preocupa la ideología, la religión, el nombre, la calidad social de la mujer... ¿Por qué? El niño carece de creencias que maticen e influyan en su juicio: sus pretensiones son anteriores a ella. Para mirar con clarividencia, tendríamos que ser como ese niño: desproveer a las cosas de las envolturas con que se nos presentan:

principios, creencias, datos económicos o políticos, tesis sociológicas que enfrentan o entorpecen, prejuicios positivos o negativos, predisposiciones en contra o a favor. Tal ignorancia nos llevaría al acierto.

Pero también nuestras emociones personales se oponen a la clarividencia: nuestros deseos y nuestros temores. Es habitual que nos equivoquemos al definir el origen de nuestro pensamiento. «Es la mente quien piensa», nos repetimos. Suele ser, sin embargo, el corazón. Él decide y concluye, y luego ordena a la mente que le proporcione un raciocinio en que apoyarse. «Donde está nuestro tesoro allí está nuestro corazón.» Si nuestros intereses no coinciden con los del otro, tampoco coincidirán los pensamientos de ambos, porque nadie va nunca —salvo con grave esfuerzo— en contra de sí mismo. Así que la clarividencia no es cuestión, como alguien creería, de información veraz y de conocimiento: ésos son datos que pueden adquirirse: la clarividencia nunca llega de fuera a dentro. Se basa, por lo tanto, en una inocencia no partidista ni infectada, y en unos arrestos para luchar contra nuestro propio corazón que nos dirige y que nos equivoca. No es una cuestión fácil; nadie hasta ahora ha dicho que lo fuese.

¿Quién será el dueño de un corazón que no intervenga en sus razonamientos, que no se apague ni se demore ni ambicione nada, que deje a la mente campo libre para moverse sin ansiedad ni miedo? ¿Quién gozará de un corazón moldeable, capaz de recibir ajenas opiniones y de mudar la suya, de entregarse sin resquemores ni cautelas, de no considerarse ni considerar al de al lado distinto o enemigo, cristiano o musulmán, negro o blanco? Sólo los dueños de un corazón así podrían iniciar la verdadera convivencia que cambiaría el mundo: la convivencia para la que quizá el mundo fue creado.

14 de julio de 1996

LA GARRAPATA

Había recibido aquel libro esa misma mañana. Ignoraba quién lo remitió y no le dijo nada el nombre de su autor. El título prometía contar la vida y los secretos de quien ahora lo hojeaba. Sonrió como si a él mismo le picara la curiosidad de conocerlos. No tenía ningún secreto ya. Poco a poco había contado todos sus asuntos personales más íntimos. Sus obras eran demasiado numerosas como para haber sigilado llaga alguna, dolor pasado alguno. Sin embargo, el libro hablaba de otras cosas. Con ese tono de las revistas ilustradas que tratan escandalosamente los hechos cotidianos, o exageran las peripecias de algún personaje, famoso con más o menos justificación. Buscó el índice. Era un compendio de odios. ¿Cómo un desconocido podía odiarlo tanto? Tanto y tan seguido como para escribir un libro de mediano tamaño. No fue sólo un momento; semanas, meses quizá de un odio concentrado en que el autor investigó, viajó, sobornó acaso para enterarse de lo ya sabido...

«En esta suma de la aversión el autor exagera mis posibilidades.» El odio, como el miedo, agranda los contornos de quien lo inspira, porque siempre se dirige a quien hace sentir su inferioridad al odiador: nunca se odia a quien se menosprecia. Con el libro en la mano, sin mirarlo, se sintió engrandecido; comprobó el valor que representaba para aquel adversario, medido en un trabajo minucioso e innoble. «Un corazón, cuanto más pequeño, es más capaz de odiar y más oscuro contenido alberga.» Recordó un pensamiento de Baudelaire leído en algún sitio: el odio es como un borracho que, en el fondo de la taberna, renueva sin cesar su sed con la bebida. Y también, sin querer, recordó a quienes lo habían amado: quizá ninguno lo vio tan importante, quizá ninguno le había dedicado tanta afición y tanta intensidad. «¿Es el odio más capaz que el amor? Si es así, qué desdicha.» Sonrió. No le rozaban las saetas de esas páginas; no tenía con ellas la menor conexión; se hallaba en un mundo distinto y en medio de otra atmósfera; caían a sus pies convertidas en polvo: eran sólo la prueba de una mezquindad y de una humillación. «Tanto rencor es ya una preferencia.»

Durante años desechó la idea de la envidia como pecado nacional. Ahora aceptaba que aquí el aire transporta, como el polen en mayo, los miasmas envidiosos. Una pasión, como el odio, cegata, que por eso ha de apuntar hacia las grandes dianas. Una pasión taciturna que no dice su nombre porque entonces se transformaría en homenaje al mérito. Una pasión que, a diferencia de las otras, no proporciona placer al que la siente, sino el reconcomio de ver siempre más verde la hierba del vecino... Al principio, un escritor mayor le había dado un consejo: «Estás teniendo demasiado éxito. Menos mal que tu mala salud te protege. Procura no olvidarte tal coraza, y apóyate de por vida en el bastón: que quede claro que lo necesitas.»

Miró la tarde, transparente y rosada... «A pesar de la desmesura de este texto maligno, reconozco mis límites.» Sus amigos, si lo leía alguno, perderían el resuello: nunca lo tuvieron por tan valioso como para inspirar semejante agresión... Con suavidad la tarde decaía... No le alcanzaban el escozor de sus mordiscos ni el alboroto de sus torpes aullidos; ni la baba de los insultos, ni el resentimiento falsamente revestido de ironía. No es que compadeciera a su insultador, no es que excusara su voracidad si escribió por dinero, pero ya no recordaba su apellido... Se encendían las nubes próximas al poniente. Comenzaba el olor del jardín a ascender sin prisas hasta él. Los últimos pájaros se interpelaban de unas a otras ramas... ¿Quién hozaría en el fango del libelo? No conocía a nadie tan indigno; además los odiadores gustan de odiar a través de sus propios magines, con sus propias palabras. Si era afán de ganancias lo que movió al carroñero, iba a quedar decepcionado.

Bajó al encuentro del jardín. Los perros acudieron a su encuentro con su eterna desusada alegría. Los acarició sentándose entre ellos. Se disputaban sus manos, y calmó algún gruñido. «¿De envidia? ¿También entre vosotros?» En la oreja derecha del más joven descubrió la esfera repugnante de una garrapata. La arrancó, sin aceite, con un papel por medio. La dejó sobre un cenicero, hinchada de sangre, obscena, agitando sus patas, y, des-

146

pués de envolverla en el papel, le prendió fuego. La luz tuvo unos últimos destellos de generosidad y de belleza antes de retirarse a su enigmático cubil. «El de la garrapata, que odia y envidia a aquel a cuya costa vive, es el peor destino.»

21 de julio de 1996

UN CUARTO CENTENARIO

La obra de Descartes, el cuarto centenario de cuyo nacimiento estamos conmemorando, se enraíza en la escolástica y en el humanismo renacentista. Su método rechaza por improbado cuanto no sea evidente, ya se trate de argumentos de autoridades históricas, ya de la realidad objetiva. La primera verdad que queda fuera de duda es el existir del sujeto que piensa: *cogito ergo sum.* Desde ese sujeto —la caña pensativa de Pascal, que por lo demás tachó a Descartes de inútil e incierto— se impone la recuperación del mundo visible como subsiguiente verdad, no intuitiva ésta, sino a través de la existencia (prueba previa) de Dios, que es la justificación de nuestras evidencias... Ahí queda, pues, el hombre definido como *ser pensante.* ¿Y eso es todo? ¿No permanece fuera del raciocinio, en estricto sentido, el sentimiento? ¿No será el hombre también un *ser que siente*? Los renacentistas habían insistido en el hombre como vehículo de apertura y relación: único ser consciente de sí mismo abierto al mundo y con él relacionado.

La individualidad del hombre, más pequeño y más grande que el mundo, germinó entonces como una flor. Cuando aprendió a ver y a verse. El universo, vivo, se le brindaba como a un dueño. Todo a su alrededor se cargó de sentido, de signos, de enlaces misteriosos, de entropías inesperadas, de analogías, de sutiles correspondencias, de simpatías o antipatías desconocidas. Y el hombre en medio, dócil y coronado, perfectible, capaz de ascensiones y descensos, replicador e interrogante. Situado, sin patria fija, entre el cielo y la tierra, mudadizo y vertiginoso, reclamado por la mortalidad y la inmortalidad, libre de darse forma o deformarse, de buscar la maldad y la bondad, o de sentarse a comer y a beber esperando su fin. El destino personal podía ser escrito por cada mano, y cada mente se sabía responsable de sí misma. La vida era una aventura plena que había de vivirse con riesgo y con pasión y de uno en uno...

En ese cosmos ordenado descubrió el hombre que nada había independiente, de la hormiga a la estrella, de la arena a la nube. La astrofísica y la microfísica no han venido sino a ratificarlo. Y la geofísica y la biología nos muestran la ligazón de todo: el mundo como organismo vivo que reacciona contra los ataques y los excesos del hombre: un hombre que desdeña las profundas e invisibles resonancias de las especies entre sí, y las consecuencias que la rotura de un eslabón provoca en la infalible cadena de la Naturaleza. La apertura y la relación con el mundo se han desvirtuado. El Norte y el Sur, el Este y el Oeste eran sólo una rosa de los vientos, no insalvables fronteras. Es el diálogo, la distribución justa de los bienes, el respeto y el recíproco auxilio lo que salva; la prepotencia y la rapiña lo que condena. El desarrollo no ha servido sino para cavar hondos abismos entre los pueblos; el progreso no ha hecho avanzar al hombre, ni lo ha transformado en más feliz, más generoso o más práctico.

El hombre bueno se siente incapaz de introducir mejoras. Se abolió la esclavitud, se declararon sus derechos, se prohibieron las pruebas nucleares; pero hoy vivimos bajo formas de sumisión aún más siniestras, y hay más ciudadanos oprimidos que amparados, y se ahogan las mayorías, más allá del color o la nacionalidad o la procedencia, dentro de las cárceles del sistema, y continúan las guerras desoladoras y las salvajes injusticias y los integrismos y las xenofobias y los amenazadores ensayos nucleares. Y muchos no encuentran otro modo de huir de este angustioso mundo sino las oscuras vías de la droga, que les regala sus gélidos olvidos. El ser humano, hoy, ha extraviado la ocasión de su felicidad. No es un hombre completo, yace parcial y manco, arrinconado en su soledad como un ramo de necesidades: físicas unas, otras espirituales, sensibles todas. La razón —el pensamiento que evidenciaba su existencia— no le ha servido más que para hundirse en la tiniebla de la depredación, que sentencia tanto al que depreda como al depredado. El sueño de esa razón sigue engendrando monstruos. Sus más profundas y más gozosas dimensiones no han sido puestas en vigor, y va de risco en risco, hacia el fondo del despeñadero.

La visión anticipadora del meticuloso Descartes (intelectualismo, fe en la fecundidad de la práctica, confianza en el progreso ilimitado de la ciencia que nos convertiría en «dueños y señores de la Naturaleza») no se ha cumplido o se ha cumplido mal. El corazón del hombre —*siento, luego existo*— se halla más dividido que nunca, más inquieto y llagado. Y la Naturaleza, ofendida y esquilmada, también se halla más que nunca llagada, inquieta y dividida.

28 de julio de 1996

FISIOTERAPEUTA

Ahora no sólo hago, para *Zegrí*, de lazarillo sino de fisioterapeuta. Él no lo sabe, pero lo acepta a regañadientes, aunque preferiría que lo dejase morir en paz. Sucedió muy de prisa y, sin embargo, duró un siglo. Yo regresaba de cenar con unos amigos. Salieron todos los perros a recibirme en el compás de entrada. El último en aparecer —lo vi de refilón mientras correspondía a los otros— fue *Zegrí*. Lo condujeron sus percepciones extrasensoriales, ahora que ni ve ni oye ni huele. Salió —debió de salir— chocando con puertas y con muebles, presintiendo escalones o cayendo por ellos, y se quedó arrimado, sin ladrar (cuánto se oye el silencio doliente de los perros), debajo de una siflera, junto al hibisco cuyo color de calabaza encendido yo prefiero. Después de atender mejor o peor las jubilosas exigencias de los sanos, mientras me sacudía los pantalones, me acerqué a rozarle la cabeza a *Zegrí*. Él se asustó como suele, hasta que reconoció mi mano... Y allí fue Troya entonces.

Como un león y un rayo se abalanzó *Zagal*, mi predilecto, sobre su padre. En las sombras sólo se divisaba un cuerpo, y sólo se escuchaban los aullidos, monótonos y agudos, de *Zegrí*. Nos apresuramos a separarlos, empresa que sabemos vana y costosa. Alguien sostenía, en el aire, por el cuello, a *Zagal*, que arrastró entre sus dientes al viejecillo. Yo pensé que, como en otras peleas (atentados, mejor: a estas alturas peleas ya no son), le había mordido el rabo. No; era una pata, la derecha. Boca arriba chillaba el ciego, con una infinita congoja. Pegué con el bastón a *Zagal* en el hocico. Con fuerza. Temí que la caña se partiera, pero no cejé. Inútilmente. Por fin, el amigo que sujetaba a *Zagal* lo desenganchó, y yo tomé en brazos a *Zegrí*. Su corazón latía enloquecido. Sangraba por una oreja, por el morro; tenía la pata desgarrada... Esa noche no dormí. Si caía en un duermevela, me despertaba el ulular del perro ciego bajo la ferocidad, también ciega, de su hijo.

Después de una semana de llevarlo en brazos, cortada la infección, *Zegrí* anda a tres patas. Necesita, más que nunca, el ejercicio de uno de los sentidos que le quedan: ser acariciado, sentirme, contactarme en su estricta acepción. Pero no me puedo exceder: veo cerca los ojos celosos y airados de *Zagal*, tan propenso a disputas de amor. Y bajo ellos, veo la tristeza húmeda y el deterioro y la decrepitud de *Zegrí*: el pis que se hace donde le coge, agachado como una niña porque no tiene fuerzas para levantar la pata; la irritación que provoca en su coetánea *Zahira*, quizá porque es su espejo, que le enseña los dientes si se le acerca; el balanceo de barquilla perdida, «entre las olas sola», con que esquiva los obstáculos tras golpearse en ellos con un gesto de cachorrillo que no ve aún y busca tanteando, con el hocico, la teta de la madre.

Y tampoco puedo mimarlo ahora porque es preciso que vuelva a usar su pata herida, que confíe, que la asiente. Le muevo la articulación; le doy masajes; le obligo a subir y bajar escaleras, a pesar de que no da pie con bola. Las baja a veces casi rodando, pero cae en mis manos. Y subir es peor: lucha, se desanima, resbala, se rehace, sigue si yo lo espero arriba... No sé si comprende esta rehabilitación. Le ha dado por hablar solo: emite sonidos —todos lastimeros, todos breves y ensimismados— igual que si llorase. No me extraña que llore: entre todos le estamos dando un fin de vida horrible. Por fortuna, como su sordera se interpone entre él y el mundo, duerme mucho; no obstante, eso lo aísla aún más y lo condena a ser *el otro* entre los otros. Y además se pierde con frecuencia, o se queda encerrado en una habitación y se le encuentra al fin debajo de una silla o de una mesa baja: estuporoso como un anciano que se está yendo sin saber adónde, o lamiéndose la llaga de la pata con una desolada insistencia. Yo, con signos que él entiende, lo traigo *aquí*, y empezamos de nuevo a subir y bajar malditas escaleras.

El otro día un muchacho, escritor incipiente, supongo que por cumplir, me dijo: «A mí me gustan también los perros. Los cachorros más que nada.» Pensé que no le gustaban ni los cachorros: el amor no usa esos caminos. El cachorro exhibe una gracia tan grande de gestos, de reacciones, de posturas, de expresividad, que a todo el mundo atrae. Pero el amor anda hasta el final oscuro su sendero: cuando de aquel cachorro regordete y simpático quedan sólo una pelambre rala, unos ojos velados, una incomprensible lejanía, un arrinconamiento acobardado, una incomunicación. Cuando lo único que te une a él es comprobar a diario que te ha dado su vida. Su larga vida entera. Absolutamente toda.

4 de agosto de 1996

LA PRIMERA ENSEÑANZA

Aquel hombre cayó de repente en la cuenta de la incesante actividad que se desarrollaba dentro de sí mismo. Dirigida por una especie de inteligencia corporal, ajena a él pero a la vez configuradora suya; aún más, mantenedora de él mismo tal como era o como aparecía, e incluso esencia suya. Paró mientes en tal actividad con tanta fuerza que sintió dentro un alboroto silencioso, como multiplicado por amplificadores: el fuelle de sus pulmones, la rápida corriente de la sangre, las sístoles y diástoles cordiales, los movimientos peristálticos, las contracciones de músculos y tendones envolviendo sus huesos, los mandatos crujientes de sus nervios... Le admiró la precisión casi automática (o automática, porque él sólo intervenía para corregir aquello que le dolía o que le molestaba) de esa extraña sabiduría, que nunca había suscitado su gratitud por permitirle dedicarse a más altos oficios.

El ser humano es una difícil conjunción: no es sólo Marta la incansable activa, sino María la absorta pensadora; no sólo un cuerpo, pero tampoco lo contrario; no sólo lo animal, pero tampoco lo sólo racional. Aquel hombre daba más importancia a la *otra* sabiduría, asentada también, por lo demás, en la materialidad de su cerebro. Mediante ella era capaz de perfeccionar la Naturaleza y su naturaleza, alargar la duración de la vida o mejorar sus condiciones... ¿Acaso se hallaban en guerra una inteligencia con la otra? Reflexionó aquel hombre y comprendió que a menudo aspiraba a completar la Naturaleza en contra de ella y de sus exigencias. Y se dijo que esto le dañaba, como si su pie derecho se dedicase a pisotear al izquierdo, o su vesícula se declarara en huelga por ir contra un riñón. ¿Cómo conseguir, fuera de ese combate suicida, la armonía? Porque el esfuerzo puede modificar un comportamiento pero no a quien se esfuerza: alguien puede ser obligado a acostarse, pero no a tener sueño. Cualquier cambio es resultado del conocimiento y de la comprensión. La Naturaleza en general no es técnica, sino creativa; en ella domina la ausencia de codicia, de ansiedad, de ventaja o de éxito: todas esas tensiones van contra el orden, pacífico y en pie de guerra, que dispone la inteligencia corporal.

Si los planes de la Naturaleza no coinciden con los nuestros —se dijo aquel hombre— será preciso acordar los segundos a los primeros, que jamás se subordinan a extremos de recompensa o castigo, culpa y represión, orgullo o menosprecio... Se introdujo metafóricamente aquel hombre en sí mismo, y escuchó la lección de su cuerpo, tan similar a la que los animales dictan sin enterarse en su hábitat oriundo. El cuerpo no se aburre jamás de cumplir su minuciosísima y monótona tarea, alterada a veces por causas externas a sus ritmos, perjudiciales siempre. (Aquel hombre apagó el cigarrillo y apartó el vaso de whisky.) Ningún animal libre engorda más de lo conveniente, ni come o bebe a deshora ni en cantidades excesivas, ni se somete a más tensión que la que precede al salto o al vuelo, a la caza o la huida. Ningún animal libre sufre insolaciones ni cánceres de piel, ni pasa más frío ni se moja más que lo imprescindible... Es decir, las órdenes del cuerpo, taxativas y tácitas, no engañan nunca. El cuerpo no pretende humillar a otros cuerpos, ni aparentar más poder o más belleza que los que le fueron dados, ni resultar agradable a los demás con sinuosas tácticas... La inteligencia corporal era, en consecuencia, más sencilla, más efectiva y más correcta. ¿No habría que imitarla?

Entendió entonces aquel hombre que el contacto con la verdadera Naturaleza (no con la artificial, surgida de intervenciones humanas) le era imprescindible. Que acaso él pudiese perfeccionarla a ella; pero que ella, sin duda, le perfecciona a él. Siempre que atienda, lo perfecciona con sus ejemplos de indiferencia al tiempo, de paciencia y de entrega que todo instinto suministra; con la fastuosidad de sus lluvias y sus luces, de sus atardeceres y sus flores, de sus aromas incontables; con la lujosa y tonificante variedad de sus estaciones; con el beneficio que la comunión con ella le produce, abonado en monedas de serenidad, de alivio de las ofuscaciones, de aceptación anestesiada de lo inevitable. Entendió aquel hombre que, lejos de la Naturaleza, su cuerpo palidecía y se aflojaba; y su espíritu, enajenado, se tornaba rígido, inerte e incomprensivo... Acariciando sus manos una con la otra, agradeció la modesta y continua enseñanza que su propio cuerpo le impartía. Miró el paisaje y recordó: *Non nisi parendo vincitur.* Sólo obedeciéndola se la vence...

11 de agosto de 1996

EL DOLOR ALQUIMISTA

Has oído de boca de unos niños, como tema de una tarea de colegio, el relato más sencillo y sin meandros de tu vida. Los logros, los aciertos, los relativos esplendores... «¿Es eso todo?», te has preguntado. Si la vida te hubiese conducido por caminos más llanos, más limpios y gozosos, no estarías aquí ahora, en esta casa sosegada. Estarías en otra, más luminosa acaso y menos tuya, o no habrías obtenido el sosiego con que tu azacaneo te ha recompensado. De ahí que a veces, y no de un modo excepcional, te recrees en evocar recuerdos muy feroces. Las ocurrencias venturosas hacen placentera la vida; las que produjeron dolor son la simiente del conocimiento y de la libertad. Siempre desconfiaste de lo sencillo y de la cuesta abajo, probablemente con razón.

Por ejemplo, recién salido de la adolescencia, aquel primer desastre tempestuoso. El que llevó al solitario que aún no eras a esconderse en sí mismo para siempre, tirando a la basura, por inútil, su libretita de direcciones y teléfonos. Creciste desde abajo, desde allí, desde el estercolero al que te habían arrojado los mismos que te vitoreaban. Fue un hecho depurador que actuó en ti de forma magistral. Sobreviviste con mayor fuerza, con la capacidad de ilusión alicortada, con una deslumbrante revelación sobre ti mismo —sobre tu vida, que no iba a ser ningún jardín de rosas— y también sobre los demás con sus debilidades despreciables y sus prejuicios de granito. Te volviste hacia las habitaciones interiores, de cara a la pared para pensar mejor, abrumado por sentimientos de aquella soledad inicial y obligada, de inseguridad, de inquietud, de envidia hacia los que eran diferentes a ti, de ira asimismo y culpa. Era tu *forfait* tenebroso, con el que tendrías que viajar en adelante.

Y en adelante sucedió que fuiste mucho menos vulnerable e indefenso. Habías puesto entre el mundo y tú un foso casi insalvable: rompiste los espejismos que te engañaban entre guiños de complicidad, las percepciones deformadas por generosidad de tu favor, las falsas creencias, las realidades que te cercaban ficticias como realidades virtuales... Distinguiste el trigo de la paja, y también la cizaña. Te distanciaste de tu sufrimiento para continuar vivo y apretaste contra el suelo los pies. En eso consistió tu instrucción: aprendiste a andar solo, a ser distante, a aceptarte a ti mismo tal como eras, no como los otros habían imaginado que tú eras, antes y después de aquel suceso. Te examinaste con toda la frialdad de que fuiste capaz: cuanto pensabas, cuanto sentías, cuanto decías, cuanto obrabas; tus emociones negativas, tus defectos, tus desventajas, tus errores, tus confianzas excesivas... No para desarraigarlos de ti, corriendo el riesgo de arrancarte el corazón, sino para aprovecharlos en tu beneficio: para desarrollarte más, para desarrollarte mejor, para adueñarte de la estancia apartada e insonorizada de la libertad.

Ahora estás en condiciones de asegurar a quienquiera que todo es útil, quizá hasta el gozo, quizá hasta la vida regalada, quizá hasta la ausencia de contradicciones; pero sobre todo el dolor, la siembra oscura que sigue a la llaga casi intolerable del arado. El dolor que envuelve como una segunda piel, y quema desde las uñas a las encías, desde la punta del pelo hasta la planta de los pies. Todo sirve, *etiam peccata*: lo escribió Agustín de Hipona, que supo bien, entre el calor, lo que es pecar y qué es crecer por dentro; que supo bien lo que es esa alquimia misteriosa. Porque hay pecados necesarios que nos desenmascaran, y nos dejan, incontaminados como recién nacidos, en el centro del nuevo amanecer; abandonados frente al nuevo amanecer que es, por fin, el nuestro.

Sólo quien avance bajo el fardo, más o menos agobiante, de sus tinieblas y su sinceridad, bajo el fardo de su verdad más honda (la verdad que no se atreve *motu proprio* ni a decirse a sí mismo, esa que a zurriagazos podrán los demás imponerle), sólo quien avance bajo su peso íntegro y sin disfraz, logrará caminar por el sendero que le llevará a sí mismo: el único sendero en que tropieza uno —tú tropezaste— con la paz y el amor, la gratitud y la sonrisa. Y encontrará lo que todos febrilmente persiguen sin dar jamás con ello: la cristalina fuente de la serenidad y la alegría. Una fuente que brota en el mismísimo punto y el mismísimo instante en que se logra la aprobación de uno mismo tal como es, la aprobación de la vida como es, la aprobación del mundo. Un punto y un instante cuya conquista, como se dice de la del cielo, padece violencia.

18 de agosto de 1996

VERANOS EN EL SUR

No; los veranos en el Sur no siempre fueron como éste. Ahora estamos solos los cipreses y yo... De acuerdo: hay jazmines, discretas plantas que embalsaman desde el atardecer, rosales que florecen sin mesura, el resto innumerable de los árboles que descienden al río... Pero prácticamente, cara a cara, los cipreses y yo. No me quejo. Está bien. Cada cual cumple su tarea. Lo único que digo es que no todos los veranos fueron como éste. Presentes están, sí, en él, pero ya sólo en el recuerdo, las ardientes horas por las playas de Almería o de Málaga, las noches en las tabernas interminables del Albayzín, las mañanas en la múltiple provincia de Jaén, las siestas sólidas de Córdoba... Mi corazón cantó entonces. ¿Y ahora? Ahora reflexiona, se contiene, musita, pero no canta. Y entonces se quedaba enredado en cualquier cosa: en un geranio blanco como la nieve, en una higuera constelada de frutos, en una parra cuyos racimos ya se amorataban, en unos labios levantados en el exacto gesto con que una flor se ofrece... Se quedaba distraído ante la implacable belleza de este mundo y su música. Nunca en aquellos veranos se encontró solo. Llegaba la noche, plateada y azul, y en ella todo era complicidades y fervores.

¿Los echo hoy de menos? ¿Echo de menos los rotundos veranos, huidos para siempre, entre el parpadeo del olivar, las femeninas curvas de la campiña y las facciones viriles de la sierra? No; los tengo y los llevo conmigo. Giro a veces la cara como si unos pasos conocidos resonasen, y les sonrío, aunque sé que no suenan. Porque todo es lo mismo hoy: todo, menos yo, que soy el mismo pero no lo mismo. Los anchos cielos gravosos al mediodía, cárdenos y espesos; el mar, reiterativo e insomne, invitándome y rechazándome; el todopoderoso sol de agosto y su incendiaria monarquía; las tipuanas de flores amarillas, los profundos laureles y los jacarandás enramados de azul; las lunas tan ajenas y sin embargo tan partícipes... Y el amor, que respira hondo para poder seguir viviendo y pronunciar un nombre saboreándolo... Todo duró algo menos que yo. Mientras lo tuve fue eterno. Y yo, inmortal a través de lo efímero. ¿Quién, por una simple amenaza de precariedad, habría dejado de emprender la aventura de aquellos veranos? ¿No es precaria la vida? Hay un tiempo para estremecerse, y hay otro para evocar el estremecimiento.

Sin miedo escuché los cantes destrenzados, cuyo esplendor agoniza y resurge en cada madrugada. Bebí en la copa en que acababan de beber otros labios, y los míos tropezaron con ellos en su filo. Jugué con el tiempo como con un collar de abalorios, cuyo hilo se rompe con facilidad y se derraman las cuentas con un ruido de risas. Malgasté, porque era mío, el tiempo, y porque es lo único que con él puede hacerse (con el amor también, a manos llenas). Devoré los alimentos terrestres y marinos que alguien terminaba de coger para que yo y quien me acompañaba —¿qué importa quién?— los devoráramos. Mordisqueé la menuda fruta de los besos con fruición y a veces con desgana, como un aperitivo que se toma para así provocar el apetito. Olí la piel que el sudor humedecía y la acaricié con mano también húmeda, e hizo el sudor más largas las caricias. Miré bajo el plenilunio, a la vera del mar, unos ojos igual que joyas que a su vez me miraban: solos ya, irresistibles ya, avanzando juntos entre la niebla de la felicidad escurridiza... Y sentí el calor, el calor, el calor con que se manifiesta en el Sur cualquier vida, y el hálito de alguna brisa alguna noche, y el aire quieto como el de una alcoba en que se ama...

¿Soy el mismo que entonces? Sí; el mismo. No lo mismo quizá, pero sí el mismo. Observo mis manos, y sé que fueron ellas las encargadas de transmitir mis mensajes y a mí. Frunzo los labios, y sé que fueron ellos los encargados de moverse del beso a la palabra, de la palabra al beso. Oigo mi corazón, y sé que él fue el que me extraviaba y me recuperaba, quien se entregó de una vez cada vez, como si fuera la vez única, derrochador de sí mismo, compañero, y quien en ocasiones no encontró recipiente donde cupiera toda su cargazón y su dulzura y su amargor también. Son mis oídos, éstos, los que escucharon las confidencias en voz tan baja que el alma no entendía. Y mis ojos los que se cerraban para descansar de tanta luz, de tan incesante amanecer... ¿Qué importa quién hubiese a mi lado mientras amanecía?: ¿habría cambiado el poderío del amanecer? Sí; soy el mismo que atravesó el candente pecho de otros veranos en el Sur. Ellos me hicieron y me deshicieron; ellos me reharán acaso si aún hay tiempo. Los veranos del Sur... Soy cosa suya, hecha a su semejanza y a su imagen. Ojalá no los defraude nunca, como ellos a mí nunca me defraudaron.

25 de agosto de 1996

EL MEJOR AMOR

Cuánto hablamos de amor. Aquí va a hablarse de otra forma de él, más alta me parece. ¿Qué es amar? Todo lo contrario de estar ciego: ver a una persona o aquello que va a ser objeto de nuestro afecto tal como es (no como imaginamos o queremos imaginar que es) y tratarlo y corresponderle como se merece. Pero no puede amarse lo que no se ve con entera precisión. Nuestros conceptos más asumidos, casi congénitos de puro acendrados, nuestras categorías, nuestros esquemas, nuestras proyecciones nos dificultan la visión tanto como nuestras pasadas experiencias y nuestras ilusiones futuras. Somos Laocoontes de las herencias, de los prejuicios, de las ensoñaciones... Con tal pesada carga se hace casi justificable la pereza que nos impide ver a cada persona y cada cosa como son en cada momento y en cada circunstancia, es decir, irlas constantemente descubriendo.

A solas, ya tendríamos que zafarnos de esa carga personal. Pero queda otra más: la que la sociedad, día tras día, secularmente, nos deposita sobre los hombros. El ser humano es sociable, y entiende que serlo le obliga a sintonizar con las reacciones de sus próximos, marchar al ritmo de ellos, hablar en su lenguaje, situarse a su altura, depender de sus datos. Tal sumisión le cuesta un gran trabajo; pero mayor aún es el que le costaría la soledad, por solidaria que ésta fuese. Porque se ha hecho a la droga que el aire social lleva: el aplauso exterior, el aprecio, el poder, el prestigio. Se ha hecho adicto a los otros: necesita para respirar que los otros lo confirmen, lo ratifiquen, lo respeten. Aunque sea a costa de embaucarse a sí mismo, puesto que se ha echado a vivir de puertas para fuera... Es imposible que, en tales condiciones, nadie vea a nadie *como es* para amarlo *como es*.

Se deduce de ahí que para amar de veras hay que aprender de nuevo la existencia y hay que aprenderla a solas. Sin nadie al lado que apruebe o que repruebe, y sin la droga que nos suministraron. Ay, qué dura exigencia: estar en el mundo pero sin pertenecerle, sin dejarse llevar por su gracia y su magia; suyos y ajenos a la vez; reunidos y rigurosamente solos a un tiempo; liberados de las raíces que nos mantenían dentro de la sociedad de los humanos; limpios los ojos para observar a las personas y las cosas en sus estrictos perfiles casi hirientes; desvanecidas ya las nieblas del temor, del deseo, de la imaginación... Ya los demás no son objeto de nuestra atracción, ni nosotros lo somos de la suya. Fuimos adictos a sus palabras, a su criterio, a sus dictámenes; ahora hemos roto con la adicción en que nos manteníamos.

Y estamos solos, como el toxicómano que renuncia a la única felicidad que conocía. Como el toxicómano al que se le predica las bondades del agua clara y fresca, de la verdura recién cogida, del puro aire de la mañana, de la alimentación sana y recomendable... Y su mono, su síndrome de abstinencia, entretanto, lo embarga y lo enloquece. Vuelve la cara hacia su ayer, enlazado aún en él; vuelve la cara al gozo que en exclusiva conocía. Aquí ya no hay palmadas en la espalda, enhorabuenas, emociones participadas, conmilitones de partidos políticos, coetáneos accesibles, comunidad religiosa de creyentes... Nadie puede hacernos aquí desdichados ni dichosos. No somos de nadie ya, ni nadie es nuestro. ¿Dónde fueron a parar los amigos, aunque los condujese el interés? ¿Dónde nuestros lectores que se adherían, y nuestros espectadores que ovacionaban? Solos, deshabituados poco a poco de la droga, pero absolutamente solos; peor aún, porque nos hallamos en mitad de una plaza pública y olfateamos las dosis que los otros consumen... He ahí el momento para amar: el exacto momento en que no existe la necesidad de nadie a quien se ame.

Para llegar a tal punto se necesitará la diaria paciencia con la que se trata a un drogadicto en cura: el drogadicto que somos nosotros mismos, cada uno de nosotros. Y trabajar en algo que ponga a contribución nuestro ser entero en alma y cuerpo, desprovistos, por descontado, de la preocupación de conseguir un éxito o eludir un fracaso. Y despedirse de los otros, ascendiendo o descendiendo a la Naturaleza, confraternizando con ella, afiliándose a ella: a sus árboles, a sus pájaros, a sus criaturas elementales; introduciéndose en su silencio desierto, en su soledad sonora...

Hasta que el corazón, de pronto, una mañana, cuando suponíamos que había dejado de latir para siempre, «rompa a cantar / lo que no se sentía con fuerza de decir». Y entonces nos habremos salvado. Nos habremos salvado, misteriosamente, con todo lo demás.

1 de septiembre de 1996

LA CONCIENCIA

El sol ya se había puesto; pero la luna, que estaba llena, no salía aún. Lo haría sobre la oscura sierra que clausura el levante. Se resistía la luz a que la oscuridad la desplazase; se resistía a acostarse el día, como un niño casi dormido que se niega a dejar la mesa por la cama. Las tinieblas, con engaños, se apoderaban del paisaje en una lenta progresión... Por la tarde estuvo con él el único genio que conocía: un biólogo de 87 años, no debidamente admirado y conocido, con una cabeza blanca por fuera y envidiable por dentro. En una ocasión, por motivos culturales, habían viajado juntos a la URSS; desde entonces se trabó entre ellos una amistad, pausada y a la vez candente. Uno atendía siempre la opinión del otro sobre su trabajo. Y para los dos era su trabajo lo que más contaba.

Al servirle el té, recordó que era café lo que el biólogo tomaba, y lo encargó entre risas, con las protestas del anciano. Café con mucho azúcar. Transcurrió la conversación por anchas y amenas avenidas. Atravesaba el sol las ramas, alborotadas en lo alto por un aire más fuerte que a ras de tierra. Una oropéndola por poco les roza la frente con sus alas. «Después de tantos años de empeño monográfico —decía el biólogo— estoy a punto de entender cómo, en un cuerpo vivo superior, se relacionan las psiques de los seres vivos que componen los dos niveles implicados de modo directo dentro de ese cuerpo. Las neuronas, por ejemplo, producen la psique animal y obedecen sus indicaciones sin tener noticia del conjunto de ella, y, por su parte, esa psique gobierna la actividad de las neuronas sin saber tampoco de ellas. Son como peldaños por los que ascendiese la vida, necesarios los unos a los otros, pero guardando todos su secreto. Toda psique, que es una unidad esencial con facultades de libertad y de conciencia, se realiza en el curso de cualquier vida por medio de una serie discreta de pulsaciones de surgimiento y desaparición.»

La tarde era un remanso complaciente y sereno. El más joven bebía las palabras que el mayor pronunciaba con precisión no exenta de apasionamiento. «La conciencia ha de ser explicada en términos de procesos de la realidad, que contribuyen a su vez a interpretar otros procesos: desde el ser vivo más inferior, debajo de la célula, al superior, que es el hombre. Claro, que la conciencia es esencialmente incognoscible.» «¿Incluso la nuestra?», preguntó el anfitrión. «La conciencia queda fuera del alcance de la ciencia.» «Ya se habló de la ciencia sin conciencia.» «Ése es otro problema. No hablo ahora en metáforas; pero lamento que se suma en el misterio cómo algo físico se transmuta en conciencia de sí mismo; se sustantiva en tomas de noticia y libertad... Un misterio del que, sin embargo, tenemos datos a través de lo que cada uno nos sentimos ser.» «Tú y yo, verbigracia, sentados esta tarde en este jardín. Yo, pendiente de tu sabiduría...» «No digas bobadas; pero así, así es... La conciencia, en el fondo, parece ser, como el movimiento, una propiedad general de la realidad. E igual que el movimiento remite a otras modalidades de movimiento —las transformaciones de las formas de energía—, cada nivel de conciencia remite a otros... De ahí que la conciencia sea siempre lo que resulta de la vinculación irreversible entre lo directamente heterogéneo. Y cada forma de ella remite a las de las unidades del nivel inferior.» «¿Y al llegar al nivel cero?» «No es posible inducir cómo puede producirse tal conciencia inicial», concluyó el maestro. Y suspiró.

Bromearon y rieron los dos amigos hasta la hora en que el mayor debía retirarse. «Tengo la conciencia —murmuró al despedirse— de que nos veremos ya muy pocas veces.» «Una conciencia científicamente incognoscible», replicó el más joven. Ahora, ante la obstinada lucha de la noche y el día se preguntaba si la conciencia es el resultante de la evolución conjunta del universo en cada punto y momento de él. Porque todo ser, todo fenómeno, todo proceso, se integra proyectándose hacia uno de dos polos: el todo universal o la base inconsciente de una conciencia primordial. Y el hombre está no en el centro de esos dos polos, pero sí en la distancia que los separa y que los une. «La vida —se planteaba cuando una voz le avisó para la cena—, ¿acaba y se consagra en el ser humano? ¿Es él la cima de la creación, si llamamos creación a este cosmos cuyos límites tanto nos exceden? ¿No habrá otra conciencia superior, para llegar a la cual la nuestra es un corto escalón?» Todo en la noche parecía asentir: la luna que remontaba por fin el horizonte, la oscuridad que se había por fin adueñado del mundo, la Vía Láctea que matizaba el claro cielo. Y el olor de la dama de noche, de la madreselva, del estramonio, del jazmín, que cumplían a conciencia su delicado e irreflexivo oficio.

8 de septiembre de 1996

LA NOTICIA

Las sombras se alargaban por momentos: atardecía. Ante un ramo de jazmines que habían puesto en su mesa y emanaba oleadas de olor, echó algo de menos. No estaba seguro de qué. Ni una persona concreta. Ni una circunstancia concreta. Era más bien un estado de ánimo. Es decir, una vez más se echaba de menos a sí mismo. Le venía ocurriendo con frecuencia. Añoraba al que había sido no hace demasiados años. ¿Su juventud? No, no. Lamentaba que cada día le quedaran menos reductos suyos, menos intimidad para descansar de los otros, menos rincones donde estrechar una mano a solas. ¿No era una contradicción? Porque esa mano no existía, ni el tiempo ni el lugar de estrecharla. Tuvo una confusa sensación de muerte. Como si alguien muy próximo hubiese fallecido y aún no le hubiesen comunicado la noticia... Atardecía. La luz, muy cálida, se demoraba en las copas de los árboles. Las blancas estrellas del jazmín ofrecían, vibrantes, sus puntas redondeadas...

No temía a la muerte. La temía si se entronizaba como protagonista de la vida. ¿Por qué entonces este vacío de ahora, esta vaga añoranza? Allí se hallaba él, en su pequeño paraíso apenas compartido o no compartido en absoluto, lejos de todo tráfico, de los atropellos, de los viajes. ¿Lejos de la vida? ¿Se trataba de un intento de aferrarse a un minúsculo asidero que lo salvase de la muerte? ¿Vivir menos para morir menos también? La muerte es una pérdida, una desaparición, una despedida. Si uno se resiste a ella, se está resistiendo a lo que la precede: a cualquier posesión, a cualquier presencia, a cualquier recibimiento. Nadie puede estar fijo, presenciando impávido la movilidad que es la vida, el flujo al que la vida se reduce. ¿Quizá él temía perder algo, quizá temía perderse, y eso le imposibilitaba para entregarse al cambiante torrente, eterno y mudadizo, invariable y versátil a la vez?

Había conocido a gente a la que aterraba la pérdida de un ser querido, la simple duda que sobrevenía sobre alguna certeza, el peligro que amenazaba un fundamento considerado básico en su historia. Él no era así. Al menos, lo había creído siempre. El *todo corre* de Heráclito presidía su comportamiento. La realidad, por lo demás, lo había acostumbrado a los naufragios. Su alrededor lo marcaban adioses definitivos, la carencia de lo que juzgó imprescindible, el olvido de lo que un día supuso inolvidable. Sin embargo, ¿no era digno de justificación sentirse asaltado y vencido por determinados dolores y desapariciones? Sí... Recordaba un epitafio del cementerio de Deià. Lo escribió una madre en la tumba de su hijo: de ahí lo sorprendente. «*Tout passe, tout lasse, tout se casse et tout se remplace.*» Él no aspiraba a reemplazar nada. En torno a su mesa se contaban muchos asientos vacíos... Un movimiento suyo estremeció los jazmines y enviaron su vaho bienoliente... En ocasiones una entrada furiosa de la vida hizo añicos objetos personales, tan insustituibles como el propio corazón.

Se puso en pie y se acercó a una ventana. «*Advesperascit et inclinatam est jam diem.*» Era el principio de la anécdota de los discípulos de Emaús: Jesús había resucitado; ellos, sin reconocerlo, lo invitaron a pasar la noche; sólo la forma de partir el pan les abrió los ojos... «Ha declinado el día. En todos los sentidos.» Él comprendió que era imprescindible adivinar aun en la oscuridad; abrazarse sin luz a la mudanza, a la inseguridad, a las incertidumbres... «Alguien debe de haber muerto, aunque yo no lo sepa todavía —se dijo—: de ahí esta nostalgia abrumadora.» Era necesario arrostrar cualquier muerte, cualquier idea de privación, de extravío, de expolio. Si no —se dijo—, sería él quien estuviese muerto... No le quedaban tantas personas cuyo eclipse pudiera descabalar su alma: no tenía tantos habitantes dentro de sí. Los evocó de uno en uno. Hizo un ejercicio de memoria, de amistad y ternura: les dio las gracias, los acarició brevemente con la imaginación, se despidió de ellos como si alguien se hallase urgiendo fuera, en la puerta, la partida... Luego les volvió las espaldas.

En torno a él, como un aura, reentró en la casa la soledad. La escuchaba casi, igual que si arrastrase un manto. Se supo más solo que nunca, voluntariamente más solo que nunca. Y más libre también. Estaba ya dispuesto a recibir la mala noticia que vislumbraba: ahora no podría destruirlo. En parte, porque él había destruido el deseo de aferrarse a la estabilidad, a la perduración, a la permanencia de los seres, de las creencias, de las esperanzas y las desesperanzas... La soledad desprendía un olor a jazmín. Oyó cómo el aire cerraba con un ruidoso golpe su puerta. Marcó un teléfono, y preguntó en voz baja quién había muerto o estaba a punto de morir. Una voz conocida pronunció muy despacio su nombre.

15 de septiembre de 1996

EL DESASOSIEGO

Es sorprendente que una cultura hedonista como la nuestra, en la que el placer como modo de vida es lo que justifica, cultural ya que no moralmente, su capitalismo, llegue a hacer tan desdichados a sus hombres. La prisa y la agresividad se han constituido en las protagonistas de este encierro, del que todos aspiran de palabra a salir y nadie sale. Los negocios no son para muchos ni siquiera ya un arte, sino una auténtica religión, con su moral relapsa, sus dogmas y sus cultos. La competitividad no se ejerce ya sólo con los contrincantes, sino con uno mismo: la máxima «sé tú tu más feroz competidor» es la que lleva al éxito (¿en qué?). La vida alrededor se basa en un consumo compulsivo e inerte sin el que la economía no funciona, en unas novedades tecnológicas que avanzan a oleadas cada vez más frecuentes, y en una implacable suscitación de los deseos: el deseo como definidor del deseante, como mantenedor de su intensidad, como termómetro de su vigencia, como terapia de sus depresiones, como impulsor de cualquier tipo de progreso.

Lo supieron los clásicos. Intentar calmar los deseos mediante la posesión es tratar de apagar un fuego echando paja, escribió Pitágoras. Porque los deseos, más cuanto más vanos, son insaciables, y lo que los adormece se compra en el fondo a costa del alma. No choca que Homero se propusiera «marchar desnudo al campo de quienes nada desean». Son los mediocres mercachifles los que sugieren avideces para basar en ellas su dominio. Es sabido que no hay nadie que no sienta más deseos que necesidades, y más necesidades que satisfacciones. De ahí la impaciencia que nos destroza y nos invalida. Se quiere todo y ya, sin respetar el verdadero camino y el ritmo de lo que se quiere. Se ha trizado el lógico devenir de los alimentos, de las emociones, de la naturaleza de las cosas. El amor de melón y tajada en mano, por ejemplo, es mentira porque no le da tiempo a la ternura. Llegar al postre recién tomado el aperitivo, y aun sin aperitivo, estraga el paladar y desconcierta el estómago.

Es esa prisa la que Sartre relacionó con la violencia, porque la violencia es el camino más corto para lograr cualquier deseo. Hoy no parece tan grato entrar por las puertas abiertas como forzarlas; sin embargo, es sabido que a patadas o con ganzúas no se penetra en ningún corazón. Aunque se repita que el progreso necesita esta actitud ansiosa, no es verdad: la violencia es recurso de débiles. ¿O es que acaso no es débil la sociedad que nos ha hecho como somos? Si presenta posibilidades de mejora y no ofrece vías para lograrla, provoca la agresividad; si proclama una convocatoria de dicha general sin contar con las aspiraciones personales y los proyectos subjetivos, provoca la agresividad; si avanza en un estado de violencia permanente, reduciendo los espacios vitales, los impulsos y los ideales íntimos, o imponiendo una moral raquítica e hipócrita, provoca la agresividad; si se desentiende del amor y promueve el sexo, y aun, por si fuera poco, luego lo reprime, está provocando la agresividad.

El concepto de héroe, manejado e impuesto por el cine y la televisión, ha concluido por reducirse a la violencia: por ser un reflejo de la que la sociedad ejerce sobre los individuos, al sembrar en sus almas la inquietud de los deseos provocados y la frustración de las primeras ilusiones; al plantear a los ciudadanos sus modelos inasequibles y faltos de humanidad, ni siquiera deseados la mayor parte de las veces, sino embutidos a martillazos en la mente con técnicas de mercado. ¿Cómo puede tal sociedad declararse irresponsable y hablar de que se desencadena una ola de violencia? ¿Cómo pueden los individuos, así sometidos a ortopedias y desencantos, quejarse de su infelicidad? El que escupe al cielo ha de esperar dispuesto a que le moje la cara su saliva. ¿Quién convencerá al hombre de hoy de que él no está hecho para la sociedad, sino a la inversa? ¿Quién lo convencerá de que fue creado para el piadoso afecto y la tranquilidad, sin más anhelos que su alimento, su cubil, su pareja y sus hijos? Es decir, sin otros acicates que cuanto necesita para cumplir su destino de uno en uno, o de dos en dos. Tal fue el lamento de Quevedo: «Perdí, con el desprecio y la pobreza, / la paz y el ocio; el sueño, amedrentado, / se fue en esclavitud de la riqueza. / Quedé en poder del oro y del cuidado, / sin ver cuán liberal Naturaleza / da lo que basta al seso no turbado.»

22 de septiembre de 1996

166

LA ABEJA OCIOSA

Una abeja giraba en torno a él. «¿Me toma por una flor —se preguntó orgulloso— o es que descansa?» Quizá la abeja no puede detenerse, no puede cesar en el cumplimiento de su *deber*, su única vida. Una abeja ociosa no es imaginable: cuando frena su trabajo es que ya va a morir. Pero está claro que hay que volver a los sentidos, al gozo y al reposo. Los puritanos exaltaron la voluntad, la desarrollaron en exceso contra los sentidos. Y proclamaron la competencia como su mejor arma. La mayoría está implicada en semejante error: no le produce la vida suficiente alegría como para engendrar hijos. De ahí que su raza, de tenso músculo y firme decisión, de agresividad y competitividad, esté llamada a desaparecer. Porque su actitud no sólo envenena el trabajo, sino el descanso, que no restaura ya los nervios y que aburre.

Los norteamericanos, por ejemplo, trabajan hoy más horas que hace cuarenta años; su tiempo de ocio se ha reducido en una tercera parte. Las ansiedades, el estrés, la fatiga crónica, el riesgo de ataques al corazón los fustigan. Todos querrían más tiempo libre, pero con la intención no se cambian las cosas, y quizá no sabrían tampoco cómo emplearlo. La media de conversación diaria entre padres e hijos no pasa de siete minutos los días laborables, y no siempre es una conversación bienhumorada. Por supuesto, ahí tienen su origen la violencia juvenil y adolescente, la depresión que empieza cada vez más temprano, la droga ya casi infantil, el desafecto y la disolución de las familias, la incomunicación, la incomunicación...

En unas circunstancias en las que el paro escalofría, hay quienes yacen abrumados por un exceso de trabajo. En unas circunstancias en las que la tecnología permite jornadas de 30, incluso de 20 horas semanales, hay quienes se ven amenazados de extinción por abusos de horario. Que el capital esté encantado con sus incrementos de productividad, pase; que no se ocupe de compartir sus beneficios, resulta difícil de entender; que no haya una oposición suficiente promovida por los trabajadores, es inverosímil;

que sea necesario una pérdida de capacidad de compra para que la situación bascule, es sólo una triste esperanza. Cualquier revolución industrial no servirá de nada si no va precedida por otra social, que a su vez habrá de iniciarse con una revolución personal e íntima. Será ésta la que vuelva a su lugar los valores subvertidos.

El ser humano actual vive sólo con su cabeza; no es consciente de la actividad de sus sentidos. De ahí que rara vez viva su *ahora*: se sitúa en el pasado (sintiéndose culpable de viejos actos o complacido con antiguos triunfos, demorándose en las mieles de una inventada infancia o en los acíbares de rencillas no borradas) o en el futuro (anticipando alegrías que no sucederán o calamidades aún en el aire, perdiendo la certeza de *vivir más* por la vana posibilidad de *vivir mejor*). Una vida que se refugia demasiado tiempo en el oficio, como la de la abeja, sin pasar a los cálidos dominios del corazón, se torna árida, tediosa y desalentadora. Hay que trasladarla al campo verde de los sentimientos, de las sensaciones, del amor y de la intuición. Hay que vivirla en compañía sin que la competitividad la esterilice, sin que la profesión la atosigue, sin que la velocidad la destruya.

No es éste un problema sólo de reflexión, sino de urgencias y de sensaciones. Al cuerpo no se le goza *conociendo* dónde están sus miembros y sus posibilidades, sino *sintiéndolo* en la realidad. E igual sucede con la vida del alma. Hay que resucitarla, porque en la mayor parte de los casos ha muerto o agoniza. La sensibilidad se adormeció primero y luego desapareció, porque los hombres se redujeron todo el tiempo a los fríos límites de su razón, en las inmediaciones de su voluntad. La superficie de su piel se cubre con trillones de reacciones bioquímicas a las que llamamos sensaciones; pero nos cuesta percibir aunque sea unas cuantas: hemos endurecido nuestra capacidad de percepción y sentimiento. Nos creímos más fuertes de esa forma; nos creímos más productivos, más sosegados, más modernos. No nos dimos cuenta de que así íbamos pereciendo. Confundimos la calma que sigue al ejercicio con el amortiguamiento de la conciencia individual. Nos transformamos en un número desatendiendo la verdad de que el progreso colectivo no es tal progreso si no va acompañado del de cada uno de nosotros: no sólo por la calidad de nuestra vida, sino también por su cantidad.

De ahí que los que no se encuentren tan a la moda deban consolarse pensando, con Bertrand Russell, que los dinosaurios en definitiva no triunfaron: se devoraron los unos a los otros, y sus vecinos más inteligentes heredaron su reino. Es decir, la abeja más lúcida de todas sería la abeja ociosa.

29 de septiembre de 1996

EL PARAÍSO PERDIDO

Con cierta pretenciosidad se llama autorrealización a lo que sería preferible llamar modestamente cumplimiento. Un hombre *cumplido* no es el que llega a ocupar altos puestos en la escala social, satisfaciendo así esperanzas propias o ajenas. *Cumplirse* no es alcanzar metas difíciles por muchos deseadas, sino vivir de acuerdo consigo mismo, lo cual proporciona una serenidad luminosa, cueste esfuerzos mantenerla o no. La frecuente desdicha de personas con un gran éxito profesional es buena prueba de tal afirmación. Y si bien conviene comenzar desde el principio a cumplirse, hay gente que cae en la cuenta de su distorsión vital a una edad no ya joven, o cuando su carrera parecía estar definitivamente encarrilada (definitivamente, pero mal). Y es en tal momento en el que hay, sin dejarlo para mañana, que comenzar la rectificación. Salvo que los interesados se resignen a aceptar un lugar o efectuar una tarea que, por excelsos que sean, no eran los *suyos*. Parece indiscutible, por otra parte, que los hombres y las mujeres que *se están cumpliendo* (el cumplimiento dura hasta el final) no suelen ser los más adaptados a las reglas sociales, porque el sometimiento a ellas ocasiona una disturbación en la personalidad no aconsejable, como no lo fue la compresión de los pies de las mujeres chinas. Consecuencia de esto es que los que defendieron su singularidad adquieren, sin querer, un cierto don de guías ejemplares.

El dilema entre *ser* y *tener* lo plantea nuestra sociedad desde siempre. Alguien podrá hacer compatibles ambos verbos, pero por lo común será preciso renunciar a una parte de nuestra libertad y de nuestra vocación para adecuarnos a lo que exige la sociedad cuando plantea los modelos o arquetipos que exalta y favorece. A no ser que elijamos la heroica defensa de nuestra dignidad, de nuestras capacidades creativas o de nuestro innato e intransferible estilo de entender la vida. ¿Qué es un hombre o una mujer *íntegros*? Aquellos que no carecen de ninguna de sus partes; que son rectos, intachables y probos. Pero nadie que haya enajenado la primogenitura que le define por un plato de lentejas (o de diamantes, es igual) será calificado de intachable. El que se vende comete un crimen contra él —el suicidio de su íntima personalidad—, y en adelante se rodeará de compañeros robóticos y desvividos, traidores a sí mismos y a él, porque es esta traición la que los une.

Por supuesto que no es tarea sencilla ser fiel a sí mismo. En primer lugar, hay que avanzar mirando al propio corazón, que indica el Norte. Y hay que crecer de acuerdo con él, lo que implica oponerse a las contradicciones con denuedo. Y hay que aprender que cuanto nos rodea y cuanto conseguimos —del amante al amigo, del colega al oponente, del éxito al fracaso— es emanación de nosotros mismos, de la que a ningún otro responsable podremos culpar. Y hay que encararse a los obstáculos que el exterior nos planteará para convencernos de la vuelta al redil confortable: obstáculos en ocasiones muy dolorosos, como la oposición de los seres que amamos o de quienes dependemos o que de nosotros dependen; obstáculos que proceden de nuestro interior: nuestros miedos, nuestras dudas, nuestros apegos y opiniones y credos heredados. Pero una vez iniciado el real camino no cabe retroceso. Para encarnar (y eso es cumplirse) cuanto de verdad se ama (y lo que amamos somos) hay que hallar aquello por lo que nos merece la pena vivir y hay que asumirlo, sin retroceso en nuestros pensamientos y palabras y obras. Como en el himno de Aquino: *Nova sint omnia: corda, voces et opera*. Y entonces nos veremos recompensados con una honda e imperturbable alegría de vivir, presente en todo caso, y desentendida de pasado y de futuro.

Porque mirar atrás o adelante es trasladar los campos del gozo y la batalla. Mirar al pasado sólo valdrá para comprobar la rectitud del camino elegido, o que nos hemos equivocado y cuándo, si es que nuestra voz interior no nos lo advirtió antes. En cuanto al futuro, dejemos que llegue y plantee sus cuestiones: a cada día le basta con su propio afán. No anticipemos cuál será nuestro ánimo cuando nos atribule ignoramos aún qué zarandeo, y con qué medios contaremos entonces. Sobre todo pensando que, si actuamos en nuestro cumplimiento, no estaremos más solos: nos introduciremos en un mundo nuevo, con situaciones y amigos nuevos, inequívocos, aliados. Y comprenderemos que el medio empleado para ser auténticamente nosotros es el único que podría hacer del mundo el auténtico y recuperado paraíso de los hombres: el paraíso que los hombres, ellos solos, por traicionarse de uno en uno, perdieron.

6 de octubre de 1996

MUERE LA ACTRIZ MAYOR

Cuando moriste tú se produjo un hueco en todos los elencos de todas las compañías. Cuando moriste tú de edad, de sabiduría, de cansancio. Se quedaron sin voz los personajes que habías representado; se quedaron sobrecogidos, sin saber hacia dónde mirar, como si nada de lo que el director les sugiriera les bastase; vacilaban entre las bambalinas, el foro y la cuarta pared. Porque tú, tan mayor, no los sostenías ya... Algunos de esos personajes los había escrito yo; pero tú los recreaste y los pariste, y era a ti a quien se parecieron. ¿O es al contrario? Puede. Cada día una actriz, a medida que crece, se asemeja más a los personajes que interpreta. O se asemejan más los personajes entre sí. ¿O son los personajes quienes adquieren el aire de ella más cada día? Eso es. No porque los falsee, no porque se los acerque para facilitar su tarea, sino porque los asimila, los provee de carne y sangre para que vivan bien: les da entonación, quiebros de voz, un temblor que termine las frases más significativas, la sorpresa que vibra en sus ojos... La sorpresa, tan viva, que brillaba en tus ojos ya empequeñecidos.

Hemos estado muy juntos otras noches: hombro con hombro para defender algo común, espalda contra espalda. Hoy es ya toda la noche aurora. No hay sombras, no hay alarmas: toda la noche aurora. Estoy contento si es que tú estás contenta. Nada hay que me siga enterneciendo más que el oficio que personificabas y que esta noche encarnas definitivamente. El oficio que has ejercido tantas noches, tantos años, tantas décadas de años de tu vida: tu vida entera, tan larga y juvenil... Los actores sois unos niños locos, que sabéis demasiado para vuestra edad. Aunque sea tan desmesurada como la tuya. Sin transiciones, os apeáis de un sentimiento acendradísimo para iros al bar de la esquina a tomar un café y una ensaimada, y volvéis corriendo a encaramaros en el alto sentimiento. Repetís cada día —sin repetiros ni cansaros jamás— idénticas palabras y actitudes análogas... Tú esta noche —siempre lo hiciste— sientes el enardecido e insensato amor de las gentes del teatro, que levantan a la intemperie su incongruente bandera invitando a quien pase a entrar y a oírlos... Esta noche, tu noche eterna ya, simbolizas la irrazonable vocación de esa gente, que anda sin cesar en un puro desasosiego, y quema su alada vida entre focos y maquillajes, persiguiendo a la carrera no sabe qué, intérprete de sí misma, desdoblada perpetua, renovadora del milagro de hacer sencilla la reiteración, fácil el esfuerzo, y el sudor bienoliente.

En esta noche tuya, en la que no sé si habrá luces, ensayos, tablilla y ovaciones, en esta noche prolongada tuya, estoy más cerca de ti que en ninguna otra. Precisamente porque no es una noche de estreno en que nos apiñamos sobre el escenario unos y otros, sino una noche de reconocimiento, de paz, de inmensa gratitud. Te siento amiga mía, graciosa mía, emocionante mía. Tanto que te imagino con el nombre de un personaje que inventé yo y al que tú diste cuerpo. Porque nadie, por mucho que dure este mundo nuestro tan chapucero y tan querido, podría incorporarlo igual que tú. Tú eras de los privilegiados que consiguen convencernos de que el teatro es un gesto infinito, congénito al ser humano. Un gesto que consiste en fingir que se es otro para acabar por ser más uno mismo y por serlo mejor. Una forma de vivir que sostiene al autor, para quien es su voz; al espectador, para quien es su espejo; a la actriz, para quien es su patria...

Tú no emigraste de ella. Fuiste haciendo unos papeles u otros, de Doña Inés a la Superiora y luego a Doña Brígida al final. Fueron cayendo las protagonistas en otras manos, no siempre tan buenas, en mejores memorias, en físicos más erguidos que el tuyo. Pero la compañía se apoyaba en ti, en tu experiencia para resolver mutaciones o instalar cuartos de transformación donde cambiar de aspecto y vestuario en 124 segundos. No emigraste, y qué lejos estaban tus comienzos. Creías a veces que cada noche empezabas de nuevo. Porque, a pesar de abrirte a las mismas horas que la dama de noche y perfumar, eras de los que viven al sol, no dándole la espalda para ver sólo las sombras, sino disfrutando empapada en su luz. Por eso sigues siendo inmortal. Te destruiste y te reconstruiste en cada función, como el amor y el mar, las dos cosas más bellas de esta vida. Te destruiste y te reconstruiste lo mismo que el tejido de Penélope: el tejido del que está hecha la esperanza. Te fuiste acostumbrando durante tanto tiempo... Durante todo el tiempo que tardaste en llegar a tu inmutable casa sosegada.

13 de octubre de 1996

SER ALGUIEN

Existió un mundo que hace mucho se ha desmoronado. Un mundo en el que el hombre, por lo general, no estaba solo: pertenecía a un pueblo, a un paisaje, a un oficio, a una clase prácticamente inmóvil. La vida era entonces más cómoda y tranquila: apenas se reducía al acatamiento que tanto compensa a tantos. Era una herencia estricta, establecida y transmisible de padres a hijos; el orden social, inmóvil, se convirtió en un orden natural; los destinos avanzaban por rieles, sin sorpresas, hasta el infierno o hasta el cielo. Se podía ser un hombre casi sin despertarse: «Dios me ama; soy una tesela de un mosaico infinito; al nacer se designa mi misión, mi tarea, mi familia, mi ciudad y mi lengua...» Lo permitido y lo prohibido lo regulaban las políticas y las religiones, las normas rotundas de los sexos y las rígidas del trabajo.

«Cada uno es heredero de sí mismo», escribió Rabelais refiriéndolo a las calendas griegas. Pues bien, hemos llegado a ellas. Ahora nada es como era. Ahora se nos plantea el gran problema: estamos solos y hemos de elegir. Somos, en teoría, libres; somos, en teoría, amos de nuestro destino; tenemos que buscar nuestra propia identidad a través de nuestras particulares experiencias. Tal es nuestra necesidad primera: *ser uno mismo.* Y es mejor que lo seamos sin auxilios ajenos, tan mediatizadores. Ser uno mismo y ser feliz: qué proyecto de vida. Quizá la fuente de la felicidad, si es que la tiene, esté en nuestro interior. Quizá consista en preservar el propio yo, no otro, y no en ser nunca otro por bueno que parezca. Quizá consista en aceptarse reflexiva y dócilmente tal como se es, y desplegarse. Pero ¿cómo se es y quién se es? ¿Quién va a decírnoslo? Hemos de indagar dentro de nosotros: en nuestro corazón se hallará la respuesta, en ese centro esencial desde el que irradia todo... Pero qué tentación la de volver la cara al pasado, hacia los líderes religiosos y sociales, hacia los padres dominantes, hacia las costumbres y las tradiciones, hacia los patrones y los jefes que nos indicaban el camino indiscutible. No extraña que haya tantos que renuncian a su libertad, que prefieren someterse al mandato y que alguien les aclare quiénes son y por dónde han de ir.

Porque, ¿acaso se elige el destino? Se descubre quizá. ¿Acaso se es de veras libre? Se procura, se lucha por serlo en un combate agotador. Sacrificamos, con tal de *ser alguien,* años y años para lograr un título, un coche, una vivienda, un estatus. Y olvidamos que durante ese tiempo, también estuvimos vivos y cada momento de él fue susceptible de amor, de calidez, de risa, de riesgo y de palpitación. Y hay quien aspira a no ser él mismo, sino a *ser el mejor*: a llegar el primero (sin nadie al lado, aplazadas las constantes tareas de la amistad, las bruscas y absorbentes tareas del amor), a hacerse perdonar, a luchar contra él mismo y los nuevos aspirantes al trono... Y hay, por el contrario, quien sólo aspira a *ser —primum vivere—*, a cubrir sus necesidades biológicas, animalizado todavía e infrahumano para vergüenza nuestra.

Supongamos que se nos permite ser alguien: ¿desde dónde elegir quién? Porque las ideologías se declaran caducas, el suelo en que se apoyaban se hunde, ya no definen; las firmes creencias antiguas se convirtieron en un idioma vano; las religiones intentan adaptarse (los carboneros dejaron de tener una fe sin aristas ni dudas) o son sustituidas por sectas e integrismos; los papeles tajantes que separaban al hombre y a la mujer andan confusos en lo personal, en lo social, en lo familiar y en lo sexual a veces; los oficios y los saberes que, desde el aprendizaje, tanto ayudaban a ser, se tambalean y caen: la tecnología los oxidó, los puso boca abajo, los avergüenza y los derriba... ¿Desde dónde elegir, por tanto, el destino único, intransferible, nominativo, envuelto en el cual poder decir *yo soy*? Precisamente *ser un don nadie* se dice del que no consigue ser alguien, *ser persona*.

Pero ¿qué es ser persona? Todo el mundo sabe que se llamó así a la máscara que usaban los actores en el teatro y ampliaba su voz *(personare)*. La máscara vestía y caracterizaba al personaje, y el personaje vestía y caracterizaba al actor. Con frecuencia nos colocamos hoy una máscara social y políticamente correcta: nos la incrustamos en el rostro. ¿Llevar una máscara así será ser persona, o será lo opuesto? La máscara se va ajustando a nuestras facciones reales, nos disfraza, nos normaliza, nos muda en otro, mientras el yo —«recién nacido eterno»— no nos puede seguir. La máscara acaba por definir nuestra identidad, o nosotros acabamos por identificarnos con ella: ya somos personajes, no personas, es decir, ya no somos nosotros. Por aspirar a un destino ante el público, perdimos el destino que era nuestro. Por ser alguien en el reparto, perdimos la posibilidad de ser nosotros. Y era justamente eso en lo que nuestra vida consistía. Para tal fin preciso nos la dieron.

20 de octubre de 1996

EL FRACASADO

Puede ser un hombre enteramente gris. Se aturulla al hablar, baja los ojos y, si gesticula, tropiezan sus manos la una con la otra. Puede ser un hombre cuyo rostro nadie recordará después de verlo: un hombre innecesario, del todo prescindible... (O ésta es la conclusión que quizá saque alguien.) Se tomó con seriedad su obligación de vivir y de sobrevivir en el mejor sentido. Se consideró llamado a un alto destino en las artes, no sé, en las ciencias o en las letras. Quiso brillar con luz propia, no recibida de otros. Su camino de afirmación fue duro e inútil: se alargó demasiado. De repente, o poco a poco, se desilusionó. Olvidó que nadie nos exige nada y que lo que llamamos éxito es una invención convencional. Renunció a la cumbre y se quedó a vivir, con desgana, en la sombra del valle con quienes fracasaron o no se sintieron convocados. Su talento no bastó al parecer, y se sentó sin luchar más. No hizo como otros que, a fuerza de artimañas, permanecieron en las falsas cimas. Con su inmolación dejó más desahogada la palestra de los que competían.

Hoy miro a ese hombre, tan corriente, con toda la misericordia de que soy capaz. De nada le serviría saberlo, porque edificó su vida sobre la certidumbre del que jugó y perdió. Pero lo miro y veo, como cuando paseo por el carril que sube hacia la entrada, las flores de la orilla: las tederas, las malvas, las de la achicoria silvestre que desaparecen con la luz, las correhuelas listadas de rosa... Y veo desde mi interior las que no florecieron, los brotes nuevos pisoteados o que un coche aplastó o devoró una cabra o abrasó el sol. Veo, para que algo prospere, cuánto intento baldío, cuánta fe, cuánto esfuerzo, cuánta muerte... Para que uno consiga el color de sus sueños, cuántos aspirantes abolidos, arrollados en las cunetas, desahuciados, heridos donde más les dolía. Cuánto acuchillado premio de consolación, cuántos sucedáneos, cuánta vocación apaleada. Niños que nacen para morir. Vidas cuya explicación no entendemos. Contradicciones puestas, como puyas, sobre el toro arrogante que no comprende nada mientras lo oscuro se lo lleva.

Por el contrario, también están los dioses. Fabricados para rendirles culto, con un brillo acerado y deslumbrante, habitan en su acrópolis, en apariencia sólo para ellos reservada. La sociedad los necesita para sentirse menos sola, para saber que existen esas cuñas de su misma madera insertas en la imponente construcción de la divinidad. Son seres intocables; viven de tejas para arriba, y provocan noticias en las revistas de papel satinado, distantes y magníficos. En ellos sí se cumplieron las promesas, prosperó la simiente, se consumó la esperanza. Son los admirados y envidiados, a los que el hombre gris que tiró la toalla habría deseado parecerse...

Sin embargo, ¿quién mira dentro de ellos? Para llegar adonde están —¿y dónde están?—, cuántas horas de insufrible aburrimiento, de propuestas inútiles, de morbosas caídas y recaídas, de torturas y de desconfianzas. Cuántos proyectos fallidos y tanteos sin ton ni son, cuánta energía malgastada... Si se tuviera que esconder un secreto, habría que depositarlo en el corazón del hombre, porque en él nadie mira. Si se mirase en los de los deificados, se verían miles de oportunidades desaprovechadas, de remordimientos por las facultades destruidas, por los retos que la cobardía no afrontó, por los augurios que no fueron realizados y jamás lo serán, por las libertades consumidas en las más torpes aras...

En el fondo, todos representamos un papel en la misma comedia. Ignoramos si nuestra interpretación es buena o mala, porque ignoramos hasta si el papel está bien o mal escrito y cuál es la peripecia que provoca el último telón. Creemos que improvisamos, que a veces una decisión nuestra dará a la nave un golpe de timón y enderezará su ruta... Lo cierto es que un sembrador siembra, y unas semillas caen sobre roca, y otras en arena, y otras entre espinos, y otras se sumergen en el agua o son comidas por las aves del cielo... Por eso hay que amar el campo entero y respetar el fin de cada una de las simientes: porque no sabemos qué destino es mejor, ni qué dosis de fracaso palpita dentro de cada corazón. De algún modo, en algún lugar que desconocemos todavía, todo posee su sentido y todo se endereza hacia su cumplimiento. ¿Qué tienen que hacer aquí el fracaso o el éxito? ¿Qué significan en resumidas cuentas? ¿Quién domina las claves que señalan al verdadero fracasado? La vida es otra cosa. La vida siempre es otra cosa. La vida no depende de semejantes teorías.

27 de octubre de 1996

LA AMISTAD Y EL AMOR

«¿Habré amado alguna vez?», me pregunté sin motivo esta mañana ante unas varas de gladiolos de color rosa con bordes violeta. Sin duda tuve la intención de amar; pero ¿y la capacidad? No consiste el amor en pedir, sino en ofrecer: se dispone hacia la felicidad de la persona amada, sin exigir un pago de felicidad a cambio. De ahí que el amor sea acaso una vía de conocimiento superior a la de la razón. (Recuerdo el encuentro entre Averroes, llegado a la sabiduría después de pacientes años, con Al-Arabí, que accedió a ella tan joven y de un salto por los escarpados atajos del amor...) No; no sé si he amado de manera perfecta; por mucho tiempo, no. He sido mejor amigo que amante. En esta soledad que requiere la casa sosegada surgen los nombres de unos cuantos larguísimos amigos. Aunque también otros que acompañaron algunos trechos de mi cuerpo y mi alma. Sobre todo, los de quienes lograron la inusitada alquimia de transformar su amor en amistad.

En numerosas ocasiones he reflexionado hasta qué punto son próximos esos dos sentimientos, esos dos modos de aproximarse un corazón a otro. Distintos y contiguos a un tiempo, como las estaciones de un mismo año, más aún, como el haz y el envés de una hoja verde... Prefiero compararlos con los jugosos lados de una hoja antes que con el frío metal de una moneda. La moneda parece que nos da ya distribuidas las identificaciones. ¿Habrá de ser siempre el amor la cruz? ¿Siempre será la amistad la cara? ¿No es esta oscilación de los valores un subrayado de su disponibilidad? ¿Cuánto vale el dinero, cuánto la amistad, cuánto el amor? ¿Se trata de tres conceptos relativos? ¿Deberán medirse con lo que con ellos podrá ser adquirido? ¿Existe, hasta en la más pura amistad, una ley de contraprestación? ¿La palabra *interés,* que los tres conceptos suscitan, no los reviste de un cierto tono de intercambio?

El amor nunca aspira a ser agradecido ni compadecido, sino correspondido con amor. Otorgar amistad a quien brinda su amor es como darle pan a quien tiene sed. Por desgracia, no hay ninguna sociedad de seguros que avale su permanencia: quizá porque aquello a lo que los amantes aspiran es a un fondo de compensación. Claro que tampoco hay quien garantice la amistad; pero en ella no es imprescindible: sus préstamos son a fondo perdido. De ahí que las decepciones de amistad produzcan un dolor más hondo y persistente que las amorosas. *Dolor del viudo* se llama a uno fuerte y a la vez pasajero. Yo he dicho que el amor perfecto sería el que consistiera en una amistad con momentos eróticos. Una situación equilibrada en que el amigo consuela de la pena que provocó como amante. ¿Es posible tal doble sentimiento? Quizá sí a la larga, cuando desaparecen los intranquilos vaivenes iniciales.

La amistad es un amor imperfecto por falta de erotismo. El amor, una amistad imperfecta por falta de la firme y serena lealtad; de la mayor tolerancia generosa, no arrebatada en la exclusiva; de la duración indiferente a los estragos, porque la amistad, aunque dormite a rachas, se eterniza; de la posibilidad de ser nosotros mismos, sin rigideces ni embellecimientos, sin la aspiración de parecer mejores a los ojos amados, sin las enmascaradoras brumas del deseo que transforman en oro cuanto tocan... ¿Nunca podrán fundirse en uno esos dos siameses? Recuerdo que una mujer a la que me unían afinidades electivas, después de una cena, con un aire muy formal, tras una pausa importante, me comunicó: «Creo que deberíamos hacernos íntimos amigos.» La miré con asombro. Porque la amistad es la auténtica fraternidad, la elegida. O la que ni siquiera es susceptible de elegirse, lo mismo que el amor. Montesquieu, más conocido por otras cosas, exclamaba: «Estoy enamorado de la amistad.» Se trata, cierto, de un sentir que enamora aún más que el del amor. Porque el amor es un milagro, y el milagro no tiene día siguiente, ni tampoco razones. No pertenece, contra lo que se cree, a la fisiología (ése es el sexo) sino a la poética. Por ser milagroso se le asocia siempre con las divinidades. ¿O no es prodigio el haber construido la más hermosa y compleja de las arquitecturas sobre un sencillo instinto? ¿No es prodigio que el amor ciego sea el que más ve, mientras el amante ve las cosas precisamente *como no son,* o como los demás creen que no son?

La amistad, sin embargo, de las dos hermanas evangélicas, es Marta, no María. La que se apea de los éxtasis para alistar la cena; la que propone levantar tiendas habitables en el deslumbrante monte Tabor; la que aspira a no dormirse, para acompañar al amigo, en su Getsemaní. El lazarillo que sostiene el derrumbado ciego en el camino de Damasco del amor; el que comparte y reparte, multiplicándose en la misma medida en que se da: como los panes y los peces, como las hidrias llenas *usque ad summum* del agua y el vino de Caná... Ojalá fuese alcanzable el milagro de fundir la amistad con el amor, o viceversa, sin que sus respectivas esencias se turbaran.

3 de noviembre de 1996

LOS OLVIDOS PENÚLTIMOS

Creí que estaban en la arqueta de la que mi padre (hace ya tantos años, hace ya tantas muertes) sacaba la picadura de tabaco para liarse, después de cenar, finos cigarrillos. Eran fotografías que quería destruir. De mi infancia, que siempre he deseado preservar de miradas ajenas. Pero ¿dónde encontrar la llave de la arqueta? Fue tiempo y tiempo el que perdí buscándola. La hallé, por fin, dentro de la arqueta misma, que nunca fue cerrada. Pero allí no había más que la minúscula llave que me fascinaba de pequeño, el crucifijo del ataúd de mi padre, un agremán dorado también del ataúd y los gráficos de un electrocardiograma de alguien cuyos datos no constaban.

Sucede así con todo. Fotografías yertas con rostros eclipsados, en las que a veces ni siquiera nosotros nos reconocemos. Agendas con iniciales grandes y subrayadas, de personas que quizá lo supusieron todo para nosotros en un momento dado, y ahora no sabemos a quién correspondían... («No por dolor, no por tristeza, / no por la antigua soledad: / porque he olvidado ya tus ojos / hoy tengo ganas de llorar.») Cartas que aluden a desconocidos, y aun cartas escritas por gente desconocida hoy, que sin embargo perduraron guardadas con melancolía entre los objetos más próximos a nuestro corazón. Un pañuelo manchado, de sangre acaso, que no nos dice nada. Un capullo de rosa, casi sepia, entre papeles anodinos. Un gemelo suelto, sin compañero, en un estuche de terciopelo azul. Fetiches, talismanes, amuletos que unas manos queridas depositaron en las nuestras un día ya desaparecido, con un fin que pasó como pasaron los dueños de las queridas manos... Cuánto olvido. Qué lagunas de olvido. Qué océanos de olvido.

El saber sí que ocupa lugar. No cabe en nuestra reducida cabeza ajibarada. Se va sustituyendo uno por otro, salvo quizá los iniciales cimientos que se mantienen porque fueron, o porque son, nosotros. Es veraz la ley de Ribot: olvidamos primero lo último aprendido, lo de ayer o anteayer... Quién me saludó tan cariñosamente el otro día. Cuál es el nombre de aquella mujer alta y rubia que me abrazó con tanta efusión; puede que empiece con A pero no estoy seguro; lo tengo en la punta de la lengua, y qué más da después de todo... Pero la memoria desmemoriada trabaja en su desván con ruido de carcoma: horas, tardes, días enteros, hasta que, cuando menos se piensa, acierta con el detalle que buscaba o que había renunciado a buscar ya. En rincones perdidos va quedando la vida, vamos quedándonos nosotros, que alargamos un pie con temor, que alargamos tanteando con temor una mano. ¿Para avanzar? A lo mejor no tanto: para permanecer.

Antes era distinto. Cuando precisábamos un dato, automáticamente, del archivo interior surgía la ficha. Incluso unos segundos antes de ser necesitada. Ahora conservamos los datos todavía, pero tenemos que buscarlos a mano, y a veces tardan tanto en aparecer que nos desesperamos y miramos a un lado... ¿Cómo se llama la enfermedad aquella que pueden transmitir los parásitos de los perros? Aquella que llevó a nuestra amiga íntima hasta las mismísimas puertas de la muerte. Tenía nombre de flor. Todo es un doloroso acertijo... Por fin, borrelia, sí, borrelia... Y así ocurre con cualquier cosa: amistades remotas, dulces amores que durante unos días iluminaron nuestra alcoba, y a los que dábamos bellos nombres de pájaros exóticos... «De mí dijiste que traía el mes de mayo entre los ojos.» Es posible, pero ¿cómo se llama esta persona? Noticias suyas yacen en un armario cuya llave hemos extraviado para siempre. Y hay que forzar la puerta para calibrar y enumerar su contenido. Después resulta que su contenido no significa nada para el que somos hoy... Y, no obstante, formó parte no hace tantísimo de nuestra pasajera, vacilante, frágil felicidad...

No es ya que el pasado nunca fuese como nos lo contamos. No es que lo hayamos convertido en una estatua de piedra tallada a nuestro antojo por nosotros. Es que ya se evapora... No queda de él más que un aroma vago, como el que desprenden ciertas cajas de sabina o de sándalo. Como el que desprende una mandarina ya momificada, de cuero seco, que la hábil mano de quien más amé, cuando aún era jugosa (la mano, sí, y también la naranja), perforó con clavos, con veinte o veinticinco clavos de especia. Cuando abro el escritorio que custodia el despojo todavía —y siempre lo hago inocentemente, de modo inadvertido—, me asalta la bocanada del perfume de hace treinta años, la agridulce bocanada del recuerdo. Y me planteo entonces la cuestión de si lo malo será no que se nos pierdan los objetos, los rostros, las palabras, los gestos, sino que los recordemos de repente, en pie, bellos e hirientes o amables como fueron. («Oh dulces prendas por mí mal halladas, / dulces y alegres cuando Dios quería.») Y nos recordemos a nosotros como fuimos y como ya nunca jamás seremos.

10 de noviembre de 1996

AL PRINCIPIO DE TODO

La realidad se opone a las proclamas de ternura que los adultos hacen a los niños. No hablo de adultos monstruosos, sino de los normales que encontramos en la oficina o el taller, que son amigos nuestros, o nosotros acaso. Hay cientos de millones de niños ejerciendo trabajos muy superiores a sus fuerzas, que los agobian y los estigmatizan para siempre. Decenas de millones cuyo hogar es la calle y sobrevivir cada día su milagroso oficio: sobrevivir junto a cientos de pequeños cadáveres sembrados en las aceras o en los contenedores de basura. Millones de niños atacados por sus propios padres, heridos con armas, o a puñetazos y a mordiscos, golpeados con cinturones o con planchas, abrasados con cigarrillos, arrojados contra las paredes, metidos en hornos encendidos... Millones de niños abandonados lo mismo que perrillos, expulsados de sus casas, olvidados de intento en un bar, en el andén de una estación, en el cuarto de una fonda, en una verbena mientras miran a otros niños montados en la noria. Niños prostituidos por sus padres, vendidos por sus padres, de quienes tenían que venirles el pan y la caricia. Niños que mueren en silencio por no perjudicar, por no denunciar que reciben la muerte de los que habían recibido la vida. Son niños que cruzan por el mundo como por las afueras de un parque al que se les prohíbe entrar; niños a quienes se les acerca sólo la muerte en países de hambre, de guerra o de sequía... Si (yo lo he escrito) al futuro de un niño puede dañarlo el ala de una mariposa, ¿qué porvenir espera a estas criaturas?

Yo no logro tragarme la falacia de que la humanidad ama a sus cachorros. Cada día se alzan los gritos de Raquel; llegan hasta Ramá. Aúlla, como una loba, por sus hijos, porque Herodes sigue decapitándolos... Pero hay Raqueles que ni siquiera lanzan alaridos: han perdido la voz y mucho más. Y los dioses antropófagos, Saturno o Cronos, siguen devorando a sus criaturas. Ésta es la prueba de la peor maldad del ser humano, de su mayor rebelión contra la naturaleza. ¿De qué se venga así?: ¿de su propia infancia desdichada, de haber sido castrado por una sociedad contradictoria, de un matrimonio sin amor, de un embarazo no querido, de la escasez de los jornales? ¿Quiere extinguir, con sus crías, al mundo? ¿Quiere estrangular, con el frágil cuello que oprime, las injusticias sufridas o perpetradas? ¿Quiere acabar con la tierra de nadie de la infancia: una tierra de días soleados, que en cada corazón guarda un proyecto, en cada flor un fruto, en cada vida una muerte que nadie ha de anticipar?

Parece que se desea pisotear la *inocencia verdadera* de los niños, no la bobalicona e inventada. Se les hace ver un sexo que no es el limpio e inmediato suyo. Se les invita a vender su alma, no ya sus miembros, rodeándolos con signos de dinero, de precios, de compraventas y de trueques. Se los envía a la guerra poniendo en sus manos armas que asesinan de veras y que sustituyen los juguetes que disparaban agua o que arrastraban soldaditos de plástico, aprovechando su sentido de imitación, su admiración por el duro quehacer de los mayores. Se les enciende en su cuarto de estar una televisión agostadora que transforma el amor en gestos destructivos, cínicos y sucios; que transforma en un concurso cualquier ideal; una televisión en que la violencia reina sobre todas las cosas, ya que a ella se limita cualquier heroicidad, y adiestra al que no sabe, y enseña dónde golpear, cómo aumentar la fuerza, el sistema de hacer mayores daños, el modo de esconder un cadáver y huir luego.

He aquí hasta qué punto hemos llegado. Niños de las naciones más desarrolladas que caen en la anorexia o la bulimia por buscar delgadeces que sólo a los mayores corresponden. Niños que se hunden en negras depresiones, o se suicidan porque no son los mejores, porque se busca en ellos al superhombre en vez de al superniño, o sea, al niño de sus últimas raíces, que no es un adulto en ciernes, sino un ser completo y acabado en sí mismo: un ser que es el único sabio verdadero, el que vive ajeno a la muerte —intensivo y osado—, como debe vivirse. Niños que habitan la lóbrega mazmorra de la droga como adictos o como traficantes. Niños que cometen, en un remedo horrible, crímenes contra otros niños aún menores o más solos que ellos... Cerremos los oídos a esta enumeración. La falta de respeto y de amor a la infancia va de un extremo al otro: desde resguardarla hasta la esterilización, a maltratar su árbol florido deshaciendo sus frutos en potencia, o a arrancarlo de cuajo. ¿Qué humanidad es ésta que, a diferencia de los animales, destruye su esperanza destruyendo a sus crías? ¿A qué instinto acata? ¿Adónde se dirige? ¿Qué pretende?

17 de noviembre de 1996

A UN AMIGO CUALQUIERA

Te encontrabas más tenso de lo habitual. Decidiste, con acierto, hacer una pausa en tus negocios, en tu trabajo, en tus estudios. Quedarte solo y recapacitar. Te encerraste dentro de ti en un lugar tranquilo. Sin ruidos ni teléfono. Te hiciste el inagotable don de la soledad. La soledad es una patria a la que se llega, o un trayecto para ir hacia uno mismo, para atreverse a salir de uno mismo y amar, para readquirir el bien de la risa, para obtener la victoria de no precisar a amigos ni a enemigos. Porque la soledad pone en su sitio cada cosa: reduce las pequeñas a su tamaño, no al que le dan las convenciones, y otorga a las grandes su vital importancia.

Imagina que estás en un desierto. Sin ocupaciones, sin voces exigentes, dependiendo como un Robinson de tus recursos propios; pero sin la ansiedad de Robinson, que acecha la huella de un pie humano en la arena. Eleva los puentes levadizos que te comunicaban con las amables pero artificiales compañías... O imagina, más aún, que estás en una celda con breve espacio para el movimiento y una simple bombilla por toda luz. No ves un rostro humano ni oyes una frase de piedad para ti. No hay sol ni cielos. Ni la certeza de un plazo que concluya con este aislamiento de paredes hirsutas... O adéntrate en ti más todavía: estás en coma. Enmudeciste para el exterior. Oyes palabras, percibes tactos nada más... ¿Qué es lo que sientes? ¿Quizá que no te es posible renunciar a la lucha, a la busca del éxito, a la tensión que te trajo hasta aquí? Así te fuiste haciendo pordiosero: por la necesidad de un consuelo cuando errabas, de compasión cuando incurrías en equivocaciones, de comprensión continua, del uso de los puentes levadizos para aliviar la soledad... Creíste que eras demasiado absorbente con tus amigos, que les hacías perder su libertad, y eras tú quien la perdía... Cuántas clases de miedos: al riesgo, al desvío de la reputación, al desamor, a la inseguridad, al fracaso, al quebranto, a la ruina. Es decir, a la vida. A la vida.

Has presenciado, único espectador, la andrajosa película de la que te creías protagonista absoluto. No obstante, cuántos protagonistas. Adviertes que estabas rodeado en exceso de imprescindibles que no lo eran tanto. Acompañado sólo por ti mismo, te has fortalecido. Porque no te sentiste solo: estaba al lado el mundo; mientras que antes te hallabas siempre disperso y fragmentado, como si repartieras fotos tuyas en diversas actitudes sin que ni una sola persona te tuviese del todo... Por eso, antes de salir de ti mismo, échale una ojeada al mundo que no viste o que pasaste mucho tiempo sin ver, y échale otra mirada nueva al mundo que viste demasiado. Introduce todo en tu corazón. Los pájaros, las flores (eso que tan cursi se te antojaba siempre), las montañas, los árboles, «los valles nemorosos» de Juan de la Cruz, y el mar y las estrellas, a las que entre misterios vamos conociendo mejor y nos inquietan con sus múltiples vidas inasibles.

Introduce dentro de ti las casas que has vivido: los buenos cuadros, las hermosas alfombras, el frigorífico que, al abrirlo, ilumina un bodegón copioso, el fuego azul del gas, y el agua fresca, y el vino que guardas tumbado en la bodega húmeda y creciente. Introduce en tu corazón, con amor, las calles que atraviesas sin reparar, los teatros en los que no te fijas, los restaurantes donde das comidas de negocios que no son ni una cosa ni la otra, las residencias de tus amigos que tan poquito te importaban, tu despacho, la perspectiva de la ciudad que te ofrece desde sus ventanas, y el tráfico que en ocasiones es nefasto, y las tiendas, y tu tensión: la tensión que te produjo todo eso y que te trajo aquí... Y no dejes de llevarte, desde tu soledad, a las personas: las de tu intimidad, las que colaboran contigo, las que te quieren y te admiran; pero también las que son de la competencia, incluso las que hicieron comentarios despectivos de ti. Lávalas de sus sombras, quítales las manchas que tuviesen. Llévate a quien formó parte de tu vida y no ves hace tiempo, y a quien murió, y a quien dejaste de querer, y a quien quizá quieras algún día... En la bolsa de la soledad cabe mucho equipaje.

Y regresa. A tu trabajo, a tus problemas, a tus consuelos, a tu ambiente, a tu vida. Aparentemente todo seguirá igual; no obstante, notarás que tú no eres el mismo, que la exigencia rigurosa y amable de la soledad te ha transformado. La luz de tu paisaje se ha hecho más comprensiva y misericordiosa. Robinson vuelve a casa con un brillo en los ojos que todo lo enriquece. Que todo lo saborea y lo toca y lo huele y lo escucha y lo mira.

24 de noviembre de 1996

EL ASCUA DE VERAS

El poeta, que fue hace ya tiempo un joven poeta, estuvo releyendo sus libros para organizar una antología. Acabaron por temblarle las manos, los labios y el corazón. Desde hacía años los poemas reposaban silenciosos en una estantería. Y de repente todo se puso en pie. No en general, sino de la manera más precisa imaginable: tal día, a tal hora, en tal lugar, con tal amor. Aquellos versos estaban fabricados con la materia de su vida. Como en el paño de la Verónica, se reflejaban en ellos el sudor y la sangre, las facciones que el sentimiento dilataba o contraía: el júbilo a veces, las menos, el pesar las otras. Eran versos de amor alquitarados despacio en la secreta bodega íntima, semiolvidados ya adrede en la mayoría de los casos. Versos puntiagudos que habían dejado caer, a lo largo de la tarde que expiraba, un chaparrón de dardos contra su autor. O al menos eso pensaba él.

Si el amor había hablado por su boca; si lo llamaba y él respondía; si lo alzó en sus alas y lo atravesó con sus espadas; si lo había

187

desgarrado, y lo mantuvo desnudo y frío, sin curtirlo jamás, sin habituarlo jamás a su maltrato; si lo había acuchillado y achicharrado; si no le ofreció nada que pudiese compensar, ni remotamente, los dolores causados, ¿por qué él había persistido en el error? ¿No sería que lo traicionaba su memoria y se le escapan hoy de ella las suntuosas sesiones que el amor, carnal o no, le había deparado? No; el poeta creía que el amor sólo da y toma de sí mismo; no posee ni es poseído; se trata de una entidad autosuficiente y quizá —ahora lo pensaba— más literaria que otra cosa. «De ahí que su arma más duradera sea la literatura, y su poder, siempre de doble filo. Porque, como cualquier otra pasión, se padece y ejerce, se inflige y se soporta. Nos eleva en su éxtasis para que no rocen nuestros pies la tierra, y nos sumerge luego en la peor letrina. Nos llama con silbos seductores, nos invita al hallazgo de la felicidad, y al llegar sólo oímos el ruido de sus pasos que se alejan...» El amor ideal había timado siempre a nuestro poeta.

«Quizá no amé nunca», se dijo. Pero, en tal caso, ¿su vida se redujo a ese riesgo perpetuo que es la creación? Miró el ocaso de oro y rosa, con matices de dalia, y le pareció en exceso remilgado. Los azules brumosos y grises del levante reflejaban mejor su estado de ánimo... Cada capítulo de su historia personal contaba, a su frente, con el nombre de alguien amado. ¿Es que eso no significaba nada? ¿Y el dolor de esta tarde? No sufría porque no hubiese amado, sino por cuanto amó inútilmente... «En serio, ¿crees que amaste a cada persona que inspiró estos poemas, y sobre esa peana de aparente pena edificaste cada libro? ¿No lo escribiste para liberarte? ¿Estarías aún vivo si te hubieses muerto tanto?»

Comprendía la decepción que las concreciones amorosas le produjeron. Siempre se había dejado llevar del fastuoso color de unos ojos, de una tez, de un cabello, de las inflexiones de una voz... Más tarde, nada o muy poco respondía a lo soñado. Pero ¿no era ésa la condena humana? El amor llega sólo para decir que no puede quedarse, y la felicidad, si es auténtica, será a la vez irresistible y fugitiva. Lo comprendía, sí. Y además su vocación le había llevado a montar escenas teatrales, tormentas en un vaso de agua, separaciones definitivas cada semana y un suicidio mensual.

Pero ¿no era ésa la condición congénita al amor? El exceso, la ofrenda retirada, lo quebradizo de las promesas, el áspero cañamazo de los cuerpos, incapaces de sostener mucho tiempo el rapto, la levitación, el arrobo, el embeleso. El corazón humano no está creado para tanto ardor... «Sin embargo, ah, sin embargo, / siempre hay un ascua de veras / en su incendio de teatro.»

Con los libros delante, el poeta mayor reflexionaba sobre el ascua. Quizá en ella estuvo el secreto y la sinceridad de sus sentimientos. No es verdad que el poeta sea profeta, desde luego no en sus asuntos amorosos. Él se engañaba, pero no engañaba. Los versos que destiló el alambique de su corazón eran veraces y sangraron. La mesa que sostenía hoy sus poemas estaba inundada de sangre. Pero de sangre seca por el calor que despedía el ascua de veras... Y es que el amor de los seres humanos no se inventó ni para ser correspondido, porque tal cosa lo mataría de hartazgo, ni para no ser correspondido, porque tal cosa lo mataría de hambre. Está inventado para ser intenso y breve, o apagado y extenso. La pasión lo arrasa todo, lo devora todo, lo quema todo. Para ello le basta su diminuta ascua de veras.

1 de diciembre de 1996

A UN MUCHACHO RARO

Te llamo así porque sé que tú te encuentras raro, no porque a mí me lo parezcas. Aunque bueno será aclararte que chicos como tú son cada vez menos raros, o se les considera cada vez menos como tales: no sé si porque la sociedad se está acostumbrando, o porque aprende a respetar a los diferentes de lo que más abunda. Me dices, sin embargo, que tu bachillerato fue un calvario; que los compañeros, por llamarlos de alguna manera, se burlaban de ti; que ansiabas terminar con su proximidad, cotidiana y falsamente íntima; que anhelabas llegar a la universidad donde ahora estás, y que las cosas han cambiado algo, pero no mucho, porque no todos los otros te tratan con la naturalidad que a ti te gustaría... No lo sé; no sé si a ti te gustaría. Naturalidad, en ellos, fue llamarte *la niña de la clase.* No siempre es satisfactoria la naturalidad. Sobre todo en un país donde, si alguien te dice que te va a ser sincero, lo más prudente es quitarte de en medio. Bueno sería que te tratasen con respeto, o aún mejor, con indiferencia. Pero hay que estar muy preparado para tratar con indiferencia a un diferente. Considéralo así, y no te fijes tanto en los demás. Fíjate más en ti.

Porque, raro o no, tienes la obligación de ser como eres. No se puede andar con zapatos de un número distinto al que se calza: o te bailará el pie y se llenará de rozaduras, o se te deformará por colocarlo de modo que te quepa. Cuando estés convencido de lo que eres (la rareza es a ojos ajenos), procura serlo hasta las últimas consecuencias. No hablo de tu aspecto, sino de tu interior. No tienes que ir pregonando qué te gusta, pero sí tienes que ser tú, pese a quien pese. No te obligues a pagar a tus padres la vida que te dieron: sería más fácil morir por ellos que vivir para ellos día a día. ¿No te dieron la vida? Pues es tuya. Olvida las vanas esperanzas que pusieron en ti: que no te mortifiquen. Nadie jamás te devolverá la vida que pierdas evitando la tuya verdadera. Piensa que los seres absolutamente ejemplares ni son muy imitables ni fueron muy felices. A quienes te los propongan como espejo, diles que ellos se miren. No hagas caso de las murmuraciones a tu alrededor: los lisiados odiarán siempre a quienes bailan; los bueyes y los burros llamarán descarriados a los ciervos del monte.

No te pongas jamás la absurda máscara de las conveniencias. Que tu cara sea el escaparate de tu alma. Y que la luz del sol te dé en la piel: que no sea para ti lo que produce sombras sino lo que produce el esplendor. No te hagas, ni en metáfora, criatura nocturna. Y pasea, con tu proyecto de vida y las aspiraciones más hondas de tu corazón, ante los ojos de los más atentos. No te ocultes, no te avergüences. Lo que los demás quizá llamen extravío es tu único camino posible y tu único camino decente. Trata de no ser estrepitoso, pero no te empeñes en pasar inadvertido. Sé natural (ahora sí), es decir, actúa con arreglo a lo que pienses, a lo que sientas, a lo que tiendas cada día con más convencimiento. No te traiciones, por favor. Por nada de este mundo ni del otro cometas el irremediable error de traicionarte: sería el más grande y el más irreversible.

Por descontado, has de esperar que el amor llegue. Pero considera que el amor no se busca, se encuentra. Aparecerá acaso cuando estés fatigado y entristecido de esperar. No importa. Entretanto, que los juegos amorosos no te distraigan del amor, que no te hagan mirar hacia otra parte. No los confundas con él, porque la dicha no pasará a menudo por tu puerta. Llegará a su tiempo, no al tuyo ni a petición de tu impaciencia. Y no sueñes en exceso con el amor ideal. Cuando lo mires a tu nivel real, no lo desdeñes, no lo compares con el que tú soñaste, no lo engrandezcas y lo enjoyes para que se asemeje a él. Déjalo como es. Ámalo como es. La imaginación es la peor enemiga de la realidad. No añores que sea más alto, ni más rubio, ni con hermosa voz, o con ojos celestes, o con manos más finas. Contamos sólo con lo que contamos. Procura a cambio no defraudarlo tú.

Y antes y después y por encima de cualquier otra cosa, obra con libertad. O sea, date cuenta de que andas, como todos, por el borde de un derrumbadero. No te levantarás sobre tiniebla alguna a menos que rompas tus cadenas. Eso es amanecer. Pero sabe que la de más brillantes eslabones, la que más te deslumbra, es justamente la de la libertad. Amárrate con ella. Y vive. Y ejerce, con violencia si es preciso, tu irrenunciable derecho a la felicidad.

8 de diciembre de 1996

LA COPA PEQUEÑA

Quizá no haya nada que amemos los hombres más que la vida. Y, sin embargo, cuánto la desperdiciamos. Hasta en nuestra actitud ante los deseos es frecuente la equivocación. Si de que se cumplan o no, hacemos depender nuestra dicha o nuestro tormento, los convertimos en una esclavitud. ¿Bastará con que, si se cumplen,

191

nos alegremos y, si no, busquemos otra alternativa? No lo sé; quizá lo más acertado fuese transformar los deseos en estímulos y el propio desear en un juego en que lo importante no sea ganar o perder, sino jugar y basta. Porque ocurre a menudo que sólo cuando perdemos algo lo valoramos de verdad. ¿Tendremos que aguardar su peligro para aprender a paladear un don? ¿Tendremos que adentrarnos en la muerte para medir por fin la absoluta importancia de la vida? Hasta Calderón de la Barca, para el que era nada más que un sueño, escribió: «Que siendo el vivir lo más, / todo lo demás es menos.»

Menos, en efecto; pero los mejores frutos de la luminosa posibilidad que es la vida están a nuestro alcance, o nos invitan a alcanzarlos a más o menos costo. La euforia de la salud, la libertad, la belleza, la alegría, el amor, la vida en definitiva, que se configura con la suma de todo... Lo malo es que no nos aprovechamos de tan dulces sumandos, absortos en lo accesorio y su falsa prioridad: dinero, fama, triunfo, aspecto exterior, política, posición social... Cosas todas que, a las puertas de la muerte, confirmarán su menuda dimensión, no obstante haber amargado la biografía de quienes las consideraron esenciales. Porque aquel que se somete a sus deseos secundarios espera siempre una nueva primavera, y otro verano, y nuevos años, y nuevas perspectivas y oportunidades y prórrogas: se aplaza él mismo, convencido de que lo anhelado siempre llega más tarde. Tal hombre no desea en el fondo sino su fracaso, y será lo único que obtenga. Sin duda no merece la vida quien no la aprecia en lo que significa.

Para un preso, su traslado de una celda con cuatro paredes, un suelo y un techo yertos, a otra celda con una claraboya por la que se vea el sol y, en la noche, una estrella, será motivo de indecible contento. No obstante, quien puede bañarse en la luz, y alzar los ojos y ver la riqueza de las constelaciones no se conmueve de agradecimiento. Se prolongue o no más allá del oscuro dintel, la vida nos ofrece su dádiva en flor, tenga o no espinas. Cada día llega acompañado de su impaciencia, su sonrisa o su lágrima. Hay cielos tachonados de nubes cambiantes bajo los párpados del invierno, junto a la mejilla del verano, sobre los pulsos del otoño, cerca de los labios de la primavera... Hay un vaso de vino y algo que comer, hermosos semejantes, amigos que nos llaman por nuestro nombre, libros apasionados, músicas, armonías... Hay barcas que oscilan sobre las olas, trenes que nos mudan de paisaje, grifos de agua corriente, interruptores eléctricos, pequeños o grandes milagros de la técnica que nos maravillarían si reflexionáramos sobre ellos. A nuestro alrededor todos son motivos para mantener una postura de asombro y gratitud continuos.

La vida —lo escribió Séneca— es como una escuela de gladiadores: en ella se convive y se pelea. Y Ortega completó: la forma soberana de vivir es convivir: una convivencia cuidada, como se cuida una obra de arte, es la cima del universo. He ahí una excelencia agregada al prodigio de estar vivo: la convivencia que lo multiplica. Si lo más cierto en la vida es que concluye, ¿cómo proponerse sobre todo la seguridad, ninguna seguridad de ningún tipo? Sólo a algunos seres, muy escasos, se les concede el privilegio de morir en el momento en que muere su auténtica existencia: cuando han recibido cuanto tenían que recibir y dado cuanto tenían que dar...

Y así es: porque va la vida de la mano del cambio, y lo que no cambie está ya muerto aunque aún palpite. ¿No seremos capaces de imaginar nuestra muerte, no para mortificarnos, sino para incrementar y disfrutar más nuestra vida? En ella, como en el amor, la intensidad no depende de la duración. No somos distintos de la naturaleza que nos rodea con su lección jugosa: vibrante, frágil, resistente, tan insegura, tan expuesta a la muerte y, por eso mismo acaso, rebosante de vida. Porque la vida nos ha sido dada, pero quizá se merezca sólo dándola: al amor, al camino, a la generosidad, a la fecundidad, o a otra vida. Cuanto más pequeña sea la copa más habrá de llenarse.

15 de diciembre de 1996

EN UNA NAVIDAD

A cualquiera que tenga el más ligero asomo de una idea cristiana se lo llevarán los demonios durante la Navidad tal como se celebra hoy, si es que puede llamarse celebración a semejante inmundicia. La gente, igual que ante las luces demasiado vivas, se encasqueta unas gafas negrísimas, más opacas que traslúcidas, para no enterarse del seminal significado de la fiesta. Una fiesta que la Iglesia ubicó donde otra religión anterior, a la que calificaba de paganismo. La gente —digo— se propone trastornarlo todo tomando una actitud y un comportamiento infantiles: como si, porque nace un niño, la cosa fuera de puerilidades, insensateces, mimitos y afectados acaramelamientos. Sencillamente da asco. En la Navidad, por lo que se nos enseñó a casi todos, nace Dios. Pero muy pronto empezamos con las metáforas, a causa de que nos aterra que Dios nazca y las consecuencias que tal barbaridad traiga consigo. «Caído se le ha un clavel / hoy a la aurora del seno» y otro millón de aciertos literarios no nos excusan de contemplar, creamos o no, el simbolismo recordatorio de la Navidad: Dios nace entre los hombres. «Cuando con los otros niños / de niño jugabas tú, / ¿sabías o no sabías / que eras el Niño Jesús?» Lo supiera o no, monofisistas o no, arrianos o no, Dios se hace carne. Y hay en su nacimiento más aceptación de la muerte que en el mismísimo Huerto de Getsemaní. Porque si alguna certeza se le impone al hombre es la de su muerte. Quizá sea la razón de todas las regresiones infantiles: a la primera edad nos la imaginamos más alejada de su final. Pero no para Dios si en él se cree.

Los seres humanos somos anoréxicos. Por mucho turrón o caviar o pavo que comamos en la Navidad, por muy bulímicos que nos manifestemos, sufrimos de una anemia producida por la distracción y la diversión (etimológicamente son lo mismo) ante la muerte. Escondemos la cabeza en un juego demencial de avestruces. Cantamos y bailamos; nos embarga una moderada tristeza por quienes ya no están aquí; brindamos por los enfermos; deseamos felicidad a los sanos; pero no nos da la gana de reflexionar que cualquier nacimiento es el primer paso hacia la muerte. Por mucho que proclamemos «*vita mutatur non tollitur*». A pesar de que aquí, en la cultura española, su conciencia actúa siempre con signo positivo, permitiéndonos un sentimiento total y pleno y trágico de la vida, de la que expulsar la muerte es un intento inútil y un burdo embuste. El único camino para la inmortalidad, si es que la hay, será la muerte, y sin su presencia el hombre no entendería nada, ni siquiera a sí mismo. Supongo que un cristiano genuino la entenderá como un amanecer: «La hora incomparable en que Dios se digne soplar sobre su criatura extenuada.» Porque eso es de veras tener fe en Dios; lo demás es querer parecerse a él, o sea, incidir en la soberbia de espíritu, el pecado que, al parecer, no se perdona porque no cabe en él el arrepentimiento.

Transformarse en niño no es hacer mohínes ni tocar la zambomba. Es recuperar la capacidad de maravillarse y abandonarse luego en los desmesurados brazos de la vida. Nuestro mundo está lleno de prudencias, de estadísticas y de cobardías; evita lanzarse a lo desconocido de la vida y de la muerte, y precisamente ése es el gesto que un nacimiento representa. «Déjate caer en mí: ¿es que me retiraré yo para que tú caigas?» Tal última confianza del cristiano no es corriente topársela. Tal abdicación es el camino de infancia de los místicos, donde se llama a las cosas por su nombre, y se cree a ciegas en el amor que se les ofrece, y, por grande que sea su poder, se ve desnudo al rey que desfila engañado. Quien no aspira a poseer en exclusiva a otra persona entra en la vida auténtica y, por tanto, en la creatividad: se familiariza, en carne y en espíritu, con lo real; tropieza de frente con la verdad, que es, en el fondo, un modo de la alegría; hasta «la noche oscura» lo enriquece, y la pobreza le parece un gozo... Ahí reside toda la diferencia entre el abandono y la dominación. Porque, si fuese posible darle una figura a Dios, tendría sin duda la figura de un niño. Y la creación no consistiría más que en la encantadora sonrisa de un niño. No sentirlo de este modo en lo más hondo de mí es lo que más me duele en cada Navidad.

22 de diciembre de 1996

EN UNA NOCHEVIEJA

No sé si lo conseguiré; pero tengo muy claro cómo querría celebrar esta Nochevieja. En muchas de las anteriores me concentraba en el cumplimiento de alguna aspiración mía; en la de ahora no. Se trata, por supuesto, de una fiesta absolutamente convencional —ah, el tiempo y sus medidas— y un poco tonta; así y todo, reúne a los amigos, aunque se hallen más o menos alocados, y no es mala ocasión para confirmar nuestros buenos deseos. Yo estoy casi seguro de que éstos son una especie de paraguas protector para aquellos a quienes se dirigen. Sin embargo, puesto que mis buenos deseos se han de basar en la paz y el amor, ¿puedo yo asegurar que mi corazón, sin ir más lejos, sabe amar de verdad, y mi espíritu habita en la casa sosegada que es la paz conseguida? No sé qué responder. No obstante, aun el que no disfrute de paz y de amor es capaz de desearlos: para sí mismo o para los demás. Lo mismo que un enfermo desea la salud a los más sanos de sus visitantes.

De todos modos será preciso —eso sí— deponer los sentimientos de enemistad y de amargura, de resquemor y de superioridad. Será preciso situarse al nivel de aquellos sobre quienes se va a reflexionar en el mejor de los sentidos, con el anhelo de que lo que pidamos para ellos (pero ¿a quién?) llueva sobre nosotros. Porque con el amor y con la paz propios quizá las súplicas (¿dirigidas a quién?) sean más eficaces. Habría que hacer una lista, por lo menos mental, de las preocupaciones que durante el año agonizante nos asaltaron, nos tironearon, nos perturbaron. Y abandonarlas, o aparcarlas (será más fácil), para que nuestros pensamientos queden limpios. No sé por qué intuyo que, al olvidarlas, por momentáneo que el olvido sea, para trasladar nuestra atención a los demás, tales preocupaciones acaso no desaparezcan pero sí se aligeren. De manera que, algo desasidos de nosotros mismos, en el mayor silencio factible que precederá a la ruidosísima alegría (demasiado para ser natural, demasiado para ser auténtica), iniciaremos la lista de nuestras (¿cómo llamarlas?, ¿plegarias, oraciones?, quizá eso sea excesivo), de nuestras peticiones: bastará, porque tampoco conviene quedarse corto en demasía.

¿Nos referiremos primero a quienes amamos, o a quienes nos desagradan? Depende del humor. Para los que amamos, desearemos, en el año que se inaugura, su liberación de cualquier daño y cualquier mal y, por contra, su inundación por la paz y el amor que también a nosotros nos gustaría lograr. Para los segundos, los presuntos enemigos, ¿qué desear? Es aconsejable, no sé si generoso, pedir que lleguen algún día a ser amigos nuestros. Para lo cual tendrían que cambiar bastante, pero también nosotros. No sería mal momento para iniciar el conato del cambio: tal demostración de buena voluntad nos acercaría la paz y el amor que tanta falta nos están haciendo.

Luego, miraríamos a las personas del entorno que soportan una especial preocupación, una depresión cierta, un dolor que nos emociona. No estaría mal mirarlas de una en una, contemplar su carga antes de murmurar: «que encuentres la pacificación y la alegría y recuperes la tranquilidad». Para los disminuidos síquicos o físicos, que ven el mundo desde otra perspectiva; para aquellos con quienes la vida ha sido cruel en apariencia privándoles de algún sentido o de alguna parte del cuerpo, expresaremos con determinación un deseo de fuerza y de valor. Y una promesa de colaborar para que la sociedad remedie el descuido de la vida, y todos seamos más semejantes y más equilibrados: más fraternales, en definitiva. A los solitarios por razones de amor o de muerte habremos de enviarles los efluvios de la compañía. Pero con tan instante vigor que ellos los sientan, y alcen sus ojos en la noche, y miren a su alrededor, y recojan el urgente recado de la vida, que ni el desamor ni la muerte tienen el poder de silenciar.

Por fin, tendríamos que meditar un momento en los viejos, tensos ante su soledad y su desaparición, y en los jóvenes, tensos ante sus dudas y sus desesperanzas. A los primeros les desearemos que la inminencia del fin no les acibare el resto de sus días, y que su tránsito se verifique en paz. A los segundos, una rebeldía gozosa que remedie su mundo y una dadivosidad que los haga fructíferos... Y después, tendremos que recoger nuestra alma un tanto desparramada. Y sonreírnos ante el espejo mientras nos arreglamos para salir o recibir a los que llegan. Y tomar, esperanzados en común, las doce uvas de la relativa y frágil felicidad humana.

29 de diciembre de 1996

EN UNOS REYES

Sois un símbolo. Todo en vosotros lo es. ¿Y quién podrá ir en contra o a favor de un símbolo? ¿Quién suministrar sobre él rigurosas explicaciones o pruebas minuciosas? Con vosotros se aspira a significar la aceptación, por la sabiduría y por otros poderes más mágicos y menos reflexivos, de que un Dios se hiciese hombre. Colaborasteis con los pastores y los ángeles para darle gloria en lo alto y en lo bajo. Colaborasteis con Herodes, no muy conscientemente, en que los Inocentes fuesen degollados sólo por haber coincidido en la fecha de su nacimiento con el salvador que vino a salvarnos a todos: menuda inocentada. El vago cometa celebrante que llamó vuestra atención de astrólogos y os guió, con cierta inverosimilitud, a Belén, no era más que una recompensa a vuestra buena fe, que no siempre coincide con la fe que alguien llama buena. Pero ¿erais astrólogos, erais Magos, erais al menos Reyes? ¿Fuisteis siquiera? Qué difícil rechazar los símbolos, razonar contra lo que no es del todo razonable.

Traíais, desde vuestro Oriente al nuestro, toda la simbología en las alforjas de vuestras cabalgaduras, que no se sabe en qué encrucijada coincidieron para unificar vuestros caminos. El oro, que para la vieja alquimia era la materialización de la luz solar y, por tanto, de los divinos efluvios que os reclamaron con su voz enigmática. El incienso, que con su bendito aroma ahuyentaba en los ritos sacrificiales al Maligno. La mirra, para el bálsamo que conservaba ciertos alimentos o cadáveres, que afianzaba la firmeza del vínculo de las bodas, que exasperaba y perfumaba el vino...

Traíais, pues, los mejores deseos: no sé si los tres todos o, en un misterioso reparto, una porción cada uno. Al recién nacido le ofrendasteis la prosperidad, la dicha y el amor feliz. ¿Pudo calificarse vuestro viaje de éxito? Según la leyenda o historia evangélica vuestras pleitesías no surtieron efecto: la vida de Jesús fue azacanada, pobre, perseguida, peligrosa y por fin crucificada. No me extrañaría que, en adelante, os hubieseis dedicado a otros menesteres distintos de la adivinación y los augurios, después de retornar en secreto a vuestros reinos, no recogidos en ninguna geografía.

Cuántos años escribiéndoos a vosotros, símbolos hasta de las razas para que no compareciera sólo una; símbolos hasta de las edades, las costumbres, las formas de adorar. Escribiéndoos para pediros objetos codiciados o simples buenas intenciones —como la voluntad del Establo—, la paz, la responsabilidad, la solidaridad de la que tanto hablamos y tan poco ejercemos. Un perrillo mío que conocisteis, *Troylo*, os escribió una carta pensada en beneficio mío; pero también en beneficio de los tristes y los solos («¿Por qué no los juntáis si ésa es probablemente la única razón de que vosotros seáis tres?»), y haciendo una profesión de certeza («Yo sé que vosotros, por algo seréis Magos, no precisáis que se os pidan las cosas: ya estáis al tanto de lo que conviene a cada cual»). Ese perrillo me acusaba —y luego me excusaba— de no creer en los Reyes, y menos en los Magos, porque la realeza y la magia juntas me parecían demasiados carismas. Quizá *Troylo* y yo teníamos a la vez razón: son cosas de los símbolos...

Como la virginidad de la madre del niño. Como lo de que el niño fuese Dios y hombre verdadero, mortal y eterno (¿con una o con dos naturalezas?, qué difícil el acertijo de la unión hipostática), hijo putativo de un carpintero descendiente de David y asimismo segunda persona de la Santísima Trinidad. En fin. Contradicciones como la de que vosotros queráis seguir escondidos tras las comprensibles y realísimas figuras de los padres... En el fondo, una realidad es lo que puede no quizá derrotar pero sí eliminar un símbolo: sencillamente porque es ella quien lo usa o lo deja de usar a antojo suyo. Pero la derrota auténtica sólo se la asestará otro símbolo que lo sustituya: Papá Noel o Santa Claus o San Nicolás o qué sé yo. Sin embargo, vosotros tenéis la gran ventaja de los camellos sobre los trineos y los renos. Y la ventaja superior de la lógica. Aunque nuestros niños de hoy no sean ya aquellos inocentes ni sean coetáneos de Jesús, os sentís aún movidos a compensar el normal desastre en que consistirá su vida con el liviano gozo de unos juguetes. Y con la no menos liviana esperanza, no obstante seguramente cierta, de que alguno de ellos sea inolvidable. Por eso, muchas gracias de todos modos, Reyes Magos.

5 de enero de 1997

LAS DESPEDIDAS

En la casa en que habito hay un cajón —no sé cuál— que no volveré a abrir; una silla que ya no moveré, cogida del respaldo, para sentarme yo o que se siente otro; un libro de la alta biblioteca, leído o acaso releído, que no alcanzaré más, aunque me alumbre su recuerdo... Sé lo que es conmoverse viendo un río con el presentimiento de que es la última vez que presenciamos el cabrilleo de la luz en su corriente. Mientras fijaba mis ojos en el río del que hablo, daba un reloj las doce de una agobiante noche de verano; cuando amaneció, yo estaba en otro sitio, en el que continúo... Cualquier tarea que emprenda de ahora en adelante confinará con el anochecer. Me despediré con ella si la acabo, o de ella y del anochecer si no. Salvo que se trate de una tarea inacabable: no otra cosa es vivir, de una enigmática manera, y no otra ser y dejar de ser. No me sorprende el largo duermevela que me acompaña cuando visito, como quien va a exiliarse, las salas en que fui casi dichoso.

Es evidente que, aun para aquel que espera subsistir sin motivo, hay hechos y ocasiones irrepetibles: los matices que revisten el cielo durante algún crepúsculo, la caricia caliente y húmeda y algo áspera de los perros, la mano que no estrecharemos más o que no estrecharemos de la misma manera... Me asalta una dolorosa enumeración de lugares, bañados de ruidosa alegría, que admiré una mañana —¿dónde fue esa mañana?— y a los que no regresaré. Diáfanas ciudades, puentes altivos, paisajes indecibles, jardines celestiales que ya no contarán conmigo. Calles y aceras soleadas, tapias cubiertas de madreselva o de glicina en las que me apoyé y que conservo en mi memoria, esa moneda tornadiza, y también en mi corazón; pero sé que les dije adiós sin darme cuenta (¿o sí me daba?). Pienso en facciones primorosas, ojos como gencianas, manos donde podría descansar, que sin embargo no reencontraré. Y no porque hayan desaparecido, sino porque soy yo quien ya desaparece.

El círculo se cierra. Quizá otro se abra, pero también yo entonces seré otro. Quizá hay que no ser nada para poder ser todo, como Della Mirandola decía de los artistas florentinos... En este instante el cielo es una rosa que puede ser la última, y este ladrido remoto de un perro ajeno acaso no lo escuche de nuevo. La realidad es lo mismo que una flor que se ve por primera y por última vez, porque no dura más. El tiempo y el olvido están hechos de la misma materia —o de la misma ausencia de materia—, y es la del desamor... Recuerdo pinares infantiles, por Castilla la Vieja, en los que me extravié y donde el repentino vuelo de una zurita sonaba como el rasgón de una seda. ¿Volví a ellos y a su soledad? No; tampoco volveré. Me abandonaron como el candor que me envolvió, igual que una coraza, en una época. Una época que, contra toda comprensión, hoy considero próxima. Como próximos considero versos que oí o leí y que empujaron mi mirada a un horizonte inexistente, músicas que me alaron, palabras apenas musitadas que decidieron un momento mi vida...

Sin embargo, lo perdido es irrecuperable: no queda tiempo para recomenzar. Ni los difíciles sueños compartidos, ni los aún más difíciles ensueños compartidos. ¿He despertado? No lo sé. El futuro del hombre, que es la muerte, resulta tan inmodificable como su pasado. La vida es sólo un río, rápido o remansado —da igual—, que nos aleja siempre de nosotros. Por eso se sabe con certeza que el color de una hora y el aroma de un vaso de vino no se percibirán ya nunca, ni la bocanada de perfume que nos acerca ahora una mujer de tez muy clara. Nos vamos como quien se va del cuarto de un hotel donde fueron con nosotros bastante complacientes. No volveremos a albergarnos en él, y miramos desde la puerta la habitación con un detenimiento no amoroso sino para no abandonar ningún objeto personal en ella, y en el baño nos refleja el espejo ante el que nos acicalamos para la cita que nos llevó a aquella ciudad, y sobre la mesa queda el teléfono en el que confiamos, y una vaga nota escrita a lápiz que alguien mañana ignorará... O nos vamos como quien deja los brazos de una amante comprada, y se aleja sin mirar la huella que dejó en la almohada su cabeza, ni la persiana a medio echar, ni los restos de pintura en los labios de la mujer más olvidada ya que poseída...

La impresión de que tengo que despedirme es cada día más fuerte. Resbalan mis ojos por las afectuosas superficies de la madera, del cristal, de los queridos cuadros, de las cortinas, de las esculturas que me exaltaron, de tanta compañía... Sé que todo me sobrevivirá. Pero sé también que en el día que queda viven todos los días.

12 de enero de 1997

EROS EN INVIERNO

Sosegada la casa, sí, pero no cerrada a cal y canto; no vuelta de espaldas a la vida y su cohorte ni de miel siempre ni de acíbar siempre. No es el tiempo el protagonista de esta casa: es demasiado voluble para ser utilizado de medida. Si lo que hacemos en él nos interesa, transcurre veloz y se empequeñece; si lo que nos interesa es el tiempo mismo, su lentitud es desesperante y se alarga como un humo que huye y se queda a la vez. No es la edad aquí, por lo tanto, lo que cuenta, ni la gelidez, ni las ausencias. Hay viejos que evocan sus placeres de antaño con arrepentimiento, como si hubieran sido racimos robados de unas viñas ajenas o delitos cometidos en medio de la embriaguez. ¿Por qué? Los placeres de otra época (y cada una tiene los suyos) han de ser recordados con gratitud, como las mieses del verano que nos dieron el pan o las frutas del otoño que nos cubrían la mesa.

En este siglo, la revolución más importante para la humanidad no es la tecnológica, sino la sexual. La mujer, y esto es trascendente, dejó de ser un objeto: el descubrimiento de su jardín interior la ha equilibrado, la posibilidad de controlar la concepción la ha ennoblecido, su actitud frente —o junto— a su compañero de lecho la ha gratificado. ¿Por qué, pues, Eros a cierta edad tiende a desaparecer? ¿Será que la costumbre está en éste más arraigada que en otros campos, o que la posibilidad de la procreación sigue vigente por debajo de la consciencia, o que se valora, más que la opinión de los ancianos, la de sus hijos o sus nietos, convencidos de que el sexo los convierte en viejos verdes y en viejas locas? ¿Por qué una época que tanto propicia el sexo y su ejercicio en los adolescentes, lo regatea y finge escandalizarse ante el de los ancianos?

Marañón aseguraba que la sexualidad dura hasta media hora después de la muerte. Es decir, nace y cohabita con cada uno de nosotros y es la fiel compañera de nuestro itinerario entero. Por supuesto que no actúa en todas las épocas del mismo modo, ni siquiera en todos los individuos. Los años producen una cierta declinación de la potestad física, pero, por el contrario, un enriquecimiento de las facultades interiores. El descenso en la cantidad se compensa con un ascenso en la calidad de las relaciones más privadas. Entre las mujeres menopáusicas y los hombres andropáusicos, con sus vacilaciones y sus reajustes lógicos, se da una especie de reencuentro consigo mismos —y con el otro, en consecuencia—, la oportunidad de una compartición inédita y más profunda, el regalo de un más feraz entendimiento. El camino que empiezan juntos, aunque coincida con el que ya traían, podrá ser tan feliz o más feliz aún que en sus etapas anteriores. Porque, entre otras razones, la comunicación —esencial— va a ser más fácil, más fértil, y va a verse menos interrumpida por las briosas e insistentes llamadas del sexo juvenil.

Para esto hay que tener claro cuál es la identidad, masculina o femenina, que corresponde a tal edad, ya que cada una tiene su aprendizaje, y cuál el papel que corresponde a este punto justo de la vida afectiva y sexual, tan llena de oportunidades, ninguna de las cuales puede ser desdeñada. Hay que adaptarse al nuevo concepto de felicidad, también de la física: al placer que proporciona el lento y bien saboreado contacto corporal; a valorar, más que la triunfante penetración, la gustosa compenetración; más que la posesión a sangre y fuego, las demoradas caricias tan sabiamente deleitosas. Hay que descubrir, ante el evidente retroceso de los llamados valores morales o religiosos, los valores simplemente humanos, que actúan con sereno y generoso gozo, independientes de que exista otra vida, de tejas para arriba sobre la casa sosegada al fin: otra vida que urja, controle, deforme y entenebrezca de penitencia a ésta, ya en su penúltimo tramo. Y hay, por fin, que reconocer el protagonismo de la compañía: su reciprocidad y su entrega sin límites.

Es imprescindible —más, obligatorio— llevar la vida íntegra hasta su término, con sus ofertas y sus sustracciones, sus dones y sus decomisos. Cualquiera, sentado al atardecer junto al cuerpo que ama, con el suyo deteriorado, al escuchar los pasos de la noche mientras se encienden las estrellas, pensará que la vida descansa en la razón. Pero al mediodía siguiente, entre los salvajes perfumes del jardín y el enloquecimiento de los pájaros, o bajo la tormenta que ensordece y aturde, la majestad del aire oliendo a ozono y el aguacero sorpresivo, cualquiera pensará que la vida se mueve en la pasión. Es en tal equilibrio donde reside todo acierto.

19 de enero de 1997

LA VIDA SIN LA MUERTE

Cada cultura se caracteriza —y se diferencia de las otras— por los velos y tamices que coloca entre sus miembros y la realidad, es decir, por la forma en que les impone su percepción y su valoración. Con tales tamices cada cultura uniforma en cierta manera a

204

los seres humanos que le pertenecen, forja su personalidad y hace que se sientan protegidos de la soledad y de la angustia. Sí; pero a costa de ocultarles o falsearles una parte más o menos grande, aunque siempre intencionada, de la autenticidad que les rodea. Porque la verdad no es de nadie: sólo podemos buscarla y descubrirla, no inventarla. Entre nosotros hay quienes se lamentan —no son ni muchos ni muy escuchados— de que hemos perdido el concepto de los más altos valores. ¿Podrá decirse que la cultura occidental, a diferencia de la oriental, hoy los ignora? Quizá no. Quizá se trate de una subespecie de cultura bastarda que, por hedonismo, hemos instalado entre nosotros. O quizá nosotros nos hemos desculturizado: no hace tanto algún valor que hoy no cotiza en bolsa se consideró definitivo y consagrador de esta cultura de cuyo proceso formamos parte, y cuyo proceso hemos desviado o intentamos desviar.

Estoy hablando —quiero hablar— de la importancia de la muerte. Al ser ella raída se lleva consigo una buena porción de la importancia de la vida. El progreso, no más que técnico (el hombre total no ha progresado), mueve a creer en una especie de omnipotencia frente a la enfermedad y sus secuelas: el personal dotado para curar —así se ha demostrado con la humillación del sida— se halla poco dispuesto a aceptar el fracaso de sus conocimientos a los pies de la muerte. En segundo lugar, el poder material ha movido a identificar la culminación del ser humano con la posesión y el enriquecimiento, olvidando el espíritu y negándose a considerar la muerte, radical prueba de nuestro último desvalimiento. Y, por fin, habitamos un área de cultura en que el triunfo del cuerpo, la exaltación de su juventud y su belleza, su utilización en la moda y en la publicidad, tan contagiosa, se dirigen sobre todo a abolir la presencia de la muerte y a reputarla como algo impensable, casi perseguible de oficio. En nuestra sociedad se juzga ofensivo morir. De ahí que se aparte a los agonizantes, se les destierre de nuestra cercanía, se exilien los cadáveres a los tanatorios, se maquillen los muertos y se procure convertir el tema en una idea vaga, lejana y desde luego ajena. Sólo mueren los otros, por próximos que sean a nuestra intimidad.

Hemos dejado de hacernos las preguntas primigenias: el sentido o la esencia de la vida, la forma de su utilización, nuestro concepto de la solidaridad, qué entendemos por trascendencia... Cuando sufrí mi muerte clínica, vi en efecto un sincopado muestrario de mi vida; pero no como una película, sino como un retablo en el que se cuentan escenas simultáneas de la historia de Jesús o de un santo. Lo sorprendente, sin embargo, fue que aquellas secuencias no retrataban ninguno de los momentos que yo tenía por más importantes y reveladores: eran gestos cotidianos, modestos, olvidables los que en aquel trance se me recordaban. Porque lo peor no es que apartemos los ojos de la muerte, sino que la desintegremos de la vida. Si lo conseguimos del todo, habremos conseguido no estar en realidad vivos. La verdad inicial, sobre la que las otras se construyen, es nuestra temporalidad: ella nos hace humanos. Y nadie nos iluminará que no lo sea, ni seremos iluminados si nosotros no lo somos.

La consciencia de la mortalidad es lo que diferencia la madurez del infantilismo. Se crea o no en una vida póstuma. Porque hasta los cristianos en general han perdido la idea de la gracia divina: los sacramentos y sus ritualidades se practican por la mayoría de un modo marginado y superficial, a la manera de un niño que recita, dormido a medias, una oración mecánica. De ahí que no hayan perdido el temor a la muerte: no como un *horror vacui* o un salto en la tiniebla —cuando para ellos debería ser la llegada al regazo de Dios—, sino por ser el abandono de la vida, de esta vida, con la única que parecen contar. No obstante, la intensidad vital, la fruición con que se han de exprimir las horas, no se conseguirá si no se posee la idea de la muerte. Y, por el contrario, costará menos dejar una vida usada bien y mucho que otra consumida en ilusiones bobas: la que transcurrió sin apoyar los pies en el incentivador suelo de la muerte, que tanto urge y que tanto estimula. Sólo en presencia de ella el mundo alcanza su más hondo significado, y el hoy merece la pena ser vivido con independencia del mañana improbable.

26 de enero de 1997

RELIGIONES

«De religión, de dinero y de edad, no se habla», me dijo siempre una vieja y admirable duquesa. Hoy se habla más que nada de dinero, y acaso algo de edad (por los que tienen poca y la manejan como arma arrojadiza). ¿Y de religión? Nuestro pueblo —se aseguraba— o iba delante de los curas con cirios encendidos, o detrás de ellos con cirios enarbolados. Pero ya no se trata de ser clericales o anticlericales; se trata, como mucho, de tener o no interés en el tema religioso. Y se tiene sin duda: hay apostasías, sectas, inquietudes, más autenticidad... Ahora bien, ¿saben los implicados que la religión es una búsqueda del reino de Dios —de cualquier Dios— y su justicia, o no es nada (peor que nada: un decorado triste con que cubrir la propia podredumbre)? ¿Saben que la religión, lo mismo que el amor, no es susceptible de socializarse por mucho que se empeñen los jerarcas, porque es antigregaria? Se comparten creencias, gestos, rúbricas, pero no el último silencio en que la criatura, si quiere, se reencuentra —se *religa*— con el creador.

La religión no es asunto de Dios sino del hombre. Se trata de un accidentado y no cómodo viaje que nadie está autorizado a emprender ni a cumplir en nombre de otro. Lo demás es un absolutismo abusivo y depredador. De ahí que todas sus variedades sean por igual respetables en cuanto sosieguen el ánimo del hombre, lo impulsen con los valores más humanos hacia sus semejantes, e impidan que los unos se impongan a los otros. De ahí que nadie pueda arrogarse la administración en exclusiva de la verdad sin derivar hacia el integrismo y la fanatización (fenómenos que solemos ver con claridad en los otros). Por eso son detestables las religiones o las sectas que añaden más dolor al que los hombres, por torpeza y egoísmo, han conseguido sembrar a nuestro alrededor. Contra su deber principal, ellas son responsables de la angustia y la sombría sensación de culpabilidad que destrozan a tantos corazones. Y deberán atenerse a las funestas consecuencias de tan funestos estropicios.

Si las religiones no cuentan con los hombres, ¿con quién contarán entonces? Ellos son su objeto y su sujeto. Las teologías que pueden convertirse en razonamientos onanistas dentro de un *hortus clausus*; en razonamientos, irracionales a menudo, no acompasados con el mundo de hoy, donde los hombres viven, sufren, aman y se juegan la vida; en razonamientos que, paradójicamente, se momificaron fuera de los avances de la razón y de la ciencia. Porque cualquier religión nace para alumbrar tinieblas y no para sembrarlas. Cuando se apoya y medra sobre misterios, carismas y arrodillamientos hay que ponerse en guardia: de eso al oscurantismo hay sólo un paso; de eso a condenar la luz, la discusión y la subjetividad hay medio paso. Al ser acaparadoras y administradoras únicas del misterio, tienden las religiones a endiosarse, invadiendo a los débiles seres humanos con fes desaforadas y con rituales no pacíficos y con normas de comportamiento contendientes. En Armagedón se luchará por el Señor, pero quizá el Señor se opone a toda lucha.

Y, por si fuera poco, tales doctrinas intentan confundirse con la filosofía, investigadora de otros interrogantes, o con la ética, cuya distancia con la religión es infinita (Kierkegaard), o con la estética como reflejo de la armonía de las deidades, y más aún con la política, otra acumuladora de poderes. La única meta de toda religión sería hoy liberar al hombre en su interior, es decir, satisfacer la conciencia individual de modo directo y sin intermediarios. Pero de ahí surgen insospechados riesgos. Porque el hombre busca solucionar sus redescubiertas ansiedades, que no son éticas ni filosóficas ni estéticas ni políticas, son puramente humanas. Y les abre la puerta a nuevos brujos sucesores de los antiguos, sin cuestionar sus aporías. La gente, como ayer, tiende a aceptar pétreos dogmas con tal de delegar sus responsabilidades. ¿No habrá dejado de ser creyente el hombre o de ser crédulo? Sé que no ha visto resuelto su abatimiento ni sus dudas: por eso resucita el hecho religioso, desconcertado y usurpado como ayer, y las idolatrías y las castas sacerdotales y las sectas cómplices de los peores enemigos. Quien creímos exento para siempre de supersticiones, temores impuestos y ominosos agravios, se sacude la razón que tanto pesa y se lanza en pro de dioses inventados, de morales inciertas y afiladas, de cultos que lo vinculan o lo encisman. El hombre desligado desea *religarse*; el libre añora las cadenas. Porque la libertad y la razón no le proporcionan la dicha a la que aspira en este mundo, ni la entereza con que debe aceptar la inexistencia de otro. Y es que el hombre, por mal que viva, con lo que sueña es con seguir viviendo para siempre. Ése es el sentimiento que explotan los falsos conductores.

2 de febrero de 1997

REANUDACIÓN

Las ventanas de enfrente, abiertas, muestran al escritor un paisaje ensimismado y complacido, indiferente a lo que ante él o en él suceda. Enmarcado a derecha e izquierda de un breve lienzo de pared, es como si fuese, al dividirse, dos cuadros de una exposición hiperrealista, tocada por el tiento poético de un creador de fuste. El escritor se confiesa que él no es un creador de fuste, pero sí es capaz de adivinar aquello que lo tiene... Las últimas montañas, de color heliotropo, apenas se recortan contra el cielo, de un azul a la vez espeso y delicado. Los primeros pájaros incesantes chisporrotean en la mañana de oro. Y la luz, por fin, quebrando los grises de enero, se desató sobre las arboledas. No desciende desde el sol, sino que brota de las ramas, de los muros enjalbegados, de las flores iniciales, de las manchas de humedad que han dejado las lluvias, del agua verdinosa del aljibe... La conciencia de lo que ve se le convierte al escritor en conciencia de sí mismo: «Con esto vivo y velo, a esto me incorporo, con esto moriré.» Una cenestesia sutil se lo confirma. Se sabe vivo. Pero ¿se sabe triste?

El escritor, ante la inmoderada hermosura del paisaje, que se levanta tras el río pujante y retadora, tiene la impresión de que hace mucho tiempo que no escribe, de que hace mucho que no es él. No debe de ser cierto; no lo es. Sin embargo, se siente mayor que nunca hoy, y eso sí que es cierto. Como el amante, ya casi desahuciado del amor, que sufre la pérdida de un amorío reciente, cuyos escarceos volvieron a alegrarlo por un frágil momento. Y recoge un sentido trasmemoriado de la pena... El escritor sabe que no alcanzará nunca la perfección de lo que escribe. Lo sabe con una rotundidad dañina. Vuelve sus ojos hacia las ventanas. «¿Por qué escribir entonces?» No obstante, ¿cómo dejar de hacerlo? Mal o bien, es su oficio. Mucho más que su oficio: es su vida y es él. También sabe que jamás conseguirá un amor fructífero, duradero y pacífico como el que soñó un día. ¿Y cómo prohibirse amar por eso?

Entre la nostalgia y la esperanza, se sienta el escritor ante un papel en blanco con un corazón de nuevo en blanco. Mira sus manos inactivas, posadas como objetos sin objeto sobre los bordes de la mesa. Sus manos que estuvieron cargadas de palabras: ¿cargadas de caricias? Nota a su alrededor una tristeza casi tangible, opuesta al panorama glorioso de allá enfrente. ¿Está triste su alma o es su cuerpo? No, él no está implicado. O cree que no lo está. La carcoma de la tristeza no roe su corazón; tampoco la escucha cerca de él. Es como si se hallara muy lejos. Como si alguien, muy conocido y próximo, se hubiera ido a llorar a otra parte para disimular y no ser escuchado. Como el rey de un pequeño reino que descendiera despacio, por vez postrera, con intención de abdicar, los peldaños del trono. Nada importante el rey; nada importante su corto reinado: la historia no recogerá ni a uno ni a otro. Sólo al rey que hoy abdica le importa su tristeza...

«Acaso no sé escribir porque no sé ser yo. O he olvidado escribir porque he olvidado ser.» Ante este primer día luminoso del año, en que el aire juguetea con la fronda y alza las faldas de los árboles, el escritor tiene la impresión de estar convaleciente de una enfermedad no diagnosticada. Igual que un amante superficial que no se arriesgó en una aventura, y siente a pesar de ello un dolor sordo porque se ha terminado... No está hoy donde está porque tampoco estuvo donde estuvo. ¿Qué ensueño ha tenido toda la noche que le impidió dormir? ¿Despierto lo soñaba? No, tampoco bien despierto sino dividido entre la somnolencia y la vigilia... La luz le brinda su lección cotidiana. Esbelta y transparente, resbala por las copas de los árboles, y se posa sumisa en la mesa del escritor, encima de sus manos quietas, encima de su corazón apenas palpitante. «¿Tanto tiempo hace que no escribo?», se pregunta. «¿Tanto tiempo hace que no amo? ¿Es que una cosa y otra son distintas? No para mí», se responde. Descansa sobre los bajos del papel su mano izquierda. Con lentitud, vacilando, comienza a escribir en él con la derecha: «Las ventanas de enfrente, abiertas, muestran un paisaje que sonríe ensimismado y cómplaci-do. Ensimismado y pródigo, lo mismo que la vida...»

9 de febrero de 1997

LOS ADORMECIDOS

Las ventanas por las que nos asomamos fuera de nosotros, y aun dentro, las colocan, dibujan y encortinan ciertas censuras. Las creencias del grupo al que pertenecemos, las costumbres morales o no, las normas familiares o tradicionales, condicionan nuestras percepciones y nuestros razonamientos. Son antifaces que impiden la penetración hasta nuestros ojos de la absoluta claridad; antifaces que nos permiten el adormecimiento sobre una tranquilidad autosatisfecha por ignorante. Ya Poe descubrió que la mejor forma de esconder una carta no es depositarla en un escriño, sino colocarla sobre otras, en una bandeja, ante la mirada de todos: una mirada que, en lugar de ver, nos ciega mientras imaginamos lo que tenemos ante nuestras narices. E igual nos sucede con cualquier aspecto de lo que llamamos realidad. El tiempo, por ejemplo, lo miden —dejamos que lo midan— nuestros relojes; pero el auténtico es el que se desmesura o se achica según nuestra más pura sensación: toda una vida cabe en un elástico minuto, y el gorjeo de un ruiseñor dura trescientos años para un místico.

No sabemos ver ni sentir con exactitud. La sociedad que nos rodea, y ha modelado nuestro yo, nos lo impide. Es a través de ella, como de un cristal que aumenta o empequeñece y que desde luego colorea a su antojo, de donde nos llega un cierto sopor (que obstaculiza la nitidez de las personas y las cosas, de los sentimientos y las deducciones) y una cierta anestesia (que nos inmuniza contra cualquier impresión que la realidad, cruda y deslumbrante, debería causarnos). Así es como rebosamos de pre-sentimientos y de pre-juicios, y amortiguamos las facultades que tendrían que multiplicarnos y enriquecernos. Bastaría apartar los visillos de las ventanas de las que hablamos; bastaría atravesar los umbrales de la percepción de los que escribió Huxley; bastaría que nuestro pequeño vagón de tercera se desviara de los rígidos carriles gozosamente aceptados. Sin embargo, los encargados de correr los visillos nos ocultan el paisaje de fuera y el interior más íntimo. Y acaban por producir una zona oscura e invisible, donde se incluye cuanto ponga en cuarentena la realidad —no la real, sino la ideal— que nos imponen. Porque nos la imponen para nuestro artificial sosiego y nuestra ficticia comodidad: de ahí que no advirtamos las desgracias ajenas, las luchas por otras supervivencias, el infinito dolor de nuestro entorno y, en definitiva, lo que podría estremecer nuestra conciencia y acaso desvelarnos o transformar nuestro sueño en pesadilla.

La angustia, para Kierkegaard, es el temor de lo que se desea, y Heidegger pensó que el ser humano se angustia por el miedo simultáneo a la vida y a la muerte. Todo es terror para él; para él lo prioritario es la búsqueda de una seguridad. Y eso es lo que la sociedad le ofrece (para eso la creó) con la idea de que amplía su vida y arrebata su poder a la muerte. Pero, en el fondo, lo que consigue es abolirle el presente, su única propiedad, a fuerza de devaluar la importancia del momento al transformarlo en un medio pasajero para un fin que, posposición tras posposición, jamás se alcanza. Cada yo se convierte en un fantasma, y sus relaciones con los otros en un teatro de sombras donde todos, inconcretos, vacilan. Terminamos por desconocernos a nosotros mismos y nuestra ubicación en el universo; por desconocer a nuestros semejantes y relacionarnos con ellos sobre frágiles y temblorosos puentes levadizos.

Sólo por un esfuerzo continuado de costosa resistencia, sólo escuchando las voces menospreciadas de una milenaria sabiduría antigregaria, o por el brusco fogonazo que sigue a una crisis puntual e imprevista, se levantan de pronto los espesos estores de nuestro duermevela. Abrimos los ojos despertados; tomamos conciencia de nosotros y del resto del mundo, antes tan huidizo; se funden el sentir y el pensamiento; se obvian las erróneas prevenciones personales y las torpezas de la emoción y de la percepción; salimos de nuestra pequeña, doméstica y obediente razón, que era una resignada cárcel; y nos encontramos, en campo abierto, con la gran luz indescriptible, con el fulgurante tesoro de la realidad real, y con el yo inequívoco que nos aguardaba allí, fuera, desde el principio.

16 de febrero de 1997

MEDIOS DE INCOMUNICACIÓN

El escritor, cuando no está escribiendo para comunicar su pensamiento, lee para recibir el de otros, o medita y presta oído atento al murmullo de la fuente que mana y corre dentro de sí mismo como dentro de cada cual. Ve poca televisión, que tiende a sacarlo de sí y diluir su tiempo; lee poca prensa, que le enturbia la serenidad con problemas inventados y resueltos por gente nada clara, movida por su ambición o su torpeza.

Cuánto se habla de medios de comunicación. Apenas se habla de otra cosa. Y, si se hace, se hace en función de ellos. No sólo son su mensaje mismo, sino que se han convertido en su único fin. Y eso desequilibra la conjunción imprescindible quizá no para el progreso de la técnica, pero sí para el del hombre, que es el único verdadero. Porque si el hombre se rezaga, si no le es dable hacer la digestión de sus inventos, no le quedará más salida que enloquecer, subvertidos y desjerarquizados los valores que lo regían. Cierto que la tecnología ha producido un mundo cada vez más interconectado, cuyos conflictos son globales y cuyas soluciones también deberán serlo; pero el *mundo mejor* que se nos promete no puede consistir en una concentración de las riquezas en manos de unos cuantos, ni en oprimir a unas generaciones y sacrificarlas, ni en arriesgar el misterioso equilibrio de la Tierra. Es preciso entender que, si se da por concluida la guerra fría y, en consecuencia, los dos mundos que ella enfrentaba, pierda hasta la razón de su nombre el Tercero, y además que la solución no residirá en ayudarlo, sino en que jamás vuelva a haber Terceros Mundos. Como la solución no estará en tolerar la ecología sino en ponerla muy por encima de los egoísmos nacionales. O sea, en andar al mismo paso y hacia la misma meta todos juntos.

Sin embargo, eso es algo que la comunicación y sus medios no se plantean todavía de ninguna manera. Gozamos de tanta información que han perdido su razón de ser y su intimidad las antiguas visitas, el recado de boca en boca, las confidencias, la amabilidad de relacionarse personalmente los unos con los otros, es decir, la *comunicación real.* Sabemos más cosas que nunca, pero mal. Hay una masificación de noticias que no cumplen su cometido si es que alguno tuvieron. No estamos más formados ni mejor informados. De ahí que la gente se evada hacia su intimidad, y que las intimidades se comporten cada vez de manera más hostil; de ahí que las conversaciones se reduzcan a unos cuantos chismes del entorno o a una repetición de lo que vemos u oímos a través de los medios: unos medios que explotan la pasividad de quienes los atienden transformándolos en meros consumistas. Si el Parlamento Europeo encomienda a la televisión «situar al espectador en su lugar de ciudadano», sueña; si le encomienda ser «el principal vector de influencia en la sociedad, y correa de transmisión de los valores culturales y democráticos», sueña aún más. El sistema de comunicación global que se nos prometía es en esencia totalitario porque se concentra en escasísimos grupos de poder. Y de la informática se pasa a la cibernética, creadora de procesos mecánicos y electrónicos que pretenden sustituir al hombre: un hombre que pierde su vida y su iniciativa a manos de unos medios nacidos para su servicio.

Bueno será recordar dos precedentes griegos. Primero, *kyber-nan,* de donde procede cibernética, significó gobernar, pilotar una nave. Segundo, el Mito de la Caverna de Platón consistía en unos amos poderosos que, aprovechando la oscuridad —es decir, el mundo material— y la ignorancia de los otros, montaban un cruel procedimiento de engaños e ilusiones con que mantener entretenidos e inactivos a los habitantes de la caverna ante hechos decisivos para ellos. Ya no se busca la verdad, sino noticias consumibles; no el parecer de los otros, sino condicionar su parecer. El barco va nómada de unos medios de transmisión en otros, sin puerto de arribada, entre confusas nieblas, a manos de pilotos interesados sólo en su propio beneficio. Y todo por causa de la ausencia de fe en el destino individual y en el común de la humanidad. Porque el destino es una ruta que se recorre —o ha de recorrerse— paso a paso, una meta que se adivina y se persigue, el *tao* de los orientales. Y hoy carecemos de esa dirección: no hay proyecto sustancial que guíe a cada uno, ni proyecto que enlace las voluntades de todos. Tal es el origen de nuestra soledad y de nuestros enfrentamientos. Tal es el origen de nuestro miedo y el de toda violencia.

23 de febrero de 1997

DURANTE UN ASEO

Mientras se cepillaba los dientes, se miró de refilón al espejo sin gustarse. «Una noche de insomnio estropea a cualquiera.» Se sonrió sin demasiadas ganas. Tenía enrojecidas las córneas, y al ponerse unas gotas de colirio, le escocieron un poco. Fijó los ojos en los del espejo, y esperó contra toda lógica que los suyos fuesen más jóvenes que los que veía: algo más, aunque no fuera mucho. Desde niño suplicó a la vida sólo una cosa: que no le quitara el sol que amaba —«Como Diógenes a Alejandro»—, y el sol le había producido un cáncer de piel. Sin consecuencias, pero que no dejaba de ser una declaración de hostilidades. Ahora tendría que verlo todo —quizá siempre había sido así— como a través de unas gafas oscuras...

Mientras se afeitaba, reflexionó que, en realidad, a lo largo de su existencia, toda fiesta se celebró siempre en las casas vecinas. «Lo único que me falta es opinar que la yerba del jardín de al lado es más verde que la mía.» Lo opinaba, en efecto... Veía removerse fuera los árboles impelidos por un viento fuerte. «No he dormido bien: eso es todo.» Alguien —un desconocido—, desde el espejo, lo miraba como si lo conociese. Quizá tras sus facciones se diluían las facciones que él tuvo, las de algún retrato de adolescencia o juventud; pero se precisaba indagar mucho para descubrir la semejanza. Los ojos sí que eran familiares: los de su madre, expresivos y relampagueantes; pero ya, ay, apaciguados los relámpagos y mate el brillo. «El invierno no es la estación más favorable para los que nos aferramos a las satisfacciones transitorias.» Había comenzado a caer una lluvia racheada y violenta. Se enturbiaron los cristales de la ventana que daba a la terraza. Sintió una melancolía anticipada, como adelantándose a un acontecimiento que la produciría dentro de poco acaso...

Bajo la ducha se vio escueto y avellanado. «Como un san Bartolomé de Ribera», murmuró. Aquel cuerpo era imposible que arrebatara a ningún otro cuerpo. «El invierno», se repetía: «Soy una alegoría del invierno en una representación de las cuatro estaciones.» Deseó que llegara pronto la noche para reintegrarse a la cama y dormir y olvidarse. ¿De qué? De sí mismo. Qué difícil tarea, acometida ante la irresistible e insistente testificación del universo, que en el fondo había sido su única tarea. «¿Qué buscabas: tener una casa sosegada en los arrabales de la vida? Para eso es necesario salir de ella. Y tú aún vas y vienes. Se te enredan los ojos en la externa hermosura, y los oídos en los enigmáticos arpegios de la música: otros la producen, pero tú insaciablemente la recibes, avaramente la atesoras.» Se recordó que todo pasaba, que todo pasaría: esta esponja, este gel, el polvo inexplicable acumulado en un rincón de la azulejería, y la azulejería, y las cerillas usadas en el cenicero junto al lavabo... «Todo se lo lleva el invierno.» El que se llevó a los imperios invencibles igual que a las floristas de un estreno, y a los mismos estrenos, y a quienes los construyeron anhelando el efímero ruido del aplauso, y también a los que aplaudían... Todo, la sombra de una cara en el agua. Se acordó de Kempis: «*Sicut nubes, cuasi naves, velut umbra...*»

Después de asearse a conciencia, tiró del tapón de la bañera, que comenzó a vaciarse con mucha lentitud. «Como una vida casi apacible, ya al final.» Cada vez quedaba menos agua. «Es natural, para eso se destapan los recipientes...» No podía, sin embargo, separar los ojos del agua, que se balanceaba como con cierta alegría por ser así asumida. Vio cómo de pronto se apresuraba hacia el desagüe, y cómo se formaba a su alrededor un remolino, urgente ya, imperativo ya, acumulando prisa sobre prisa, para que escapara veloz la escasa agua que aún quedaba en el blanco fondo de aquella bañera, que comenzó a antojársele traidora... «La juventud, la madurez... Y ahora este remolino... Y eso es todo.»

Pero supo que era él mismo. Que los estratos que lo configuraron como a una roca eran él mismo, y lo habían sido mientras se apilaban unos sobre otros bajo la invisible e implacable mano del tiempo. Todos unidos a él. Y que no cabía retroceso. Y que nadie —ni Dios— podía hacer el milagro de aflorar los estratos subyacentes sin que aquel roquedal entero se desbaratara... El agua había desaparecido por completo. Envuelto en el albornoz, se secó la que le quedaba todavía sobre la piel. «Unas gotas», pensó.

2 de marzo de 1997

LA COMPAÑERA

Acaba de despedirse de mí una mujer guapa, joven y fuerte. La he visto alejarse rítmica hacia su coche. Quedo pensando en ella: en sus posibilidades, excesos y carencias. «Las mujeres avanzamos», me ha dicho: «Tenemos por fin mejor desarrollo económico, más oportunidades de trabajo, mayores respeto y dignidad.» Es cierto.

Pero el camino por el que avanza esta mujer, ¿será el correcto? Ella misma se encuentra insatisfecha, si mira en torno suyo, de las diferencias laborales, de los maltratos masculinos, de las últimas y decisivas injusticias. ¿Tiene que conquistar la mujer un papel aquí, o tendrá más bien que reconquistarlo? Su enemigo peor, antes que el hombre, es, más que nunca, esta sociedad desindividualizante y asexuada, que se asegura la victoria descafeinando el júbilo plenario y la entrega y la alegre belleza del amor y sus retos. Y después, la mujer misma: esa que concurre a vacunos concursos de belleza, que actúa de *majorette* —una infrahumana estupidez andante—, que muda su sexo en profesión (me refiero a las prostitutas bendecidas, no a las oficiales), o que considera su problema más trascendente adelgazar sin comer menos.

Y hasta aquí se ha llegado no sólo desde los augustos matriarcados en que la mujer ocupaba el lugar predilecto, sino desde aquellos patriarcados benévolos en que se reconoció a la mujer un quehacer insustituible, más allá de la familia, en la comunidad y en la civilización. Hasta aquí hemos llegado, a empellones, desde culturas en que la mujer fue el centro de la vida, el lazo entre los hombres, la delegada más eficaz de la naturaleza, la mantenedora del fuego, el trasunto de la gran madre Tierra, el ara y el hogar erigidos en mitad de las casas y en mitad de los templos. Poco a poco, después, se subrayaron los aspectos negativos de lo femenino: la mujer es pasiva y apenas creadora, posesiva e inmóvil; es sensible y emotiva en exceso, voluble y variable. El hombre parece que inventó las guerras para afirmarse frente a la evidente potencia femenina. E inventó también las malas religiones, que hicieron de la mujer la personificación del mal y de la tentación, de la emasculación y de la verdad. Dalilas todas, ¿cómo no iban a dudar de sí mismas las hembras?

Las más valientes, hartas, decidieron prepararse y competir con los hombres. ¿Significaba eso que la mujer actual es un ser imperfecto que precisa un arreglo? No, la prueba es que las tareas realizadas en su calidad de mujer nadie las desempeña mejor que ella. Pero también parece cierto que ha aprovechado, sabia, una circunstancia: determinados sistemas de educación equivocada

—la nuestra, por ejemplo— afectan más a las inteligencias masculinas. No choca que la mujer exija la igualdad. Y no porque su inteligencia —usada, subastada y prostituida durante siglos, contrastada y subsistente durante siglos— haya aumentado ni falta que le hacía, sino porque se ha empobrecido la del hombre. Y porque la humanidad, de una forma casi filial, instintiva y hoy muy justificada, confía más en la mujer, descansa más en ella. Entre otras causas, porque los sentimientos más hondos que caracterizan al ser humano logran, en el alma femenina, una floración y una cosecha especialmente luminosas.

De ahí que las mujeres más importantes, a la manera de mi amiga, con consciencia o sin ella, no persigan una estricta igualdad: ni en la apariencia (hoy a veces es arduo distinguir un chico de una chica), ni en la esencia (que se manifiesta confusa y mezclada en perjuicio de ellas). ¿Dónde reside, pues, lo definitivamente femenino? Sin aclarar lo complementario es complicado decidirlo. Y más ahora, cuando la mujer mira con perspicacia hacia el futuro y conoce su misión y su rango, mientras el hombre, hasta en lo más inmediato —lo sexual—, balbucea, vacila y se confunde. Ya ninguna mujer quiere lo que la antigua feminista que aspiró a sustituir al hombre y a actuar como él: no van por ese lado sus reivindicaciones. Ella sabe que todos podemos hacer trabajos semejantes, con enfoques más o menos distintos. No es un antimachismo lo que pretende, tampoco un revanchismo. La mujer indaga hoy su auténtico ser interior e invariable. Y aspira, en una hermosa restitución histórica, a convertir este desangelado y gélido mundo en otro, donde la solidaridad, la generosidad, la ciencia y el arte, la fusión y el respeto a la naturaleza, la *humanización* en suma, sean los valores más altos. Lejos de la agresividad, de la competitividad y de la rivalidad tan destructoras. Lejos de las hirsutas ambiciones machistas, que le han arrebatado a la vida su color verdadero, su aroma y sus sabores.

9 de marzo de 1997

LA NUEVA HOMBRÍA

El escritor sonríe. Uno de sus perros —el único en edad de merecer— se comporta torpemente con la perrilla rubia que le han traído para que se cruzara. Todo concluirá bien: la naturaleza es más sabia que nosotros, sencillamente porque nosotros nos empeñamos en ser más sabios que ella. Sonríe el escritor, y piensa qué difícil se lo han puesto las circunstancias a los machitos de nuestra cultura. Qué difícil —y se acentúa su sonrisa—, sobre todo, al llamado macho ibérico: retador, rijoso, omnívoro y chuleta. En qué poco tiempo han caducado los esquemas sexuales: el hombre duro y competidor, la mujer débil y sumisa. Los modelos se han ido a hacer gárgaras para siempre. Aún en la adolescencia del escritor el hombre tenía que ser potente, musculado, agotador en la cama, inasequible al desmayo y dotado lo mejor posible: eso era, por lo visto, lo que la mujer, así en general, esperaba de su pareja. Todo se reducía a testosterona y empujones. El hombre y el oso cuanto más feo más hermoso; menos hablar y más meter mano... Se trataba, seguro, de una comedia montada por ellos y para ellos, en la que las hembras tomaban poca parte o ninguna. Y en la cabeza de ellos la reválida femenina era un tribunal formado por una mezcla de mujer soñada, madre novia, esposa santa, puta medio sagrada y la Virgen María, todo en uno y por el mismo precio.

El escritor nunca habló de este tema con sus compañeros de bachillerato. Pero supone lo peor. Demasiadas guerras militarizaron el carácter masculino: no sólo eran ya aviesos cazadores de gacelas, sino héroes que reclamaban el reposo del guerrero. Por supuesto, sin desarmarse, sin quitarse la coraza, para que no se le vieran ni el cansancio ni las necesidades de ternura. Pero el hombre, que inventó la guerra para demostrar su fuerza ante la hembra, cuando volvió de su batalla se encontró con que la mujer lo había sustituido: o por otro más débil, o por una actividad que se vio obligada a emprender. Y allí fue Troya. O Ítaca, aunque Penélope no se había contentado con tejer y destejer su manto. La economía, para recuperarse, precisaba la colaboración de todos:

se incorporaban a ella las mujeres, más libres y seguras; y ellos, que se sacrificaron en aras de la dureza y el autismo sentimental, cayeron en la cuenta de que no recibirían la esperada —¡y exigible!— recompensa.

¿Qué había sucedido? El patriarcado se estremecía. O lo estremecía un matriarcado silencioso y naciente. En ausencia —en todos los sentidos— del padre, la figura de la madre había crecido, e incluso enemistado a las crías con él. Quizá era todo una argucia de ella; pero excelente. Cuando el hijo se casó a su vez, comprendió la renuncia no premiada del padre a lo sensible, pero era tarde ya: se quedó a solas con su hembra, sin padre ni madre dentro de su corazón, sin arquetipo al que imitar, sin mitos avalistas, sin precedentes a que atenerse, sin que el éxito fuese su patrimonio exclusivo, ni el poder económico ni el prestigio profesional coto suyo privado. ¿Qué papel debería desarrollar en adelante el hombre? Acomplejado frente a una mujer que se le enfrentaba en todos los campos, incluso en el inmediato y fácil hasta entonces de la cama; con los hijos mirando hacia la madre más que a él; sin el club de solidaridad masculina que le había preservado de asaltos y permitido gallear de sus proezas, veraces o inventadas; sin el último refugio del regazo tan consolador en otro tiempo y en otras circunstancias; relegado a una discreta posición en la que el mando ya ni es posible fingirlo...

Y no cabe continuar engañándose. El hombre hoy, si se comportase como sus abuelos más próximos, se transformaría en una figura *kitsch*; de revista musical o de historieta de tebeo, a la que nadie —ni él mismo a solas— respetará. El hombre hoy, si aceptase lo que superficialmente se le ofrece (el sexo fácil, la familia aguada, la conversión del amor en un breve camino de ida y vuelta o en un tonto callejón sin salida), se transformaría en un ente trivial, sin poso ni peso algunos, perpetuo insatisfecho. Porque no hay límites marcados, ni reglas éticas inconmovibles, ni un determinado estilo venerable. No hay que demostrar ni forzar. No hay cánones que marquen lo masculino y lo femenino. Improvisar es necesario. E improvisar de uno en uno. Cada cual tiene que resolver su propio problema, no frente a su pareja sino junto a ella. O sea, convivir en todas las acepciones. De ahí el estremecedor número de fracasos matrimoniales: el hombre se acerca a su boda sin experiencia propia ni heredada; no existen genes que garanticen estabilidad alguna. El macho humano, por fin desnudo, cerca de la hembra humana, ha de superarse a sí mismo, ser él de otra manera, aprender a mirar su lado femenino, hacerse a la ternura. Y crecer. Pero crecer en paz.

16 de marzo de 1997

LA APUESTA

El sosiego del único habitante de esta casa sufre notables altibajos. No es una balsa de aceite donde aquí se navega. Aquí la vida rige el timón, y la vida no es estática ni cobarde ni dócil. Hay días en los que el habitante, o quizá el navegante, se propone ser muy optimista, y piensa que no todo es mentira ni todo está perdido. Incluso, como un chaleco salvavidas personal, se dice que el oficio de escritor tiene un objeto; que quizá la literatura alcance, aun modesta, una resonancia social; que su tarea se propone cierta utilidad, cierto eco formativo; que con que algún lector vea la luz, o algo más de luz, o se vea a sí mismo, es bastante y quedaría bien justificado... Sin embargo, otros días se halla inamoviblemente convencido de que la naturaleza humana es equívoca, de que el hombre es un ser falleciente que no vale la pena, de que la pena —o sea, el aprendizaje de todos estos largos años— no conduce a nada, de que cualquier entrega ha de ir acompañada de dolor (el navegante acaso es masoquista) y no de la satisfacción inconsistente del cumplimiento de un deber, de que el concepto de deber tampoco es en exceso consistente...

La historia del hombre es la historia de muchos desengaños. Desde aquellos cazadores o recolectores que fuimos, descansando junto al fuego o al sol, hasta estos *entes cultos* que hoy somos, qué trayecto tan largo, tan confuso y quizá tan errado. Nacer tan desvalido, sin más protección que la de otros desvalidos: ningún cachorro cuesta tanto de criar y mantener... Hay que sobrevivir, que es mucho menos que vivir, y para eso hay que ser egoístas, a pesar de que la generosidad luego se nos muestre como un valor egregio. Hay que sobrevivir, y la naturaleza tiene leyes que no son infinitamente crueles por la sencilla causa de estar excluidas de cualquier clasificación de nuestra parte... Lo vi una tarde en la televisión. Era la imagen más evidente que he visto del terror. Un dragón de Komodo estaba devorando a un ciervo vivo. En una ocasión anterior lo había atacado; le produjo una herida en una pata, y la herida se gangrenó. En aquella mañana, radiante y jubilosa, el dragón se le acercó de nuevo. Trataba de huir el ciervo, pero era inútil: lo perseguía su enemigo y lo alcanzaba. En otra pata le clavó los dientes y cayó al fin. El pequeño dragón empezó a comer de su costado. Lanzaba el ciervo bramidos aterradores; le giraban los ojos sin tino; llamaba sin saberlo a la muerte. No pude mirar más... Pero ¿con qué derecho, con qué sabiduría estamos capacitados nosotros para decir que esa escena es horrible o cruel?

El hombre trasciende el mundo natural: es una vida consciente de sí misma. Lo repito: un náufrago ahogándose en el mar es más grande que el mar, porque el náufrago sabe que se muere y el mar no sabe que lo mata. ¿Y qué es lo que le sobrepone a la naturaleza? Una parte preternatural que, en un momento no dado sino conseguido, adquiere peso y talla; una resolución que puede apartarlo del puro instinto lentísimamente fijado por la especie, o que le permite elegir la forma de satisfacerlo; la oscura capacidad de suicidarse contraviniendo el gran orden; el lujo de guisar y condimentar los alimentos antes de nutrirse con ellos; la ocurrencia de reproducir, con barro o tierras de colores, las criaturas de su entorno... El hombre sólo es hombre cuando es libre: de obrar o de no obrar, de elegir o abstenerse, de amar o ensimismarse. Ahí está el punto de partida: se desliga el hombre de su parte animal, adquiere noticia transmisible de sí mismo, supera al obediente que lleva dentro, inventa, crea, se defiende de la naturaleza, progresa... Y avanza progresando hacia su muerte, cuya ala inmóvil le ensombrece y a la vez le colorea la vida.

¿No es todo esto como para envidiar la sencilla existencia de un perro bien tenido? ¿Por qué esforzarse si quizá todo es una caroca que sólo sirve para engañarnos mientras jugamos una falsa partida? ¿Qué solución hay para esta paradoja de vivir y morir, para esta contradicción de contemplar la belleza del mundo y la atroz batalla permanente del mundo, para este abuso de mirar hacia arriba y ver los miles y miles de millones de mundos parpadeantes? ¿Cómo no va a haber días en que el sosiego naufrague? ¿Y qué nos queda entonces? ¿La *pari,* la apuesta, de Pascal? Entrecerrar los ojos y fingir no darse cuenta; avanzar *como si* estuviéramos en la verdadera dirección; confiar en que algún día alguien en algún mundo logrará la hermosura y la dicha perfectas... No es mucho, pero vale. Habrá días peores.

23 de marzo de 1997

EL ÁLBUM

¿Quién es esta mujer? Su cara es aindiada e inmóvil. Sus ojos, que debieron de ser negrísimos, son ahora casi grises. Sobre la falda tiene un libro encuadernado en piel; encima de él, las transparentes manos olvidadas. No habla desde hace tiempo. ¿No oye tampoco? Ha cumplido ochenta y nueve años. Apenas parpadea. ¿Dónde está, si está en alguna parte? Aquí no, desde luego. La enfermera me invita a salir. Una mano se mueve. Con un gesto muy rápido, como si sólo ella hubiese resucitado de repente, me pone entre las mías el libro. La miro. Sí; me está mirando. Le digo *gracias*; le digo *hasta pronto.* Vuelve a irse antes que yo. Sólo queda su ausencia...

Es un álbum de firmas y recuerdos, recamado y barroco. Hay una etiqueta que los años no han logrado despegar de sus guardas: *Flli. Gambini - Fabbrica Bomboniere - Lavori artistici in pelle - Via del Babuino 179 Roma,* y la loba con *le due fratelli.* Al principio, un nombre glorificado: el de la niña N. *Los quince años de N. G.*

224

Un recorte de prensa en papel satinado: «En los áureos anales de la alta sociedad metropolitana vivirá imborrable el recuerdo de un sarao suntuoso. Magnates del linaje, de la política y del dinero descosieron sus arcas y escarcelas para agasajar a una señorita en raudas horas de música, de flores, de luces... Después del *buffet,* abundante y exquisito, la soberana de la fiesta, N. G., bailó, ante la entusiasmada admiración de damas y galanes, entre ovaciones clamorosas... Concluyó la improvisada y divina velada cuando la noche era por filo...» En otras páginas, otros recortes sobre la misma fiesta y por el mismo estilo. Y luego, dibujos, firmas, versos. Un embajador que piropea en alemán. Un encargado de negocios («Hoy, bajo el añil napolitano de Caracas / sonríe el corazón. / Sakuntala, encarnada en una niña, / más que forma terrena es suave flor»). Y nombres ya olvidados. Y Rómulo Gallegos («Dicen que un álbum es un instrumento de tortura donde se purga el pecado de la vanidad literaria; pero ¿quién se arrepiente de haber pecado si la expiración se sufre en el álbum de N. G.?»). Y un Arturo Uslar Pietri novicio («... N. G., niña rara / que, en nuestra vida modernista, / eres las cosas olvidadas»). Y Federido García Sanchiz, que escribe dos páginas y termina: «Mi corazón, por obra y gracia tuya, se ha dedicado a la astronomía.» (Hoy hubiera escrito *a la astronáutica.*) Dibujos, ilustraciones de la mujercita y sus admiradores, fotos de periódicos, apuntes de la dueña del álbum unos años después («Baila maravillosamente y dibuja mejor»), cócteles de deportistas, fiestas en elegantes salones de la alta sociedad...

Unas cuantas hojas en blanco y luego, sin saber bien por qué, un retroceso de diez años. Una gala de caridad, un grupo de grandes damas... «Una niña imita las danzas de la Pavlova, N. G. Sus años podrían contarse en los pétalos de una flor... En la yema de los dedos, en el cuello pueril, en la curva imprecisa de su talle de avispa, el alma, el albor rubio de su espíritu, asoma agudamente... Se envuelve en un resplandor milagroso... Que en el trayecto ya glorioso de tu senda inicial, la estrella de la tarde baile para ti sola la liturgia de su oro viejo, prodigiosa niña incalculable...» No sé en qué año se casó. En el libro no hay ni un solo retrato de su boda. Todo lo ocupa en él una chiquilla: como si hubiese muerto o no hubiera crecido. Sólo al final, hacia el año *38, III Año Triunfal,* unas dedicatorias españolas, en San Sebastián, de gente conocida en todos los sentidos. El único que firma sin el remoquete es Wenceslao Fernández Flórez.

Hay dos folios repletos de una letra grande y desgarbada. «Los cuartos de baño de Maracay eran enormes. De cemento, oscuros y muy frescos. Las bañeras no se usaban; sólo las duchas, grandes como platos. El agua salía, en nuestra casa, afortunadamente fría... Los recuerdos, de fuerte colorido, hacen palidecer la realidad... Todo es gris. Luego, llega la muerte.» ¿Tuvo hijos? Sí, y nietos abundantes. Sé bien lo que dirían: «Ya está mamá, o la abuela, con sus pesadeces y sus imaginaciones... No des la lata con tu sociedad criolla y cursi, por favor. O acabarás quedándote sin visitas.» Ahora está sola, no pertenece a nadie. Vive desarraigada de sí misma, desconocida de sí misma. No fue nunca de aquí, y dejó de ser de su América. La vida no le cumplió ninguna promesa. Todo se ha muerto, o quizá no nació. Se equivocó de país, de marido, de hijos, de vida. Es preciso salir cuanto antes de ésta. Y, hasta entonces, no ver, no oír, no hablar, refugiarse en lo único luminoso que conoció: lo anterior a todas las catástrofes. Y volver allí a esperar otra vez que empiece todo... En una página del álbum escribo dos líneas: «Para N. G., que danza hoy en soledad sonora, y aguarda por fin con impaciencia el día del estreno.» No le he devuelto, sin embargo, el libro. Pienso que me lo dio no para que firmara en él, sino para que lo salvara. Como el moribundo que señala con el dedo, al único crédulo, el lugar en donde está el tesoro.

30 de marzo de 1997

LA SELVA OSCURA

Los adultos están a idéntica distancia de su niñez y de su senectud. Con el mismo aislamiento y la misma implicación que el presente respecto del pasado y del futuro. Viejos, no todos van a serlo; niños, todos lo han sido. Y cada una de las tres etapas es distinta, concluida en sí misma e imprescindible para la siguiente. Igual que la planta de una casa, en que se vive con independencia de las otras, y todas juntas forman el edificio. Yo con frecuencia me inclino sobre las misteriosas y marginales zonas de la vida que son la infancia y la vejez; pero me inclino acaso movido por el recuerdo falseado y por el presentimiento, tan diferente de la realidad. Ver niños y ver viejos emociona, pero ilustra bien poco; tratar con niños y con viejos no nos adiestra demasiado en ellos: es como *imaginar* el frío del invierno. Hay que *ser* niño y *ser* viejo. Y eso no se consigue sino a su hora. Exactamente como la madurez.

Pero ¿la madurez depende de la edad? Si la edad no la marcan los años (lo que con optimismo tratamos de sostener) sino el espíritu con el que los vivimos, ¿por qué el temor a atravesar una barrera o una cifra como la de los cincuenta, por ejemplo? Habrá quienes opinen que se ponen en trance de resbalar por la cuesta abajo de la caducidad, y habrá quienes se enfrenten al resto de su vida cuajados de experiencia y de sabiduría, y por tanto con mayores deseos de una creciente intensidad. Disraeli consideraba que la juventud se identificaba con la locura, la madurez con la lucha y la vejez con la queja. Rostand entendió que ser maduro era estar solo. Y Unamuno, al que con dificultad se lo imagina uno de niño o de joven, clamaba: «Ahora que ya por fin gané la cumbre, / a mis ojos la niebla cubre el valle...» No parecen opiniones muy halagadoras, y sin embargo, la edad en que transcurrimos —la auténtica, no la contable— la marca nuestra propia mente a través de la valoración de las obras ya realizadas y de los sueños que por realizar nos queden. Freud le dijo una vez a su discípulo Erikson que la capacidad de amar y la de trabajar (se supone que bien en ambos casos) son los hitos que marcan la plena madurez.

En cualquier caso, se piense como se piense, la madurez debe de alcanzarse a la mitad de la vida, cuando es quizá el momento de extraviarse en una selva oscura. Se ha perdido el impulso juvenil de rebeldía continua, la ilimitada capacidad de la esperanza; se ostentan algunas cicatrices que nada podrá ya desvanecer; hay momentos en que la más grave pregunta —¿para qué?— nos deja

227

vacía y sin sentido la más hermosa tarde, aunque no sea muy difícil reaccionar si nos rehacemos y procuramos compensar el no menos hermoso tiempo perdido... Pero también están presentes los anhelos que no se cumplieron, los imperdonables pecados de omisión, las contradicciones nunca resueltas. Y además la madurez, hecha para dar, no se considera buen período para pedir. Hay, pues, que pasar al otro lado del espejo en el que un día, plenos de ensueños, nos reflejamos brillantes y aguerridos.

¿Qué tenemos a nuestro favor? La mayor prudencia, la mayor tolerancia con los demás y con nosotros mismos, la costumbre de tratar con el mundo que se ha convertido de modo irreversible en el nuestro. ¿Qué tenemos en contra? Que los recuerdos están verdes y no siempre son leales; que a veces, demasiadas, aplazamos nuestra felicidad a un futuro que nos ha traicionado en todo o en parte; que se ha hecho ya muy tarde para alcanzar determinadas metas; que nuestro pequeño reducto personal se ve amenazado por obligaciones ajenas o familiares que también son nosotros... Pero, en definitiva, la madurez acorta los pesares aunque acorte también las alegrías, es decir, coloca en su sitio cada cosa; el olvido ha principiado su menuda tarea, y nos aleja de ofensas y rencores; se distrae la locura del hacer por hacer por la que vivimos la vida igual que una tensión; somos como un lugar de encuentro por fin en que lo positivo y lo negativo, la maldad y la bondad de las cosas se amalgaman y alían; se nos da la ocasión de formularnos, con calma, las grandes interrogantes frente a las que no nos concedimos bastante serenidad para contestar: quién soy, cuál es el valor de la vida, quién la rige... Y así, mientras adelgazamos de prejuicios y de incomprensiones, mientras observamos caer las hojas amarillas mezcladas con las simientes que harán al árbol perdurable, mientras nos despojamos con un cierto desdén de los más cerrados egoísmos, el mundo continúa girando, más secretamente que nunca, a nuestro alrededor. Y nosotros lo vemos.

6 de abril de 1997

228

LA CUESTA ABAJO

En efecto, parece que fue ayer. Mira a los perrillos más viejos dormidos a sus pies, en la misma postura que cuando eran cachorros. Hace dieciséis años. Sabe que están concluyendo sus vidas. Con cuánta precisión las puede recordar: enfermedades, extravíos aparentes, manías pasajeras... Menudos bordados en el cañamazo monótono de la compañía, del cariño implacable, de la dosis de hogar que supusieron y suponen aún... Parece que fue ayer. Él recogía, con una edad madura, a los recién nacidos. Vio cómo se desarrollaban sus graciosos cuerpecillos, cómo se azuleaban sus miradas de oscuros bordes, cómo maduraban a su vez, y cómo habían decaído imperceptiblemente, hora por hora, sus ojos, sus oídos, su nariz, la altura de sus saltos...

Sin querer pensó en su propia vida. Él también fue aquel niño que, con su pequeño pijama azul que le quedaba grande, en el frío de las madrugadas, iba a oscuras, como sonámbulo o sonámbulo, en busca de su madre. Y se tumbaba, el brazo bajo la cabeza, en la oscura alfombra junto a la cama. Y esperaba que la madre, despierta, lo compadeciera y lo aupara y lo introdujera bajo las mantas, cerca de aquel calor del cuerpo más querido. Hasta que el padre, para educarlo, prohibió ese juego nocturno que el niño creía cómplice, y ordenó cerrar la puerta del dormitorio de la madre. Y el niño entonces se adujaba junto a la puerta ahora muda. Pero fue descubierto, y el padre decidió cerrar por fuera la puerta del dormitorio del niño. Y él, a ciegas, como reclamado por una voz que no emitía nadie más que su corazón, se levantaba de su minúscula cama metálica, y se acurrucaba a los pies de aquella puerta clara, en mitad de la noche hostil, cuajada de presencias y de voces, esperando desesperadamente no sabía qué piedad: una piedad que acaso no le iba a llegar nunca...

También él fue aquel adolescente enigmático, que ofrecía a los demás el rostro que ellos deseaban ver. Qué invisibles somos los unos a los otros; qué poco nos oímos aun en los momentos en que resolvemos escuchar. Aquel adolescente cantando a solas, de-

229

lante de un espejo, sus secretos de amor que apenas ocultaba tan cuidadosamente. Incapaz de acumular tanta diferencia, tanta —¿él la llamaba así?— felicidad, sin presentir todavía lo que en el largo camino insospechable le aguardaba. Pálido y desdeñoso y sonriente, se escondía detrás de su apariencia, despreocupado de los otros salvo para resguardar aquello que lo distinguía; dando unos primeros pasos torpes en el enrevesado camino de un amor que ignoraba su nombre pero que, como un pájaro negro y dichoso, había invadido todas sus facultades y depositado un mundo de alborozo y laberinto entre sus manos demasiado débiles.

Y también fue el apaleado por la búsqueda de sí mismo y de su camino, que estaba ya íntegro trazado en un paisaje aún por conocer. Qué difícil, qué confusa turbamulta de voces, de noches, de abandono, de indagación constante, de citas sin respuesta, de la duplicidad con la que toda vida se destruye y se reconstruye... Y justamente cuando la esperanza había cerrado los ojos y vuelto la cara contra el muro, la luz, la luz, la luz. Todo se había incubado a espaldas suyas, en la íntima penumbra... Sin embargo, para ser feliz es imprescindible saberlo. No, no consiste la felicidad en que nos amen, sino en saber que se nos ama. Hay que despertar para asegurarse de que se ha dormido; pero el despertar siempre es decepcionante. La felicidad, como un efímero compañero de viaje, como un comensal caprichoso, nos puede abandonar en un momento y dejar sin objeto el viaje y la comida. Cuando uno aprende que es feliz, está a punto de dejar de serlo... Así pasó el hallazgo aquel y la luz del hallazgo.

Cuánto esfuerzo después para abordar este frágil sosiego, cuántas citas sin respuestas, y turbulencias, y noches de abandono, y defensa indecisa de una precaria estabilidad fundadas sobre la movediza arena, cerca de un mar incomprensible, bajo estrellas indiferentes... ¿Cuándo sabrá si algo valió la pena? Ahora mira sus perrillos dormidos en la misma postura de cachorros; enumera con lentitud sus años; pero sabe que ha presenciado ya su vida entera: la de ellos y la de él.

13 de abril de 1997

EL INSTANTE

La primavera, precedida de lluvias abundantes, enloqueció los campos y el jardín. Se hace el sol cada día más el distraído negándose a ocultar, con la docilidad de antes, su monarquía de oro. Los frutales presienten la exuberancia venidera, perdida la ligereza caediza de las flores. Sólo el granado se retrasa, esperando su hora junto al agitado frenesí de los azahares. Flores anónimas, no siempre vistas, motean, entre la hierba luminosa, los bancales que descienden con lentitud al río, engallado como nunca bajo el temblor de los eucaliptos. Sus cabecillas púrpuras, amarillas, violetas, encendidas, malvas, corales, listadas, sonríen llenas de vida por dos días o tres; luego las sustituyen otras hermanas suyas, que continúan su oficio de belleza. El runruneo de las abejas llena, lo mismo que una cúpula vibrátil, el aire tibio. Ve el escritor el blanco incomparable de un geranio: ni el de las celindas, ni el de la flor tenue de la jara o el limonero, ni la corona de las margaritas son tan absolutamente blancos. Un perfume insólito, entretejido de muchos, sobrevuela por doquiera. Alguna nube trémula, decorativa sólo, boga en lo alto y se desvanece sin dejar huella...

El escritor siente la hermosura, frágil como toda hermosura, y la emoción de la permanencia, voluble y tornadiza como todas. Algo de él se demorará en esta tierra suya que tanto amó, que tanto cultivó y que hoy le corresponde con su regalo sucesivo. No es que a él lo haya enloquecido también la primavera con su comportamiento siempre idéntico y sorpresivo siempre. No es que la luz, que tarda hoy más en irse y tiñe poco a poco los cielos de verde y de limón, ilumine de un modo extraordinario. Pero ¿por qué suspira ante el vaso que sostiene las primeras rosas del jardín? ¿Echa de menos otras primaveras? No, las otras fueron ésta también: en ésta caben todas. Entre ellas lo hicieron: lo endurecieron y lo debilitaron; construyeron la débil barbacana donde su espíritu a veces se refugia y desde la que ve el sigiloso cargamento que vuelca cada abril sobre la tierra. «Abril es el mes más cruel.» Quizá sea cierto. «En abril, cuántas muertes...» Cierto. Pero la muerte no es definitiva. Si nada dura, ¿por qué sólo ella sería eterna?

Va a cerrar un libro que sobre el atril ha descuidado. El separador, ecológico, es una hoja bien conservada bajo un papel de celofán. ¿Está muerta esta hoja? Viva no está, pero es un testimonio de lo que fue, del álamo en que tembló algún día, de la rama que familiarmente la sostuvo. El álamo se estremecerá hoy —no él, sus hojas nuevas— bajo un tibio soplo. A la hoja del separador no la conturba ni la alegra ya el aire. ¿Qué es, pues, la ecología? ¿Qué comprende? La vida no es de nadie, sino todos de ella. «Aprended, flores, de mí.» Ella es la que ejecuta sus embargos, la que desahucia con imperativas órdenes y designios inescrutables. ¿Quién la podrá entender, ni endiosarse como cumplidor de sus mandatos o delegado suyo? Vivimos en un *ubi sunt* incesante. Y, sin embargo, cuanto buscamos está aquí, cuanto añoramos está aquí puesto que lo añoramos. ¿Estaremos también nosotros una vez desahuciados? Quizá sí, si es que alguien nos añora...

Un rosa pálido tiñe los bordes de las suaves colinas de enfrente. El escritor cierra los ojos. Recuerda el roce de unos labios, de unas manos, de unas mejillas sedosas como pétalos... Nada, no es nada: sólo la primavera. ¿No es nada ya lo que él recuerda? La primavera, ¿no será nada? Las montañas violetas, asentadas con firmeza sobre el mundo, mundo ellas mismas, se perpetuarán; pero su forma de perpetuación, ¿será infinita comparada con la sutileza con que huyeron aquellos roces, aquellos sentimientos que aún hoy perviven, llenando esta habitación con su melancolía? No; no son sólo cosas de la primavera, de la alteración de los pulsos, de la proximidad del vaho del verano, del polen que flota en el ambiente... Lo que una vez sucede se queda sucediendo. Lo eterno es el instante: la margarita a la que el escritor preguntó mientras la deshojaba, la nubecilla que ha desaparecido, la bocanada de aroma que golpea su pecho, la luz —ésta— que se desliza por las laderas, el beso aquel sobre el que sus ojos se cerraron, la mano y la mejilla aquellas, él mismo, él mismo, él mismo... Todo es eterno en este anochecer. Y la noche que va a venir. Y el alba. Y los ensueños. Incluso acaso la eternidad sea eterna. Un día lo sabremos. Quizá lo hemos sabido ya.

20 de abril de 1997

232

ESAÚ Y JACOB

Pertenecemos a un pueblo irascible y feroz, que paga sus desgracias con quienes están más próximos a él y a su servicio. Un pueblo duro y exigente, que desprecia a vegetales y animales improductivos, desdeñoso de lo bello y de cuanto pueda adornar su vida, en general seca y desamorada. Los niños aquí trocean lagartijas, parten hormigas, ahogan cigarras, desalan mariposas si tienen ocasión. Estrabón ya testificó nuestra crueldad. Traemos un largo entrenamiento de apedrear y dejar tuertos a los gatos, atar latas a las colas de los perros, pasar cuchillos entre las parejas de ellos enganchadas, abrasarlos vivos, ahorcarlos, despanzurrarlos, abandonarlos a su mala suerte. El toro, nuestro animal totémico, cuya piel abierta coincide con los contornos de la patria, ha sido aquí —y lo es— embolado, enmaromado, ensogado; matado a palos, a botijazos, a lanzadas; envidiado acaso por su poder seminal. Igual que el gallo, perseguido en corridas, en reñideros, en degüellos a la carrera, en retos de puntería con los ojos vendados, en cucañas. O las cabras, despeñadas desde campanarios entre cohetes y salves y vinazo...

Vuelvo hacia atrás los ojos y me veo rodeado de pequeños animales, y resiento el pesar por sus pequeñas muertes. Nunca pertenecí en este aspecto a mi pueblo. Lo que más me aterra es el incomprensible y brutal castigo de las pobres bestias que el hombre usa y maltrata. Del cerdo y del burro, sobre todo. Y aun el primero es relativamente cuidado hasta su atroz final, del que posee una memoria genética que en una repentina mañana le abruma con la certeza de que ha llegado la hora de aprovechar a su amo de manera total, sin que se desperdicie ni una brizna. Pero ¿qué sucede con el burro? Una escena tengo grabada en las entretelas de mi corazón. Tenía yo cuatro años. Estaba en una finca, no lejos de un bosquecillo circular donde se escuchaba el ruido de una noria. La hacía funcionar un asno con los ojos vendados. Interminablemente. Declinó la tarde, y yo no era capaz de dejar de mirarlo. Cuando ya me llevaban, corrí hacia él y, empinándome, le besé la cabeza.

233

Recuerdo todavía la entristecida ternura de ese gesto infantil. Y no mucho más tarde, en un pueblo de Castilla, por un camino terrizo, de regreso del campo, se cruzó conmigo, que volvía también de los ejidos, un labriego de facciones cerradas junto a un burro sobrecargado. El animal tropezó y cayó. Nunca he visto una cólera más ciega ni más torva. Con una gruesa vara golpeaba furioso el dueño aquel cuerpo caído de cansancio. El tiempo pareció detenerse sobre los gestos del ataque. El niño que yo era, inconteniblemente, se echó a llorar con profundos sollozos.

El burro ha sido para mí, desde entonces, una víctima inocente. Con sus pasitos cortos, su valor, su memoria y su fuerza se ha dedicado siempre al ser humano, con frecuencia su injustificable enemigo. Cumplió oficios de cartero, de transportista, de bombero, de campesino: duros oficios que nadie le disputó jamás y que le fueron muy mal recompensados. En cierta ocasión oí que a los diminutos pollinos del Magreb les mantienen abierta una llaga para acicatearlos con un palo que hurga en ella. No he conseguido que tal imagen deje de estremecerme como símbolo de la maldad humana. Y sé que se les arrojaba por despeñaderos cuando eran demasiado viejos para seguir rindiendo beneficios, y se les mantenía a fuerza de hambres, y se les explotaba sin pensar en sus mataduras abarrotadas de moscas, en sus enfermedades, en su ceguera, en su debilidad... Hablo en pasado, porque la llegada de los motores mecánicos y los caballos de vapor consiguió que se les sacrificase en estricto sentido: más de un millón de asnos se han matado de muy malas maneras en España, donde hasta su nombre se emplea como insulto y término de calificación y descalificación.

En todo esto pensaba camino de Rute (palabra que, en algún sitio, significa rumor o susurro), donde me iban a hacer Arriero de Honor y padrino de un ruchito recién nacido. Canela de pelo, con deslumbrados ojos atendía desde su corraliza al mundo nuevo. Al entrar en ella, más de una docena de burros adultos, afectuosos como perrillos, se acercaron al acecho de mis manos llenas de algarrobas. A mi ahijado le impuse el nombre de *Califa*, y mientras le vertía anís de la tierra en la cabeza le murmuré al oído: «Compañeros de vida y de fatigas del hombre fueron tus ascendientes durante muchos siglos. Se han acabado para ti las penas que ellos padecieron. Recibirás un trato cariñoso, pastarás feliz, rebuznarás con júbilo correteando entre tus semejantes, y serás compañero de juegos de los hijos del hombre. Porque, en el fondo, en el fondo verdadero, todos somos iguales, y quizá vosotros fuisteis los dueños de la primogenitura que Jacob, el lampiño, arrebató a Esaú el velludo.»

27 de abril de 1997

LA INFANCIA CONCULCADA

Nunca me sentí especialmente atraído por la infancia ni la adolescencia de nadie. Ni siquiera por las mías. De ahí que me pregunte, con motivo de tantas malas noticias, el porqué de la fascinación sexual por los menores. Creo que no es una característica sustancial de nuestra época: siempre existió y siempre existirá; pero ahora acaso se hace más visible y, por tanto, la repulsa es mayor. Antes de nada habrá que distinguir entre una edad en que el objeto del deseo desea —o puede desear a su vez—, y otra, en que el niño aún está al margen de la vida sexual de los adultos. Es evidente que las primeras experiencias en este campo se tienen con menos años hoy: casi puede decirse que se favorecen las relaciones de los adolescentes y que se facilita una extraña promiscuidad precoz. Lo cual no lleva implícito que tales relaciones se consumen, ni que se realicen de manera habitual, ni que el aprendizaje del sexo se logre en nuestra sociedad, tan tolerante con todo lo que parezca conducir a una especie de pansexualismo consentidor y contagioso. Las preguntas que me hago versan más bien sobre la infancia, no tanto sobre esa otra edad confusa en que la corrupción recae sobre sujetos ya corrompidos o semicorrompidos.

En un ambiente mercantilista, lo que se propone en la publicidad es siempre meta de deseos. Y los seres inacabados, casi andróginos, de formas indecisas, suelen con frecuencia aparecer portando las prendas ofrecidas: como una tentación turbadora o como un retroceso en nuestra propia edad. Se trataría de retornar con ellos a lo que fuimos, y mirarnos en ellos, inconclusos también, como si todo fuese posible todavía. En cualquier tiempo los mayores se han calentado y renovado con el contacto de los cuerpos jóvenes y aun bebiendo su sangre si se llegó al asesinato: ahí están los altos ejemplos del rey David o de Gil de Rais, Barba Azul. Sin embargo, no reside en eso sólo su atracción. El indudable protagonismo femenino hace, por una parte, que la mujer elija más que antes, y prefiera un modelo de hombre no contaminado, no machista, donde el sentido maternal ejerza su magia y su confirmación. Por otra parte, el hombre, defraudada su tradicional postura de conquistador, emprende en otros cazaderos sus conquistas y la rectificación de una supremacía difícil de ostentar ante mujeres hechas y derechas.

No es ajena tampoco al tema la decadencia de la natalidad que transforma a los menores en objetos cuya escasez sube su precio y la cuantía de su demanda, al regirse por las omnipresentes leyes de mercado. Si a esto añadimos el empeño de rebelarnos y considerar el amor como un escape antigregario de las normas y los rieles sociales, no extrañará, aunque nos repugne, la multitud de atentados contra la infancia. Una infancia que enciende la libido con su pureza, siempre discutible, porque el sexo nace con la persona (lo que no significa, sino al contrario, que el niño, tan ensimismado en este aspecto, dé pábulo al abuso). Una infancia que enciende la libido adulta con su calidad en apariencia intacta e ilesa, y con la hermosura y gracia que todos los cachorros llevan, como teas de fervor, en sus manos.

Está claro que hay un límite preciso en cada vida a partir del cual (las Constituciones lo señalan) un ciudadano es susceptible de delinquir o autorizado a votar; pero poco tiene que ver tal límite con el de apetecer o ser apetecido, que cada uno siente dentro de sí y por el que es marcado aun subconscientemente. Además, no puede dejar de traslucirse la sexualidad desatada a que nuestra manera de vivir nos empuja. Cada anhelo busca ser satisfecho por encima de cualquier consideración. Y la bisexualidad encubierta de numerosos hombres se desenmascara ante los niños, el sexo de los cuales no se halla rígida y definitivamente concretado, y cuyos cuerpos se ofrecen con un cariz hermafrodita, equívoco y ambiguo, circunstancias que justifican ante el deseante la ubicuidad de su deseo. Pero es hipócrita rasgarse las vestiduras ante hechos que han sucedido desde que el mundo es mundo, sobre todo en las penumbras familiares, silenciosas la mayor parte de las veces. Como casi todo, es cuestión de educación de unos y de otros, de defensa de los derechos del menor, de extirpar la pobreza que multiplica las necesidades y las prostituciones, de renovar el concepto de familia, de fomentar la sinceridad entre sus miembros... O sea, en una palabra, es cuestión de eliminar las causas de los defectos que nos escandalizan mucho antes que clamar aterrados ante ellos.

4 de mayo de 1997

SOBRE LA BELLEZA

Se dice —no lo sé— que el ser humano de hoy vuelve los ojos hacia la belleza de la que los había temporalmente separado. No hablo del atractivo, cuya influencia siempre se sintió, sino de una belleza objetiva por encima de apreciaciones personales. La que instala cierta forma de discriminación y hace jugar mejor con sus favores a quienes la poseen, lo cual ya es un valor cotizable en esta sociedad mercantilista; aquella a que se aspira, acaso en vano, a través de la cirugía plástica y los gimnasios y los sacrificios en comida y bebida; la que en la antigüedad se consideró como un don divino o un luminoso reflejo de la divinidad, inspirador a veces de temores y con mayor frecuencia de codicias y envidias; la que comporta una superioridad natural, obtenible por sus adoradores a precios elevados y siempre que se contenten con su caricia apenas... Porque en los tres conceptos que forman la sagrada tríada, *lo bueno* necesita aportar pruebas; *lo verdadero* se detiene en la inteligencia; pero *lo bello*, con sólo aparecer —mostrarse es de-mostrarse— penetra hasta el mismísimo fondo del corazón. A pesar de que se haya asegurado que sólo la mitad de la belleza depende del objeto en que se posa, y la otra mitad de los ojos que la miran.

Hablo de la belleza (casi denostada hasta hace poco, no porque hubiese sido sustituida por una nueva estética ni porque el feísmo se dedicase a empellarla de barro) semejante a un pájaro que se abate y canta a nuestro oído una canción cuya música ignoramos y cuya letra somos incapaces de discernir del todo. La belleza —así lo pienso— es una congénita aspiración del ser humano contra la que nada podrán religiones ni tiranías ni fundamentalismos, si es que se deciden, por desgracia, a intentarlo. Me refiero a la infinita advertencia de la belleza, ideal perdurable aunque quien la ostente no perdure. A la belleza melodiosa, sin la que la vida no estaría completa y quizá el mundo fuese un craso error: el contorno de un cuerpo, de un pecho, de una nalga; el plácido fervor de unas facciones o de un paisaje o de un pétalo o de la piel de un animal que salta; los matices de un atardecer o una pintura; unas palabras que nos emocionan y provocan que el alma se salga por los ojos... La belleza no susceptible de confundirse con el lujo, siempre aparatoso y siempre efímero, que está en la raíz de todo lo noble, de todo lo digno, de todo lo verdaderamente humano, es decir, de lo humano que tiende a ser divino.

En esta sociedad (que, una vez más lo digo, no adora al Becerro de Oro porque adora en abstracto el oro del becerro, lo que es mucho peor) necesitamos con urgencia mirar en torno nuestro y percibir gratuitamente objetos adorables, personas adorables: colores, telas, frutos, flores, obras en que se hayan remansado conocimientos generosos y el sentir y la sabiduría de oficios ahora desconocidos o casi despreciados; objetos como joyas, personas como joyas, con la lentitud y el fulgor de las piedras preciosas, cuya hermosura sea a la vez exquisita y sencilla, elaborada e ingenua, simple y suntuosa. Parece que la más avanzada informática se halla en condiciones de diseñarnos el rostro y el cuerpo ideales; siempre les faltarán el estremecimiento y la palpitación que provoquen en nosotros la palpitación y el estremecimiento sin los que la belleza es sólo mármol frío.

Yo aplaudo cuanto nos haga más libres, no más pobres. Me dirijo y me dirigiré a los momentos y a las zonas minoritarias de la mayoría, donde residen la sinceridad, la armonía candente, la comprensión y el anhelo de luz y de belleza. Siempre procuraré transformar en élite el mayor número de personas, no aniquilar las élites; posibilitar la igualdad por arriba, en las constelaciones, no en los charcos. Nuestra época es difícil para esto; pero no hay ninguna auténticamente humana que se oponga a lo que de más humano lleva el hombre en su centro: el indomable afán, la apasionada búsqueda, la inquebrantable aspiración hacia lo bello. Por encima de la política o de cualquier otro arte o creencia o trabajo; por encima hasta de la propia vida. Y es que la belleza —lo mismo que el amor en el *Paraíso* del Dante— es quien hace moverse al sol y a las demás estrellas. De ahí que a nuestra sociedad sólo le queden dos posibilidades: una, devorarse a sí misma; otra, devolverle el sentido a la existencia. Porque quizá lo bello sea lo que desespera, pero es también nuestra única esperanza.

11 de mayo de 1997

EN CUERPO Y ALMA

Había ido al recital de poemas de un amigo. Sus versos eran de un irritante pesimismo: negaban la amistad, el amor, la bondad de cualquier sentimiento. Daban ganas de levantarse e irse ante tanta desconfianza de la que, al no acabar en suicidio, se desconfiaba. Pero, a pesar de todo, también los versos eran temblorosos lamentos de ausencia y añoranza: de algún cuerpo, de las tonalidades y la temperatura de su piel, de la profundidad de su mirada... Nada más abrirse el coloquio con el que el acto concluiría, una suramericana preguntó por qué la clase de amor que inspiraba al poeta se refería a lo material y jamás al espíritu que sin duda animaba aquella carne. El poeta respondió que, para él, el cuerpo y el alma eran la misma cosa. Por primera vez en la tarde estuve claramente de acuerdo con mi amigo.

Yo trataría este tema con frecuencia. Porque se atiende poco a él y se comprende menos. Los maniqueísmos que despiertan me producen, más que aburrimiento, exasperación. Un maestro de *Zen* explicaba el nombre de la postura loto: se trata de una preciosa flor que flota en la superficie de las aguas gracias a que hunde sus raíces en el cieno del fondo; el cieno es nuestro cuerpo, digno de ser querido porque asila nuestro espíritu, y no habría sin él ni ideas bondadosas ni comportamientos solidarios. O sea, no se trata siquiera de la flor y su aroma, sino de la flor y el barro que la aguanta. Y siempre sucede de la misma forma. «Nadie puede considerarse libre si es esclavo de su carne» (Séneca). «Que un hombre que todo es alma / está cautivo en su cuerpo» (Lope de Vega). «El hombre es el único pájaro que lleva consigo su jaula» (Victor Hugo). Qué hartazgo.

Claro que la Iglesia católica, que se la coge con papel de fumar, tiene mucha culpa de semejante confusión. La dualidad cuerpo-alma de un sector de la filosofía griega irrumpe pronto en el cristianismo y lo malea. Lo platónico, lo estoico y lo gnóstico desvirtúan el propio testamento de Cristo. Cristo entiende la carne como un todo con su ánima. Cuando los salmos dicen *mi carne*, dicen *yo*. No es algo que *yo tengo* y es distinto de mí. «El verbo se hizo carne»: comer el cuerpo de Cristo es integrarse en él, recibirlo a él entero, usar la carne como aproximación y vía de conocimiento. Porque la emoción también razona y el pensamiento también siente. La carne no tiene por qué ir unida a la represión, la frustración, la responsabilidad o el pecado: en ella exulta, se expresa, siente, recibe y entrega el *yo total* que somos. No hay que pedir perdón al cuerpo ni por el cuerpo: él es nosotros.

La equivocación de separar la persona en dos enemistades trae en consecuencia la adoración hedonista del cuerpo que hoy vivimos, porque él no es ya una persona, sino algo exento: pretexto de belleza, de dietas, de concursos de culturismo, de modas: ya objeto desalmado. Asimismo le salió el tiro por la culata a la Iglesia en otro punto. No puede compadecerse su reiterado y secular menosprecio de lo físico con el dogma más original y escandaloso de los suyos: el que alejó de san Pablo a los aeropagitas: la resurrección de la carne, la resurrección de los cuerpos gloriosos en que el contacto con la divinidad, que aniquila la muerte, transforma lo que fue corruptible.

Todo es uno y lo mismo: no nos valen desdenes. Una alteración somática, cualquier pequeña gripe, influye en los raciocinios y en los más elevados sentimientos. Del mismo modo que una grave tensión repercute en la fortaleza inmunológica disminuyéndola. En el principio fue el cuerpo: con él pisamos el umbral de este mundo. No es una acémila, ni un esclavo, ni un enemigo íntimo y rebelde: es la vía a través de la que aparece el sujeto hombre independiente, a través de la que aparece la individualidad. El cuerpo y el alma no son siquiera dos aspectos ni dos manos ni dos poderes fundidos; no son las dos caras de una misma moneda. Son el corazón único. Una persona, asolada por una fuerte impresión, sufre un infarto agudo y muere. El lenguaje suele acertar: las preocupaciones son *quebraderos de cabeza*; el miedo es susceptible de ponernos *alas en los pies* o *dejarnos de piedra*; hay situaciones en que preferimos, para defendernos, *perder el sentido* antes de que *nos estalle la cabeza* y *se nos desboque el corazón*... Sin los órganos del cuerpo, el alma no siente ni padece. El ojo se deleita en la hermosura de una flor; aspira su aroma la nariz; los dedos acarician sus pétalos tan suaves... Pero es uno solo, no dos parcialidades, el ser que todo eso percibe y con ello disfruta.

18 de mayo de 1997

LA MALA PRISA

Transcurren, semejantes y un poquito distintos, los días, las nubes, las estaciones, los ponientes. La monotonía deposita su sabio sedimento sobre el espíritu al que ninguna urgencia turba. Cada incidente mínimo —una flor que se abre antes de hora, un huevo de codorniz caído, un perrillo al que martiriza una espina entre sus dedos— goza del privilegio de la unicidad. Nada ha de hacerse con prisa o impaciencia, porque se hará muy mal. Conviene introducir en la vida la monotonía para impedir que sea monótona. Si todos los sueños se cumplieran, ¿qué se podría soñar? Si todas las plegarias nos fuesen concedidas, ¿qué quedaría que nos estimulara? Quizá cada cosa o cada suceso no tenga asociado un tiempo propio: ¿consiste en eso la teoría de la relatividad? Nadie puede dilatar la medida caduca y convencional del tiempo si lo observa con su reloj. Sólo al aproximarse a la velocidad de la luz funcionará su tictac más despacio; pero ¿quién va a observarlo en semejantes circunstancias?

Además, no hay reloj: la graduación de ese aliado asesino está en nosotros mismos: en nuestra dicha y en nuestra desdicha. Dentro de un minuto caben a veces muchos años. Matar el tiempo es nuestro quehacer único, y a su vez él nos mata. El tiempo no se pierde, no transcurre, no va a ninguna parte: nos perdemos nosotros, transcurrimos nosotros, vamos nosotros camino de la muerte por distintos atajos. No hay que ser avaros del tiempo, aunque pensara alguien que él era el único bien que haría honorable la avaricia. No es un bien ni tampoco un mal: es, igual que la vida, una posibilidad. Ante él discurre el abigarrado desfile de nuestras ambiciones o nuestras soledades: él no desfila: ni permanece inmóvil si es pretérito, ni lentísimo si futuro, ni veloz si presente. Todo está en nuestro corazón y su experiencia: si el tiempo se hace largo, es largo, y breve si nos parece breve; porque no es una dimensión sino un sentimiento. Si no contáramos con él, para nosotros él no contaría. No existe por sí mismo. Sólo hay días y noches, veranos cálidos o gélidos inviernos, pechos agobiados o alígeros, pájaros diferentes y diferentes rosas; pero el tiempo no existe. Ni cambia: se conforma con irnos empujando, entre invisibles manos, hacia la salida.

Pero, a pesar de saber todo esto, nos empecinamos en contradecirlo. Organizamos citas imposibles para encontrarnos con quienes llevamos años jugando a las cuatro esquinas; dejamos y recibimos mensajes en contestadores sin respuestas; nos mandan postales de países remotos con nombres y firmas que ya desconocemos; cultivamos amores que jamás se acercarán porque nos falta el tiempo: antes se decía que el amor hace pasar el tiempo, y el tiempo, ay, hace pasar el amor, ahora uno y otro se van cada cual por su lado... La nuestra es la cultura de la prisa, de la mala prisa. Sólo hay metas muy próximas, casi inmediatas, porque no calculamos a más largo plazo. Todo es un imperativo de la urgencia, que no insiste en nada ni da lugar a profundizar nada. Las máquinas, hechas para abreviar, no creo que nos ayuden a ser más nosotros, sino menos: nos suicidan. Las faltas de contactos reposados atrofian nuestros sentidos y nos sumen en un líquido idéntico, como peces giróvagos. Cuando a alguien se le ocurre darnos una noticia personal o lejana o íntima, nos quedamos mirándolo, porque nuestro apresuramiento no está hecho para semejantes cantinelas. La amistad se ha convertido en cuestión de barra, y el amor, en un bufé sin sillas. El éxito deja de serlo en caso de no ser juvenil e instantáneo. Nada nos compensa de una espera. Ningún interlocutor nos vale si se sienta y se pone a reflexionar o a hacernos confidencias. Al parecernos todos, nadie suscita el interés de nadie. Si hay más sicoanálisis que nunca, es sólo porque uno se dispone a escuchar a otro por horas; pagando, claro está.

   ¿Cuánto dura hoy un libro en un escaparate o en las mesas de las librerías? ¿Cuánto una tendencia en la pintura o en la música, cuánto un disco? Se tienen que sustituir unos a otros al galope. Se persiguen, al galope también, la originalidad y la novedad, no el arte verdadero, que es un producto del sosiego. De un vistazo se juzga todo, de un día para otro. Sube una ola y cae, y se estrella su cresta. Si todo es falta de reflexión en el lector y en el espectador y en el oyente y en el crítico, ¿qué va a exigírsele a quien crea? El hedonismo y el narcisismo siempre han ido contra el progreso auténtico, es decir, contra el hombre. Narciso, ante el agua trémula del arroyo, no conquista ni siembra: es un masturbador ensimismado. Sustituye la lealtad por la vertiginosidad, lo permanente por lo efímero, lo inefable por la divagación improductiva. Y así le luce el pelo.

25 de mayo de 1997

243

LA VIDA ENTERA

¿Dónde están las rosas del otoño pasado? ¿Dónde desaparece el ruiseñor cuando mayo termina? ¿Y el azahar de finales de marzo? Todos cumplieron dócilmente su oficio sin preguntarse nada. ¿Se consumieron en plenitud? Sin duda cada ser tiene la suya. La del hombre, ¿cuál es?: ¿la juventud quizá?, ¿la madurez? Ante el paisaje primaveral de nuevo, embellecido y remozado, pienso en la vida humana, irrevocable, que no retorna nunca y avanza hasta extinguirse. ¿Dónde? Acaso no sea lo que más nos importe... ¿Me desaniman tales pensamientos? Si el hombre viviera su vida como si fuese una totalidad, a la manera de quien lee un poema, miraría su ocaso igual que un período de consumación feliz y comprensible. Si la vida se contemplara como una sinfonía, hallarían cabida en ella los silencios, las estridencias de la juventud y sus altos timbales, hasta llegar al medio tono suave de la ancianidad, lleno de ecos y fértil.

Oriente prima —o primaba— la vejez; Occidente prima —o primaba— la juventud. ¿Qué es, pues, lo que ha cambiado? La edad, considerada nuestra peor enemiga, no desemboca ya en la enfermedad incurable que a todos los que sobreviven por igual les afecta. La ciencia, de una forma sorprendente y segura, ha venido a poner las cosas en su sitio, declarándose aliada de los que habían perdido la esperanza. Según ella, la personalidad no muda con el tiempo sino que permanece estable en él: si deseas saber cómo serás después de jubilarte, procura conocerte desde ahora. La potencia de razonamiento y de resolución se mantiene: el cerebro tiene una gran capacidad de repertorio con que compensa la lentificación de la memoria y de otros atributos. Nadie muere porque envejezca su corazón: tan sano, si lo es, será uno de ochenta como otro de veinticinco. Y no todos llegamos al final del mismo modo y con velocidad idéntica: las diferencias entre los viejos son más acusadas que entre los jóvenes: tengo amigos, cada cual portentoso a su aire, con diez, con quince, con veinte años más que yo, y aún me ilustran y me causan envidia.

¿Es indiscutible que al anciano se le desconecta de las redes sociales en que participaba; que el tedio es el director de su vida; que las nuevas generaciones no sienten por él curiosidad alguna, ni él las siente por ellas? ¿La convivencia con los más ancianos se ha roto para todos y siempre? ¿Invadirá el desinterés por su propio futuro a quienes aspiran a gozarlo largo y ancho? ¿Seré una excepción yo, que me esfuerzo cada día por dilatar mi aprendizaje y ensanchar mi vocabulario y precisar el ritmo de mi prosa? ¿Cualquier anciano se satisfará, en un banco al sol, con añorar su lumbre, a sus amigos muertos, a su cónyuge, a sus hijos que apenas se parecen a él, mientras sigue la vida manando a borbotones en su entorno? ¿Será, como para Celestina, la vejez sólo «mesón de enfermedades, amiga de rencillas, congoja continua, mancilla de lo pasado, pena de lo presente, cuidado triste de lo porvenir, vecina de la muerte, choza sin rama que se llueve por cada parte, cayado de mimbre que con poca cosa se doblega»? Los oprimidos por el peso del tiempo, ¿no hallarán salvación, arrebatados por la mayor marginalidad que hay, puesto que es la más irreversible?

Cuánto ha cambiado en unos años todo. El número de ancianos, llámese o no tercera su edad, crece sin cesar. En nuestra área ha llegado ya casi a la tercera parte de la población. Son cifras que a muchos se les hacen estremecedoras: por lo que afectan a los presupuestos, por lo que abruman a la población activa. Pero el mercado, por propio beneficio, mira hacia los viejos, los cuida, les sugiere ideas, los acompaña. Se han convertido en el no confesado sueño de la juventud, atribulada por carencias y temores. Aliado con el reciente protagonismo femenino, el de los mayores conduce cada vez con más claridad los destinos colectivos, al modo de una gerontocracia subrepticia, sabia y serena. El cacareado éxito de la agresividad, de las innovaciones vertiginosas, de la rapidez ultrasónica en la vida, ha sido por fin puesto muy en tela de juicio. Se tiende a una cultura más conservadora de los buenos valores contrastados, más reposada y reflexiva. La experiencia no es tan desdeñada como hasta hace poco, y se procura su pausada intervención en lo político, que tanto se repite; en lo económico, que con tanta dificultad se aprende; en lo existencial, que no se acaba sino con la existencia. Se ha desperdiciado a lo tonto mucha sabiduría, mucha enseñanza que sólo la práctica acarrea, mucha hermosura del atardecer. Y es que la culminación sólo se alcanza cuando se ha ido subiendo, paso a paso, la larga senda de una vida entera.

1 de junio de 1997

NOSOTROS

Atardecía. Meditaba el escritor sobre la causa de sus reiterados fracasos amorosos, que le habían conducido a la soledad de hoy, y hasta le habían amaestrado con gusto a ella. Y reflexionaba sobre cuánto le hubo apasionado el tema del amor en su obra no ya corta: como el más recurrente, casi el único. Por la mañana había recibido la noticia de que alguien, una muchacha conocida, se había muerto de amor. «La falta de correspondencia o el abandono deben de ser tan insufriblemente dolorosos como la muerte de un hijo.» Prefería el escritor el ocaso a cualquier otra hora. Quizá tuviera tal preferencia una relación íntima con su propia vida. «Un hombre no habría muerto de amor; habría podido matar o suicidarse, pero no morir simplemente por amor. Las mujeres, a pesar de lo que haya mejorado su situación, sueñan con él; los hombres no. Ellas le ofrecen su morada íntima, abatidos los muros; ellos conservan muchísimos reductos para refugiarse. Ellas gustan de hablar de amor; ellos, jamás después del matrimonio: el amor no se dice, se hace... Las mujeres se sienten invitadas al desenfreno y a la pasión; los hombres se casan con una compañera o con su secretaria o con la amiga de una cuñada...»

Pero, en último término, ¿qué era el amor? Una indudable alteración, es decir, algo que nos convierte en otros distintos de los que éramos; una indudable enajenación, es decir, algo que nos aliena, que nos trastorna, que nos enloquece; en otras palabras, ante el amor estamos enajenados y alterados, es decir, *estamos vendidos* (de eso el diccionario académico asegura que es «estar en

246

reconocido peligro entre quienes son capaces de ocasionarlo o más sagaces en la materia de que se trata». Y más sagaz en amor que el enamorado es cualquiera). Sucede que el *yo* no osa declararse independiente porque se sabe incompleto, y para lograr su plenitud procura entregarse a alguien, lo cual subraya de modo absoluto su dependencia previa. Se busca el amante en el amado igual que en un espejo, y ve en él reflejado al otro que también se busca a sí mismo: un recíproco extrañamiento. Y comienza la lucha en que cada uno pretende invadir al otro, a quien ama y ha elegido como próximo, sin dejarse invadir; en que cada uno pretende seguir siendo él mismo, más completo aún puesto que trata de incorporar y digerir al otro. Y ninguno percibe que, cuando el deseo de ser es más fuerte que el de amar, la unión es imposible, y que son muy contados los que se encuentran a sí mismos a través de los enrevesados caminos del amor y su intrincada luna.

¿Qué le había sucedido a la muchacha muerta? El que creyó su amante la había dejado prácticamente en las gradas del altar. No fue capaz de sentir odio por él, ni anhelo de venganza. Fue a pasar una temporada con una hermana suya en una ciudad gallega. Una mañana, de vuelta de misa, se desplomó sobre la acera. Su salud, según los médicos, era perfecta; no obstante, su corazón no halló arrestos suficientes para seguir viviendo. Y se murió.

Si no fuese tomado a mal, habría que dar la enhorabuena, no el pésame, a su familia. Porque hoy el amor bien entendido está en vías de extinción y a los amantes debería declarárseles especie protegida. La gente rehúye los encarnizados combates en que se obtiene como botín —o eso se dice— lo que puede conseguirse por las buenas con una hábil conversación y un par de copas. Los sucedáneos del amor son demasiado numerosos, y tan desangelados como el café instantáneo. Se le niega a él lo que se arriesga y se sacrifica en aras de otros proyectos menos acendrados, que se consideran más imprescindibles, más vitales, más —en el peor sentido— enriquecedores y remunerativos. Se aplaza a voluntad la fecha en que uno se consentirá pensar en algo semejante al amor. Y cuando el amante, por llamarlo de una manera comprensible, advierte que el otro de ninguna forma es él, se decide a amarse a sí mismo apasionadamente en el otro y por su medio. Qué pocas parejas son susceptibles de decir hoy con exactitud *nosotros,* con el mutuo y solidario y dulce dardo clavado en sus corazones, y un incomparable intercambio de ternura por ternura, sonrisa por sonrisa, confidencia y fidelidad por fidelidad y confidencia, sabiéndose dos orillas unidas por el agua común, siempre distinta y siempre idéntica, del río —remansado o inquieto, despacioso o veloz— del amor compartido. Ese amor en que quizá consiste el más milagroso y el más bello regalo de los dioses.

8 de junio de 1997

LOS SENTIMIENTOS

El escritor lee con avidez un libro muy técnico sobre el cerebro emocional. A muchos todavía tal enunciado se les antojará una paradoja. Qué larga pelea la de quienes defendieron la primacía de la razón o la del sentimiento: ese misterio cálido, esa luminosa niebla por donde la razón avanza a tientas. En otro tiempo él escribió que el hombre es un sentimental fallido y desencantado porque conoce de antemano su incapacidad para sostener, a lo largo de su vida, un mismo sentimiento. Pero entonces la mayor parte de sus colegas, no de sus lectores, sospechaban de aquello como de una debilidad, de una fisura, de un ridículo ya romanticismo. Por el sentimiento podríamos ser heridos de muerte, decían: como si no fuese eso quizá lo más humano, más aún que serlo por la pura razón. Pero ¿hay, a pesar de Kant, una razón completamente pura? ¿Hay un sentimiento puro completamente? Existe una zona inerme, desnuda, solidaria, que los seres humanos tenemos en común; en la que coincidimos por encima del tiempo y de las geografías; donde somos un poco equivalentes todos, hasta los enemigos en ese infructuoso combate en el que la razón lidia contra los sentimientos y toma precauciones.

«Cualquier saber nuestro tiene su principio en los sentimientos», dijo la cima de la creatividad que fue Leonardo. «Hago todos los esfuerzos por ser seco. Quiero imponer silencio a mi corazón, que supone tener mucho que decir. Y tiemblo por no haber escrito más que un suspiro cuando creí haber descubierto una verdad»: para Stendhal, tan riguroso, y para tantos, cuánta vana contradicción. Todo es uno en lo mismo. Lo atisbó el pelmazo barroco de Gracián: «Consiste la simpatía en un parentesco de los corazones, y la antipatía en un divorcio de las voluntades.» Y la empatía, ese ponerse en el lugar del otro, ¿será sólo un movimiento racional? Pascal, el severo, lo adivinó: «La memoria y la alegría son sentimientos, e incluso las proposiciones geométricas se convierten en sentimientos, porque la razón los hace naturales.» Y el severo Unamuno, tan fundado en apariencia, afirmó: «Lo que siento es una verdad, tan verdad por lo menos como lo que veo, oigo y se me demuestra... Sentir y pensar brotan de la misma fuente. Sentir la ciencia y pensar el arte: buen camino para pensar la ciencia y sentir el arte.» Y Alexis Carrel: «No es la razón, sino el sentimiento quien conduce al hombre a la cumbre de su destino.» Y Einstein, tan contradictorio en sus teorías y su amor: «Los sentimientos son la fuerza fundamental de toda creación humana, por sublime que tal creación parezca a nuestros ojos.»

Cuántas palabras y frases y teorías vertidas contra los sentimientos. Cuánto desdén ante ellos, siendo así que lo que acerca y lo que separa a unos hombres de otros no es la riqueza o la escasez, no la inteligencia o la torpeza, no las razas ni las fes ni las ideologías, sino la presencia o la ausencia de empatía, de la posibilidad de captar los mensajes verbales o no de los sentimientos, de la aptitud para *sentir dentro* (tal es el significado de la palabra en griego), para percibir las experiencias subjetivas de los demás, o sea, sus emociones: amorosas o estéticas, del gozo o de la pena, ante el desorden o ante la maravilla abrumadora del mundo.

Ahora resulta que científicamente se demuestra que los sentimientos representan un papel fundamental en la tragedia o en la comedia de nuestras vidas, en la navegación a través de la nunca detenida corriente de las decisiones que nos es preciso tomar. Por descontado que, si son intensos en exceso, los sentimientos causarán desastres en el raciocinio; tantos desastres como si están desatendidos. Tantos desastres como si nuestras emociones quedasen sepultadas bajo el umbral de la consciencia, o remitidas, como parientes locos, a los sótanos tenebrosos de la casa. Nuestro futuro depende de resoluciones que han de tomarse en equilibrio: no por la razón en exclusiva, porque ella, alejada de los sentimientos, se queda ciega. Nadie se casa, ni elige unos estudios, ni compra una vivienda, ni acepta una amistad con la razón a solas, salvo que quiera equivocarse. A todos nos orienta un soplo cálido que sube desde dentro, una impresión negativa que nos asalta sin visible por qué. Llamémoslo intuición y llamémosla instinto: son sólo sentimientos. Porque ahora, por fin, resulta que las emociones piensan y las razones sienten. Resulta lo previsto: que el hombre es a la vez su batalla y su campo de batalla. Que todo transcurre, como ante un espejo de dos caras, en esa heredad única de cada cerebro que es cada corazón.

15 de junio de 1997

LA MÚSICA CALLADA

Estaba en su casa de campo. Se negó a que la grabación trastornase su apartamento y su orden. Consiguió que se la hicieran en una sala recogida en un club de golf muy próximo. Al apearse del coche lo envolvió el aparente silencio de las primeras horas de una tarde cálida e impasible. Lo aguardaban. Arriba, en un rincón casi secreto, habían instalado una complicada mesa de estudio. Cuando se dispuso a emitir su voz, sintió de pronto que se había hecho añicos el silencio. Unos ruidos de fondo, imperceptibles hasta la hora de la verdad, lo acribillaban: la lavadora del restaurante, extractores de humos, un motocultor, la hormigonera de una cercana construcción, una perforadora, los ruidos de una alta grúa entrevista... «A qué cosas nos hemos acostumbrado a llamar silencio», pensó. El ruido se ha convertido en el más exacto símbolo de nuestra vida: un ruido que apenas escuchamos, pero que está presente, como una abominable música de fondo, de la mañana hasta la noche: el incesante tráfico, las radios y las televisiones propias o ajenas, los quejidos de los frigoríficos que apuñalan la inmovilidad de los amaneceres... Y, aunque todo eso callara, no estaríamos aún inmersos en el silencio. Él es una especie de vacío interior, un sosiego desentendido de las perturbaciones. Sin él es imposible oír cantar al alma, cuya voz es apenas un murmullo. «Canta y calla», se lee, en efecto, en el trascoro de la catedral de Toledo. Y no se trata de una contradicción: sólo en el íntimo reducto del silencio se levanta la trascendente melodía.

El amigo de la quieta luna, como lo llama Virgilio, es un arte que se conquista y que se aprende; un árbol misterioso que da frutos de paz. Sólo a través de él se puede decir que conocemos a alguien, y no a través de las palabras, tan engañosas conscientemente o no, que introducen su algarabía en nuestra mente y allí se instalan como huéspedes incomprensibles e importunos, dedicados a encubrir lo que en realidad nos piden. Y para conocerse es preciso también callar y atenderse a sí mismo: a ese ser siempre recién nacido, cuyo dedo señala su propio corazón, y que no precisa ningún idioma, áspero o suave, para manifestarse. Al escritor, tan dependiente en principio de las palabras como instrumentos suyos de trabajo, el silencio y la soledad le son imprescindibles. Es cuando aquéllas se retraen cuando comienzan a producirse, en la conversación y en la escritura, los espacios más significativos. Lo mismo que en la música, las pausas importan más que nada. Pero ¿quién oye a quién ahora? Cualquier diálogo hondo requiere grandes lapsos de silencio compartido. No es una esgrima de ironías, no es una batalla de flores, no es un recíproco carnaval, sino una tranquila área de descanso donde se reflexiona.

El escritor sabe que toda obra nace de un silencio creador previo, de una pérdida de asideros verbales, de una estática renuncia a la expresión. Van deshojándose, como pétalos de una rosa que agoniza, las sensaciones y los pensamientos. Algo, en lo más profundo, se desnuda sin gestos en medio de un sopor que invade ojos, oídos, manos... Se alejan, en el caz de la noche, los lejanos ladridos, el agua rumorosa, el aire que despeina los árboles, el imaginario son de las estrellas. Y el corazón también, y el retardado ritmo del aliento... Y entonces se encienden las ideas en esa relajada caverna del sentido. Hay que saber negarse para afirmarse luego. Hay que callar para que se acerquen los apagados ecos de lo que nadie dijo, de lo que nadie o apenas nadie oyó; despojarse de la agobiante carga de alborotos que nada representan y a nada conducen. El silencio es el único camino hacia el máximo encuentro. Sólo en él se halla la respuesta a las primeras preguntas verdaderas: ¿quién soy?, ¿quién eres? Sólo en él brotan los auténticos hallazgos del amor cuando, ya desmayadas las promesas, se inician las miradas, las caricias, los besos...

La depresión, el estrés y el insomnio son el alto precio de vivir en las grandes ciudades. La salud siempre es muda y armoniosa. Si algo perturba su mudez, es el síntoma de una quiebra: la fiebre, la agitación, la arritmia; si algo perturba su sigilosa calma, es el síntoma de una amenaza: la sospecha, el temor, la ansiedad o la ira. El espíritu crece en la insonoridad igual que en una celda a la que sólo entra lo indecible: el enigma del mundo, la ligera y alegre esencia de las cosas, el agradecimiento por la vida... Sólo el silencio provoca los encuentros más nobles. Sólo el silencio es grande: el resto es concesión, trastorno y desvarío.

22 de junio de 1997

EL SUPUESTO IMPOTENTE

Hacer el amor quizá sea el acto adulto que se acerque más a la estrecha vinculación entre el hijo y su madre. Dice Stern que la relación sexual implica la capacidad de experimentar el estado subjetivo del otro, compartir su deseo, sincronizar con sus intenciones y gozar de un estado mutuo y simultáneo de excitación cambiante. Los amantes responden a la vez a una misma sensación, a una llamada tácita y unánime dentro de la compenetración más taxativa. De ahí que, si no se producen tales milagros naturales, aparezcan, con más descaro que en cualquier otra ocasión, la falta de toda reciprocidad emocional y la evidencia de que se está gesticulando en el vacío... Por eso, entre los que no tienen su casa sosegada, el escritor siente una especial misericordia por los que padecen síntomas de una impotencia sexual sicológica. No por aquellos a quienes la libido abandonó, sino por los que, sabiéndose dotados, no cumplen su camino hasta el jubiloso final.

Está claro que el sexo tiene a su cargo mucho más que la reproducción. Es un lenguaje antes que un instinto. Es la gloriosa superación de un instinto: un pretexto animal sobre el que se ha construido la más meticulosa y bella de las arquitecturas. Es símbolo y prueba de la unión de una pareja a solas —antigregaria, íntimamente a solas—, confundidos sus miembros uno en otro, sin que la piel sea ya la acostumbrada frontera del deseo. Pero lo más gratificante puede convertirse en lo que produzca un dolor más profundo. La forma de vida, las enseñanzas falsas heredadas, las torpes tradiciones, los prejuicios, las posturas encomendadas, como en un museo de cera, a uno y otro sexo, entran a saco en la delicadeza de la alcoba y trizan la construcción tan frágil y armoniosa que allí se levantaba. Las parejas no se ven o se ven apenas a lo largo del día; en vez de mirarse a los ojos, miran algo juntos, que es la televisión y no un común proyecto; uno de los dos busca los gestos del amor como quien se lava los dientes antes de dormir o quien come cuando le entra el hambre... Se rompen los trémulos puentes levadizos de la aproximación. A la mujer le duele la cabeza; al hombre lo inunda el sentido de su devaluación. Poco a poco comienza a producirse la impotencia: el amor no era el sexo.

Y, cuando para superarla, se empeña el hombre en prodigarse fuera, en demostrar su masculinidad rápida y potente como se la enseñaron, se introduce en él —en su cerebro y en su corazón— una especial debilidad, una desgana fría, un ansia inaplazable de dejar de jugar a un juego que conoce demasiado y no le satisface. E inicia un nuevo juego, el de la seducción, dirigido a confirmarle su vigencia: lo enardece el cortejo de la que no es su pareja verdadera; lo eleva la conquista; quiere ser deseado y cumplir a la vez el mandato natural de lucirse ante una hembra y el social de comportarse como un macho. Pero ese procedimiento de tomar por tomar, ese donjuanismo, lo deshumaniza: él viene de otros tiempos, en que los frutos del amor fueron plenos, floridos, inagotables, dadivosos, igual que un jardín o igual que un mar... Y a ellos no le devolverán drogas ni afrodisíacos, promiscuidades ni rebuscados hedonismos. Porque su impotencia no procede de fuera adentro, sino de dentro afuera. Y se subrayará cuando el atractivo haya sido reemplazado por el morbo, mucho más sinuoso; los opulentos y resplandecientes gestos del amor por un aquí te cojo aquí te mato que ni a un hambriento podría satisfacer... «De lo que iba a durar no dura nada. / Sólo una sed de nuevas aguas dura.»

Y el miedo hace su aparición en esta escena lóbrega. Miedo a ser descubierto, a perder definitivamente a su familia, a que perciban su situación los compañeros de trabajo o los vecinos o los hijos, al gatillazo permanente, a la reiterada frustración dentro y fuera de casa. Porque en el descenso al abismo se ha olvidado que, en la suntuosa danza del amor, no participan sólo los cinco sentidos, sino lo que por debajo de ellos canta y los sostiene, aquello que está en el beso y no es el beso, la camaradería de un día entero y de todos los días, la mutua protección y el abandono mutuo, el reconocimiento de lo que es culpa y de lo que no es culpa, la apertura del corazón y del cuerpo y la mente, la certeza de que no se trata de una guerra con vencedores y vencidos, la mirada profunda de un niño hacia su madre: una madre que no va a defraudarlo y a la que él nunca defraudará si ambos van de la mano por la costosa y fulgurante subida al amor.

23 de junio de 1997

LA VIDA TÁCTIL

Cada vez que olemos, cada vez que miramos o saboreamos, cada vez que oímos o tocamos, ponemos en guardia un codicioso ejército de órganos sensoriales. Los cinco sentidos nos poseen, nos invaden, nos fecundan, nos intranquilizan, nos mantienen atentos. Siempre que les demos ocasión, por descontado. Y siempre que nos abandonemos a ellos, y no les hagamos la guerra, y hayamos sido educados como es debido serlo. Pessoa escribe, muy británico: «Ver y oír son las únicas cosas nobles que contiene la vida. Los otros sentidos son plebeyos y carnales. La única aristocracia es no tocar nunca. No acercarse: he ahí lo que es hidalgo.» No puedo estar más en desacuerdo. Intelectualmente al menos. Quizá yo he sido educado tan mal como Pessoa; pero adoro las culturas en que se roza, se abraza, se besa, se pasea cogidos de la mano o enlazadas las cinturas o con un brazo amigo sobre el hombro.

Gran parte de la comunicación es hoy verbal o visual. Las vías de la piel han perdido frecuentadores. Y, aun así las cosas, está nuestro cerebro bombardeado por inacabables imágenes de seducción, publicitaria la mayor parte de las veces, que ha de seleccionar para retenerlas o desecharlas. Y nuestro olfato se halla prostituido por aguas de colonia, desodorantes y ambientadores que disfrazan o anulan los olores primeros naturales. Y se nos trata de comprar el gusto con paladares nuevos o exóticos o picantes o ambiguos. Y el oído nos es alanceado por ecos detonantes, embestido por automóviles y motocicletas, acosado por el runrún continuo de las radios, de las televisiones, de las calles. ¿Qué nos queda? Si esos cuatro sentidos abren sus puertas todos en la cabeza, en ese mundo de los siete pozos, el tacto se ofrece a lo largo y ancho de dos metros cuadrados de piel. Es prácticamente nosotros, nuestra envoltura, nuestra frontera, el aura que nos rodea y nos define. Ni todos los demás sentidos juntos pueden sustituirlo: hay que *reconocer* y percibir con las palmas de las manos, con las mejillas, con los pies, con los labios... La mano abierta es el signo que más evidencia el desarmado saludo de la paz. Ella lleva el primer contacto físico, del que se desprenderán las corrientes de la simpatía o del rechazo. Cuántas veces hemos dicho, de una amistad o de una enemistad, que eran *cuestión de piel*: la entrada principal se abre de par en par o no se abre, y es la piel quien enigmáticamente lo decide.

El quinto sentido —no hay quinto malo— es el que cura por la imposición de las manos que portan energía. Y los dermatólogos saben (al alcanzar del quince al veinte por ciento del peso corporal y tener en torno a cinco millones de minúsculas terminaciones nerviosas) que la piel es el verdadero portavoz de las emociones. Qué son, si no, las neurodermatitis, los escalofríos, el temblor que sale de dentro, las comezones, la psoriasis, los eczemas, los herpes, la sudoración o el frío angustioso. Qué son, si no, las características fisiológicas del enamoramiento, en las que el menor toque desencadena reacciones en cascada: se aceleran los pulsos, aumenta la tensión arterial, se liberan azúcares y grasas, entran en juego las endorfinas, esos analgésicos que llevan asociadas sensaciones de placidez y de felicidad... Y tal sustrato bioquímico se activa en el cerebro sólo porque la yema de un dedo nos rozó la comisura de un ojo y con delicadeza se posó luego en el párpado. Nada más; sin necesidad de otra posesión más penetrante ni más honda.

Los niños que, en sus tres primeros años, tuvieron más contacto físico con sus madres gozan de una inmunidad más fuerte. Sin saberlo, las madres pegan el cuerpo de su hijo al suyo, lo aprietan, lo recorren, se lo comen a besos. En nuestra cultura, donde existen límites de distancia para todo (para los negocios, para una conversación aséptica, para otra íntima, hasta para el amor), los niños reciben hoy menos contactos y se encuentran más expuestos a riesgos y a enfermedades. Pero ¿y cuando crecemos? Porque el *puer aeternus* que somos permanece dentro de nosotros tratando de ser mimado, halagado, tenido en cuenta. El hombre es perfectible: un proyecto nunca concluido del todo. Y necesita que alguien estimule con afecto su piel, y se la renueve, y se la limpie de las malas contigüidades cada día más numerosas. Hay que recuperar la infancia y otorgarles a los demás la suya: con un amor incondicional, con una caricia permanente, sin temor a resultar cargante, sin temor a pasarse al erotismo. Hay que sacar fuera al niño que ocultamos. Porque no hay nada pecaminoso en el sexo ni en el tacto: todo lo natural es inocente; todo, suavidad y alegría, libertad y expansión. ¿Por qué no manifestarnos ávidos de acariciar y de ser acariciados? ¿No es acaso el amor el mejor médico, y las palpaciones del amor la mejor medicina?

29 de junio de 1997

EL OPTIMISTA CONTRADICHO

El optimista, como el doctor Pangloss, cree que habitamos el mejor de los mundos posibles; el pesimista se pregunta cómo será el peor. El optimista opina que todo es bueno menos el pesimista; el pesimista, que todo es malo menos él. No es difícil, por tanto, confundir a un pesimista con un optimista sincero que esté bien informado: aunque el cielo se hunda, siempre se salvará una alondra.

La historia de los hombres ha ido y venido por muy opuestos andurriales. Los griegos no fueron optimistas sobre su futuro; los romanos, tampoco, encomendados sin fe a unos dioses que se les parecían en exceso. La Edad Media cristiana se desentendió de este mundo, enemigo valle de perdición, y se concentró en la demasiado optimista visión beatífica del otro. Hobbes, en su monstruoso *Leviatán*, escribió que, en estado natural, la vida del hombre es solitaria, pobre, tosca, brutal y breve. Sin embargo, desde el siglo XVIII, como una tibia oleada, se desencadena por Europa el optimismo. El hombre es bueno por naturaleza, nace libre, ama la igualdad, y los males colectivos que cuartean su trayectoria proceden de una superestructura política o mental que lo deforma. Un perfume de esperanza oreó nuestra cultura, y se desencadenaron, conducidas y alentadas por él, revoluciones y sangrías que no han concluido —y eso de momento— hasta la caída del Muro de Berlín. Cuánta maldad para demostrar que el hombre tendía al bien, cuánta utopía descuartizada, cuánta ilusión raída. Porque ni Voltaire pudo nada contra el candor de los optimistas. Desde Locke («la humanidad tiene un título natural a la libertad perfecta y al goce sin control de todos los derechos y privilegios de las leyes de la naturaleza») hasta quienes lucharon por destruir las ortopedias —quizá para sustituirlas por otras más rígidas y austeras— que contrariaban y oprimían la original bondad de los seres humanos.

La revolución liberal y la independencia de los Estados Unidos (su Constitución dice que los hombres nacen libres e iguales y dotados del deseo de la felicidad), incluso Marx, a pesar de su interpretación materialista de la historia, piensan del mismo modo. Porque estaban de acuerdo en una propensión implacable que acabaría por construir una nueva sociedad igualitaria, libre y dichosa. Los terribles descubrimientos de Freud y el hondo pozo negro de las almas no arañó siquiera la convicción de los optimistas. Sólo las dos grandes guerras, más destructoras que todas las precedentes, los terrorismos, el regreso a las luchas étnicas y tribales, el desmesurado y temible espejo de África y de los integrismos, la vesania de las venganzas y de los regímenes políticos y de los comportamientos que hasta este folio en que escribo lo salpican de sangre y llanto, son los que han hecho que los optimistas, por rabiosamente que lo fueran, callen al menos y detengan su alegre repique de campanas.

Casi todos los descubrimientos científicos se han realizado al servicio de la guerra y puestos en manos de la destrucción. Los progresos materiales han discriminado como nunca a la población de la Tierra. Las investigaciones sobre el entorno y sobre la genética hacen que nos conozcamos, a nosotros y a nuestro hábitat, como nunca. Pero de nada han servido tales avances sino para perturbar aún más la vida que somos y la que nos rodea. Dice un proverbio etíope: «No blasfemes contra Dios por haber creado el tigre; antes bien, agradécele que no le diera alas.»

Y eso también en lo personal es valedero, ya que el optimismo consiste en la actitud que nos impide caer en la apatía o en la desesperación o en la depresión frente a las adversidades. El optimismo es el más próximo familiar de la esperanza, que no se dará nunca por vencida. Él considera que los fracasos, cualesquiera que sean en número y medida, se deben a causas mudadizas y evitables, en la más próxima ocasión. Mientras, los pesimistas se culpan a sí mismos o a circunstancias intangibles. El microcosmos del hombre se parece al cosmos en que nace y se desenvuelve y sufre y goza. De la combinación entre el talento y la perseverancia ante el fracaso surge el camino que conduce al éxito. Por debajo de los mares de crueldad y de amargura, hay quien cree con firmeza que corren ríos de agua dulce; por debajo de las torturas y los asesinatos, hay quien confía en la tenacidad del bien y la generosidad; por debajo de las conductas fieras e irracionales, hay quien fija sus ojos convencidos en la fuerza de la razón. Es evidente que el optimista habrá de serlo —ayer y hoy y siempre— a pesar de todo: su esperanza habrá de ser más ciega que su fe.

13 de julio de 1997

LA HISTORIA SIGUE

El hombre que ha habitado, durante estas páginas, su casa más o menos sosegada; el hombre que la abrió para que fuese, también más o menos, visible es, como todos, una historia. Pero ¿puede llamarse historia a lo que acontece una vez sólo? El amor único, la devastación única, el enigmático entusiasmo que nos asaltó un día, ¿forman en realidad parte de nuestra historia? Está claro que sí. Más aún, *son* nuestra historia, porque nosotros somos muy poco más que ellos. ¿A qué llamamos madurez, si es que en la madurez concluye cada historia personal? ¿Será haber realizado el proyecto que en la juventud nos embargaba, o más bien andar y haber andado, a pie enjuto, por secarrales salpicados de oasis, en busca de ese espejismo palpable que es nuestra propia perfectibilidad? A pesar de los tropiezos y los desgarros y las desilusiones y los fiascos. A pesar de las hondonadas y las alturas embriagadoras, de los derrumbaderos y las cimas que atraviesan las nubes.

De otro lado, ¿la historia de cada cual son los hechos y nada más? ¿No habrá una intrahistoria, como una corriente subterránea que aumente la acústica, bese los cimientos y justifique lo que arriba sucede? ¿No habrá una suprahistoria que nos llene de condicionales: si aquel día yo no hubiese estado allí ni conocido a tal persona, si no hubiese perdido los nervios, si no me hubiera equivocado, todo habría sido diferente? Puesto que la historia de este hombre es él mismo, en el resultado final se introducen factores no numerales, partidas no tangibles, las imaginaciones también, y las sangrías incruentas, y las posibilidades que jamás se cumplieron pero que le repican en el ánimo. Porque quien entonces se equivocó fue él. Y quien estuvo allí y conoció a alguien, y quien perdió los nervios. Y asimismo quien no estuvo en otros lugares ni conoció a otras gentes que hubiesen escrito con su mano la historia alternativa de su vida: frente a lo que ha sido, lo que habría podido ser. Y aun aquello que ha sido, ¿cómo fue? Los detalles del presente transformado en pretérito se nos escapan a menudo. Y revivimos nuestra historia de forma distinta. Y ponemos acaso más intensidad en su recuerdo que la puesta en su pasada realidad. De ahí que sea más válido pensar que toda historia es presente; toda, contemporánea; toda, configurada por hombres que viven en *su* tiempo, si es que el tiempo tiene dueño.

Pero la historia sigue. Para liberarse de la transcurrida, hay que mirarla fijamente a los ojos. Este hombre la ha contado. Como en un extraño sacramento, porque amó mucho, sus errores le fueron perdonados. Aunque continúe siendo hoy lo que ayer fue y antes de ayer. ¿Aprendió algo? Quizá, pero para seguir no es indispensable. Como escribió el maestro de su adolescencia, él es —y fue— él y su circunstancia. Y sólo salvándola a ella pudo salvarse él. ¿Luego se ha salvado? El que intenta vivir con una vehemencia casi insoportable siempre se salva. Es cierto que el alma es una guerra incesante contra la inercia, contra el adocenamiento y la conformidad. La canonización del pasado nos convierte en estatuas de sal. El error, por muy grave que sea, es cuestión de un momento; defenderlo buscándole una continua y prolongada explicación sí que es mucho más grave. A los individuos les ocurre lo que a los pueblos: según Santallana, si ignoran su historia, se verán condenados a repetirla. Por eso este hombre quiso conocerse conociendo a los otros; comprendiéndolos comenzó su propia comprensión. Tanto, que ahora ya se ha olvidado un poco de sí mismo.

Afirmó Hesse que hay épocas con una historia extremada, y otras, más humanas, en que apenas se advierte que sean también históricas. Es difícil que permanezcan los gestos que no sean de dar o de abrirse en son de recibir. De acuerdo que somos lo vivido, pero camino del futuro, largo o corto, y ensanchados por él. La historia es el recuerdo; sin embargo tan esencial como él para los hombres es el olvido. El combate entero se realiza entre el origen y el proyecto, entre la memoria y la profecía. En la vida y en la literatura (el hombre de estas páginas no distingue apenas los límites entre la una y la otra) no se es héroe por haber obtenido el triunfo, sino por haber palpitado y fluctuado, desde Escila a Caribdis, a bordo de la frágil nave que es el humano corazón. Creo poder asegurar que este hombre no desembarcó aún, a pesar de haber zozobrado en muchas ocasiones. Qué más queréis que os diga.

20 de julio de 1997